Expats

Chris Pavone

Expats

Karakter Uitgevers B.V.

Oorspronkelijke titel: *The Expats*

Published by arrangement with Lennart Sane Agency AB.
Vertaling: Jan Smit

Opmaak binnenwerk: ZetSpiegel, Best
Omslagontwerp: Studio Jan de Boer
Omslagbeeld: Margie Hurwick/Arcangel Images/Hollandse Hoogte (vrouw); Jonathan Kantor/Getty Images (vliegtuigen); Walter Bibikow/ Getty Images (stadsbeeld Luxemburg)

ISBN 978 90 452 0364 5
NUR 332

Voor mijn kleine ex-expats, Sam en Alex

'De waarheid is mooi, zeer zeker, maar dat zijn leugens ook.'

RALPH WALDO EMERSON

'De enige charme van het huwelijk is dat het een leven van bedrog absoluut noodzakelijk maakt, voor beide partijen.'

OSCAR WILDE

Voorspel

VANDAAG, 10:52 UUR, PARIJS

'Kate?'

Kate tuurt door de grote glazen ruit van een etalage vol kussens, tafelkleden en gordijnen, in donkergrijze, chocoladebruine en mosgroene tinten, het nieuwe palet, dat de kleurstelling van de vorige week heeft vervangen. Een wisseling van seizoenen, zomaar ineens.

Ze draait zich om naar de vrouw die naast haar staat op de smalle stoep van de Rue Jacob. Wie is ze?

'O mijn god. Kate? Ben je het echt?' De stem klinkt bekend, maar de stem alleen is niet genoeg.

Kate is vergeten waar ze vaag naar zocht. Een lap stof. Gordijnen voor de gastenbadkamer? Iets frivools.

In een beschermend gebaar trekt ze de ceintuur van haar regenjas wat strakker. Eerder die ochtend, toen ze de kinderen naar school bracht, regende het nog. Mist dreef de stad in vanaf de Seine, en de hakken van haar leren laarzen klepperden luid over de natte klinkers. Ze draagt nog steeds haar lichte regenjas, met een opgevouwen exemplaar van de *Herald Tribune* in haar zak gestoken. Ze heeft de kruiswoordpuzzel gedaan in het café naast de school, waar ze meestal gaat ontbijten, samen met andere expat-moeders.

Deze vrouw hoort daar niet bij.

Ze draagt een zonnebril die haar ogen, de helft van haar voorhoofd en het grootste deel van haar wangen bedekt. Het is onmogelijk te zien wie zich verbergt achter al dat zwarte plastic met gouden logo's. Haar korte kastanjebruine haar is strak achterovergekamd, op zijn plaats gehouden door een zijden haarband. Ze is lang en geopierd, maar met volle heupen en borsten: voluptueus. Haar huid heeft een gezonde, natuurlijk bruine tint, alsof ze vaak buiten is, veel tennist of in de tuin werkt – niet dat overdreven diepbruine kleurtje van veel Franse vrouwen die verslaafd zijn aan de ultraviolette straling van de zonnebank.

Ze draagt weliswaar geen rijbroek en een ruiterjasje, maar haar kleren roepen toch de suggestie op van een amazone. Kate herkent de geruite jas uit de etalage van een afgrijselijk dure boetiek in de buurt, een nieuwe zaak die in de plaats is gekomen van een dierbare boekwinkel, een ruil die volgens verontwaardigde buurtbewoners het einde betekent van Faubourg St.-Germain zoals zij het kenden. Maar de liefde voor die boekwinkel was nogal abstract, want er kwamen steeds minder klanten, terwijl de nieuwe boetiek druk wordt bezocht, niet alleen door Texaanse huisvrouwen, Japanse zakenlui en Russische criminelen, die hun shirts, sjaals en handtassen contant betalen – met keurige, frisse stapeltjes witgewassen geld – maar ook door rijke Parijzenaars uit de omgeving. Want hier wonen geen arme mensen.

En deze vrouw? Ze glimlacht haar volmaakte, stralend witte tanden bloot. Het is een bekende glimlach, die past bij de al even bekende stem. Maar Kate moet nog steeds haar ogen zien om haar ergste vrees bewaarheid te weten.

Er zijn splinternieuwe Zuidoost-Aziatische auto's te koop voor minder geld dan het geruite jasje van deze vrouw. Kate zelf kleedt zich ook goed, in de discrete stijl die bij haar type past. Deze vrouw gaat van heel andere principes uit.

Ze is Amerikaans, maar ze heeft geen regionaal accent. Ze zou overal vandaan kunnen komen, iedereen kunnen zijn.

'Ik ben het,' zegt ze, en eindelijk zet ze haar zonnebril af.

Onwillekeurig doet Kate een stap naar achteren en botst tegen de beroete grijze steen van de gevel. Het metalen beslag van haar handtas slaat met een onrustbarende klap tegen de etalageruit.

Geluidloos opent ze haar mond.

Haar eerste gedachte gaat naar de kinderen, en de paniek slaat toe. Dat is nu eenmaal de reactie van iedere ouder: angst om je kinderen. Altijd. Dat was het enige element van het plan waar Dexter niet goed over had nagedacht: die eeuwige nachtmerrie dat de kinderen iets zou overkomen.

De vrouw heeft zich niet alleen achter een zonnebril verborgen, maar ook haar kapsel veranderd en haar haar geverfd. Haar huid is donkerder dan eerst en ze is een kilo of vier, vijf aangekomen. Ze ziet er nu anders uit. En toch verbaast het Kate dat ze haar niet onmiddellijk heeft herkend, bij het eerste woord dat ze sprak. Omdat ze haar niet *wílde* herkennen, beseft ze nu.

'O mijn god!' is het enige wat ze weet uit te brengen.

Het duizelt haar. In gedachten vlucht ze de straat uit, de hoek om, en door de zware rode deur naar binnen. Via de altijd koele passage onder het afdak van de binnenplaats komt ze in de met marmer betegelde hal, waar de koperen liftkooi wacht, die haar omhoog brengt naar de vrolijke gele gang met de achttiende-eeuwse tekening in haar vergulde lijst.

De vrouw spreidt haar armen voor een omhelzing in Amerikaanse stijl.

Maar in gedachten is Kate nog altijd op de vlucht. Ze rent de gang door, naar het met hout betimmerde kantoor, dat uitkijkt over de daken, tot aan de Eiffeltoren. Daar pakt ze de fraai bewerkte koperen sleutel en opent de onderste la van het antieke bureau.

Maar waarom zouden ze elkaar niet omhelzen? Ze zijn immers oude vriendinnen. Min of meer. Als iemand hen in de gaten houdt, zou het verdacht kunnen lijken als deze twee mensen elkaar niet omhelzen. Of als ze dat juist wél doen?

Het duurt niet lang voordat ze het vermoeden krijgt dat ze worden bespied. En dat ze altijd al zijn gevolgd. Terwijl Kate nog maar een paar maanden geleden eindelijk het gevoel had dat ze niet langer over haar schouder hoefde te kijken.

En in die la van het bureau ligt een kistje van extra gehard staal.

'Wat een verrassing!' zegt Kate. Dat is zo, maar toch ook niet.

In het kistje liggen vier paspoorten met een nieuwe identiteit voor het hele gezin. En een dikke stapel bankbiljetten met een elastiek – grote bedragen in euro's, Britse ponden en Amerikaanse dollars, nieuwe biljetten, haar eigen versie van witgewassen geld.

'Wat geweldig om je te zien.'

En, in een lichtblauwe zeemleren lap gewikkeld, de Beretta 92FS die ze van een Schotse pooier in Amsterdam heeft gekocht.

Deel I

1

TWEE JAAR EERDER, WASHINGTON D.C.

'Luxemburg?'

'Ja.'

'Lúxemburg?'

'Precies.'

Katherine wist niet hoe ze daarop moest reageren. Daarom viel ze maar terug op een bekende tactiek – zich dommer voordoen dan ze was. 'Waar ligt Luxemburg?' Meteen had ze al spijt van haar geveinsde onnozelheid.

'Het ligt in West-Europa.'

'Ik bedoel... in Duitsland?' Ze ontweek Dexters blik, uit schaamte om de valkuil die ze voor zichzelf had gegraven. 'Of in Zwitserland?'

Dexter keek haar onbewogen aan en deed zichtbaar zijn best om niets verkeerds te zeggen. 'Het is een zelfstandig land,' antwoordde hij. 'Een groothertogdom,' voegde hij er wat overbodig aan toe.

'Een groothertogdom.'

Hij knikte.

'Je meent het.'

'Het enige groothertogdom ter wereld.'

Ze zei niets.

'Het grenst aan Frankrijk, België en Duitsland,' ging Dexter ongevraagd verder. 'Die liggen eromheen.'

'Nee.' Ze schudde haar hoofd. 'Dat land bestaat helemaal niet. Je hebt het over... weet ik veel... de Elzas. Of Lotharingen. Elzas-Lotharingen, dus.'

'Nee, dat ligt in Frankrijk. Luxemburg is een ander eh... land.'

'En waarom is het een groothertogdom?'

'Omdat het wordt geregeerd door een groothertog.'

Ze concentreerde zich weer op haar snijplank met de half gesneden ui, op een aanrecht dat geheel van de kastjes eronder dreigde los te raken, uiteengedrukt door een soort oerkracht – water, zwaartekracht, of allebei – waardoor de keuken de grens had overschreden van aanvaardbaar armoedig naar compleet uitgewoond, onhygiënisch en regelrecht gevaarlijk. Eindelijk werd het tijd voor een volledige renovatie, die zelfs na het schrappen van alle overbodige, esthetische aanpassingen en uitspattingen nog altijd veertigduizend dollar zou gaan kosten. En die hadden ze niet.

Als noodmaatregel had Dexter haken om de hoeken van het aanrecht gemonteerd om te voorkomen dat het blad helemaal los zou raken. Dat was twee maanden geleden. In de tussentijd had Katherine al een wijnglas gebroken tegen die onhandig vastgezette haken, terwijl ze een week later, bij het snijden van een mango, met haar hand een van de haken had geraakt, waardoor het mes uit haar vingers schoot en zich geruisloos in het vlees van haar linkerhandpalm boorde. Het bloed spoot over de mango en de snijplank heen. Met een vaatdoek tegen de wond gedrukt bleef ze bij de gootsteen staan, terwijl de bloeddruppels op de rafelige vloermat sijpelden en zich door de katoenen vezels verspreidden in hetzelfde patroon als die dag in het Waldorf, toen ze haar blik had moeten afwenden maar dat niet had gedaan.

'En wat is een groothertog?' Ze veegde de uientranen uit haar oog.

'De baas van een groothertogdom.'

'Dat verzin je.'

'Nee, hoor.' Dexter had een lachje op zijn gezicht, alsof hij haar in de maling nam. Hoewel, daar was het lachje weer te zuinig voor. Hij dééd alsof hij haar in de maling nam, terwijl hij in werkelijkheid doodernstig was. De schijnbeweging van een valse glimlach.

'Oké,' zei ze. 'Ik speel het spelletje wel mee. Waaróm zouden we naar Luxemburg willen verhuizen?'

'Om veel geld te verdienen en veel door Europa te kunnen reizen.' Opeens brak er een echte, spontane lach door op zijn gezicht. 'Waarvan we altijd hebben gedroomd.' Het oprechte gezicht van een man die geen geheimen had en niet kon geloven dat iemand anders die wel kon hebben. Juist dat waardeerde Katherine het meest in haar echtgenoot.

'Ga jij veel geld verdienen? In Luxemburg?'

'Ja.'

'Hoe dan?'

'Ze hebben daar een groot gebrek aan mooie mannen. Dus willen ze me een kapitaal betalen, enkel om ongelooflijk knap en verbijsterend sexy te zijn.'

Dat was hun vaste grap, al tien jaar lang. Dexter kon bepaald niet knap of sexy worden genoemd. Hij was het schoolvoorbeeld van een computernerd, slungelig en onhandig. Eigenlijk zag hij er niet slecht uit. Hij had een regelmatig gezicht, een combinatie van zandkleurig haar, een puntige kin, appelwangen en hazelnootbruine ogen. Met de hulp van een goede kapper, mediatraining en misschien wat psychotherapie had hij zelfs een knappe vent kunnen worden. Maar zijn uitstraling was vooral ernstig en intelligent, niet fysiek of sexy.

Dat had Katherine aanvankelijk ook zo aangesproken: een man die absoluut niet ironisch, arrogant, blasé, cool of geleerd overkwam. Dexter was recht door zee, transparant, betrouwbaar en aardig. De mannen met wie zij werkte waren ijdel, meedogenloos, zelfzuchtig, en probeerden iedereen te manipuleren. Dexter was haar tegengif, een rustige, bescheiden, altijd eerlijke, alledaags ogende man.

Hij had zich al lang geleden neergelegd bij zijn doodgewone verschijning en gebrek aan charisma. Daarom benadrukte hij juist zijn uitstraling als nerd, op de bekende manier: plastic brillenglazen, gekreukte kleren waar ogenschijnlijk niet over was nagedacht, en warrig haar. En hij maakte grappen over zijn uiterlijk. 'Ik hoef alleen maar wat te staan, op openbare plekken,' ging hij verder. 'Als ik moe word, mag ik misschien gaan zitten. Zolang ik maar... nou ja, knap en sexy ben.' Hij moest er zelf om grinniken. 'Luxemburg is het wereldcentrum van private banking.'

'En?'

'Een van die private banks heeft me een heel lucratief contract aangeboden.'

'Hoe lucratief?'

'Driehonderdduizend euro per jaar, bijna een half miljoen dollar, tegen de huidige koers. Plus woon- en verblijfkosten. Plus bonussen. Het zou in totaal wel eens driekwart miljoen dollar kunnen worden.'

Dat was inderdaad veel geld, meer dan Katherine had gedacht dat Dexter ooit zou verdienen. Hoewel hij al bijna vanaf het eerste begin bij het internet was betrokken, had hij nooit de ambitie of visie gehad om rijk te worden. Hij was iemand die toekeek terwijl zijn vrienden en collega's geld investeerden, risico's namen, failliet of naar de beurs gingen en zich privéjets konden veroorloven. Dexter niet.

'En in de toekomst?' vervolgde hij. 'Wie zal het zeggen? En het mooiste is...' – hij spreidde zijn handen om zijn woorden te onderstrepen – 'dat ik niet eens erg hard zal hoeven werken.' Ooit waren ze allebei best ambitieus geweest. Maar na tien jaar samen, waarvan vijf jaar met kinderen, had alleen Dexter nog enige motivatie, maar dan voornamelijk om het wat rustiger aan te doen.

Tenminste, dat had zij steeds gedacht. Nu scheen hij toch het plan te hebben opgevat om rijk te worden. In Europa.

'Hoe weet je dat?' vroeg ze.

'Ik ken de omvang van de operatie, de complexiteit ervan, en het soort transacties. Hun beveiliging hoeft niet zo streng te zijn als waar ik nu mee bezig ben. Bovendien zijn het Europeanen, en iedereen weet dat ze in Europa niet zo hard werken.'

Dexter was nooit rijk geworden, maar hij verdiende redelijk. En ook Katherine zelf was regelmatig een tree hoger gekomen op de salarisladder. Samen hadden ze het afgelopen jaar een kwart miljoen dollar verdiend. Maar met hun hypotheek, de eeuwige reparaties aan hun kleine, oude huis langs de zogenaamd opgewaardeerde rand van de zogenaamd verjongde Columbia Heights, de school van hun kinderen (het was moeilijk een geschikte school te vinden in Washington D.C.) en hun twee auto's, bleef er nooit geld over. Ze voelden zich geketend met handboeien van goud. Of nee, niet van goud, hooguit van brons, of misschien zelfs aluminium. En nu zakte hun keuken ook nog in elkaar.

'Dus straks zwemmen we in het geld,' zei Katherine, 'en kunnen we overal naartoe reizen. Maar kom jij nog wel eens thuis, bij mij en de jongens, of ben je altijd weg?'

De afgelopen twee maanden had Dexter buitensporig veel gereisd en een groot deel van het gezinsleven gemist. Op dit moment was dat een pijnlijk punt. Hij kwam net terug van een paar dagen Spanje, een reis die pas op het laatste moment was ingepland, waardoor Katherine haar – schaarse – sociale plannen had moeten schrappen, wat ze niet graag deed. Ze hadden toch al geen rijk sociaal leven of erg veel vrienden. Maar beter dan niets.

Ooit waren Katherines eigen reizen het probleem geweest. Maar kort na Jakes geboorte had ze daar een punt achter gezet en ook haar uren drastisch beperkt. Toch lukte het haar zelfs in deze nieuwe situatie maar zelden om voor zeven uur thuis te zijn. Ze had pas echt tijd voor haar kinderen in de weekends, tussen de boodschappen, het stofzuigen, de sportschool en al haar andere verplichtingen door.

'Niet veel,' zei hij vaag. Die ontwijkende reactie ontging haar niet.

'Waar moet je dan heen?'

'Londen, Zürich, misschien de Balkan. Een keer per maand, denk ik, of twee.'

'De Balkan?'

'Sarajevo, misschien. Belgrado.'

Katherine wist dat Servië een van de laatste plekken was waar Dexter naartoe wilde.

'De bank heeft daar belangen.' Hij haalde half zijn schouders op. 'Hoe dan ook, reizen is geen belangrijk deel van het werk. Maar ik moet wel in Europa wonen.'

'Vind je Luxemburg wel leuk?' vroeg ze.

'Ik ben er een paar keer geweest. Ik heb er eigenlijk niet zo'n duidelijk beeld van.'

'Maar weet je wel íéts? Want misschien vergis ik me wel in het continent.' Nu Katherine eenmaal met dit leugentje was begonnen, moest ze het ook volhouden. Dat was het geheim van overtuigend liegen: je moest nooit proberen je leugens te verbergen. En het was altijd verontrustend eenvoudig geweest om haar man voor te liegen.

'Ik weet dat het een rijk land is,' zei Dexter. 'Ze hebben al een paar jaar het hoogste bruto binnenlands product per hoofd van de bevolking.'

'Dat kan niet,' zei ze, hoewel ze wist dat hij gelijk had. 'Dat moet een of ander oliestaatje zijn, de Emiraten misschien, of Qatar, of Koeweit. Niet een land waarvan ik vijf minuten geleden nog dacht dat het een deelstaat van Duitsland was.'

Hij haalde zijn schouders op.

'Oké. En verder nog?'

'Eh... nou... het is klein.'

'Hoe klein?'

'Een half miljoen inwoners. Het is ongeveer zo groot als Rhode Island. Kleiner nog, iets kleiner.'

'En de stad? Er is toch wel een stad?'

'Ja, de hoofdstad. Die heet ook Luxemburg. Tachtigduizend inwoners.'

'Tachtigduizend? Dat is geen stad. Dat is... ik weet het niet... een provincieplaats.'

'Maar wel een mooie. Midden in Europa. En ze willen me heel veel geld betalen. Het is dus niet zomaar een provincieplaats. En jij hoeft niet eens een baan te zoeken.'

Katherine verstijfde achter het aanrecht toen ze deze wending hoorde in het plan, een wending die ze al had zien aankomen toen hij haar tien minuten geleden had gevraagd wat ze ervan dacht om naar Luxemburg te verhuizen. Dit betekende dus het definitieve einde van haar carrière. Haar eerste reactie, toen het tot haar doordrong, was een geweldige opluchting geweest, de kans op een onverwachte oplossing van een lastig probleem. Ze zou nu wel ontslag móéten nemen. Het was niet langer haar eigen beslissing; ze had geen keus.

Ze had nooit aan haar man – en nauwelijks aan zichzelf – bekend dat ze haar baan wilde opzeggen. En nu zou ze dat niet hoeven op te biechten.

'Maar wat zou ik daar kúnnen doen?' vroeg ze. 'In Luxemburg? Waarvan ik trouwens nog steeds niet overtuigd ben dat het bestaat.'

Hij glimlachte.

'Je zult moeten toegeven,' zei ze, 'dat het als een verzinsel klinkt.'

'Je kunt daar lekker van je vrije tijd genieten.'

'Nee, serieus.'

'Ik bén serieus. Je kunt leren tennissen. Onze reisjes organiseren. Een heel nieuw huis inrichten. Talen leren. Bloggen.'

'En als ik me verveel?'

'Dan kun je altijd nog een baan zoeken.'

'Als wat?'

'Washington is niet de enige plek ter wereld waar mensen strategische rapporten schrijven.'

Katherine keek naar haar gemangelde ui en ging weer door met snijden, terwijl ze deze klap in het gesprek probeerde te verwerken. 'Touché.'

'Weet je,' vervolgde Dexter, 'Luxemburg is een van de drie hoofdsteden van de Europese Unie, samen met Brussel en Straatsburg.' Hij leek wel een wandelende reclamespot voor die stad, verdomme. 'Volgens mij zitten er genoeg NGO's die wel een slimme Amerikaanse op hun ruim gesubsidieerde loonlijst kunnen gebruiken.' Nu klonk hij als een headhunter, zo'n eeuwig opgewekt HR-type met vouwen in zijn kakibroek en glimmende penny-loafers.

'En wanneer moet dit allemaal gaan gebeuren?' Katherine nam afstand van de discussie, haar vooruitzichten, haar toekomst. Ze verborg zichzelf.

'Nou...' Hij zuchtte, een beetje te diep, als een slecht acteur die zijn mogelijkheden overschatte. 'Dat is het addertje onder het gras.'

Daar liet hij het bij. Dat was een van Dexters schaarse irritante trekjes – dat hij haar dwong hem vragen te stellen, in plaats van gewoon antwoord te geven als zij daarop wachtte. '*Nou?*'

'Zo snel mogelijk,' gaf hij toe, alsof hij onder druk stond, geplaagd door slechte recensies en bekogeld met rotte tomaten.

'Wat betekent dat?'

'We zouden er eind deze maand al moeten zitten. En ik moet er zelf nog een paar keer eerder heen. Maandag, om te beginnen.'

Katherines mond viel open. Niet alleen kwam dit volledig uit de lucht vallen, het ging ook wel erg snel. Het duizelde haar toen ze probeerde na te gaan hoe ze in vredesnaam binnen zo'n korte tijd ontslag zou kunnen nemen. Dat zou niet meevallen en zeker argwaan wekken.

'Ik weet het,' zei Dexter. 'Het is kort dag. Maar voor zo veel geld? Dat is een van de offers die we moeten brengen. Ach, en zo erg is het toch niet, om snel naar Europa te verhuizen? Kijk.' Hij tastte in zijn zak, haalde een groot vel papier tevoorschijn en streek het glad op het aanrecht. Het leek een spreadsheet, met de kop LUXEMBURG BUDGET.

'Het moment is juist heel gunstig,' vervolgde Dexter defensief, hoewel hij nog altijd niet had uitgelegd waarom er zo veel haast bij was. Dat zou Katherine pas veel later begrijpen. 'Het is nog zomervakantie en we kunnen op tijd in Luxemburg zijn om de kinderen nog bij een nieuwe school aan te melden voor het begin van het leerjaar.'

'En wat voor school zou dat...?'

'Een Engelstalige privéschool.' Dexter had steeds zijn antwoord klaar. Hij had zelfs een spreadsheet gemaakt, nota bene! Hoe romantisch. 'Betaald door mijn cliënt.'

'Een goede school?'

'Ik neem aan dat er in het centrum van de bankenwereld, met het hoogste inkomen op aarde, wel een goede school te vinden is. Of twee.'

'Je hoeft niet sarcastisch te worden. Ik vraag je alleen wat details over de school van onze kinderen, en waar wij moeten wonen. Bijzaken, toch?'

'Sorry.'

Katherine keek Dexter nog een paar seconden verontwaardigd aan, voordat ze verder vroeg. 'En hoelang zouden we in Luxemburg moeten blijven?'

'Het is een contract voor een jaar, met een optie voor verlenging, tegen een hoger honorarium.'

Ze spreidde de spreadsheet uit, en haar blik gleed naar de laatste regel, een nettobedrag van bijna tweehonderdduizend per jaar. Euro's? Dollars? Wat dan ook. 'En dan?' vroeg ze, een beetje milder gestemd door die uitkomst. Ze had zich er al lang geleden mee verzoend om altijd blut te zijn. Maar nu leek er toch een eind te komen aan die eeuwigheid.

'Wie zal het zeggen?'

'Dat is een lullig antwoord.'

Hij kwam naar het inzakkende aanrecht toe en sloeg zijn armen om haar heen, van achteren, waardoor de hele sfeer van het gesprek veranderde. 'Dit is het, Kat,' zei hij, met zijn adem warm tegen haar huid. 'Heel anders dan we het ons hadden voorgesteld, maar dit is het wel.'

Eigenlijk was het precies waarvan ze altijd hadden gedroomd: een nieuw leven beginnen in het buitenland. Ze hadden allebei het gevoel dat ze belangrijke ervaringen waren misgelopen, belemmerd door omstandigheden die een zorgeloze jeugd onmogelijk hadden gemaakt. En nu, eind dertig, verlangden ze nog altijd naar wat hun toen door de vingers was geglipt. Ze hadden nog een kans, dachten ze. Het was in elk geval niet onmogelijk.

'We gaan het doen,' prevelde hij zachtjes in haar hals.

Ze legde haar mes neer. Een afscheid van de wapens, en niet haar eerste.

Ze hadden er serieus over gesproken, 's avonds laat, na een paar glazen wijn. Nou ja, zo serieus als mogelijk was, zo laat, en aangeschoten. Maar hoewel ze geen idee hadden of het moeilijk zou zijn om in een ander land te wonen, zouden ze zonder enig probleem uit Washington vertrekken.

'Maar Luxemburg?' vroeg ze. Ze hadden gedroomd van plekken als de Provence, Umbria, Londen of Parijs, misschien Praag, Boedapest of zelfs Istanbul; romantische streken en steden, waar ze graag naartoe wilden, net als iedereen. Op dat lijstje kwam Luxemburg niet voor, bij hen niet, en bij niemand. Geen mens droomt ervan naar Luxemburg te verhuizen.

'Weet je toevallig,' vroeg ze, 'wat voor taal ze daar spreken?'

'Het Luxembourgeois, een soort Duits dialect met Franse elementen.'

'Nee, toch?'

Hij kuste haar nek. 'Jawel. Maar ze spreken ook gewoon Duits, Frans en Engels. Het is een heel internationale omgeving. Niemand verwacht van je dat je Luxembourgeois zult leren.'

'Spaans, dat is mijn taal. En ik heb een jaartje Frans gedaan. Maar Spaans, dat spreek ik wel.'

'Maakt niet uit. De taal is geen probleem.'

Hij kuste haar nog eens, liet zijn hand over haar buik glijden, tot onder de taille van haar rok, die hij in zijn vuist pakte en omhoogtrok. De kinderen waren bij vriendjes spelen.

'Geloof me.'

2

Katherine had hen al zo vaak gezien, op internationale luchthavens, met hun stapels goedkope koffers, een mengeling van bezorgdheid, verbijstering en uitputting op hun gezicht, de kinderen onderuitgezakt op stoeltjes, de vaders met handenvol rode of groene paspoorten, waarmee ze zich onderscheidden van de blauwe reisdocumenten van de Amerikanen.

Het waren immigranten, bezig te immigreren.

Ze had hen gezien als ze vertrokken vanaf het vliegveld van Mexico City, na een busrit uit Morelia of Puebla, of een vlucht vanuit Quito of Guatemala City. Ze had hen gezien in Parijs, onderweg vanuit Dakar, Caïro of Kinshasa. Ze had hen gezien in Managua en Port-au-Prince, Caracas en Bogotá. Overal in de wereld waar ze kwam, had ze hen zien staan, klaar om te vertrekken.

En ze had hen zien aankomen, in New York en Los Angeles, Atlanta en Washington, aan het einde van hun lange reis, doodmoe, maar nog lang niet klaar met hun heroïsche tocht.

Nu was ze een van hen.

Nu was zij het zelf, op de stoep voor de luchthaven van Frankfurt-am-Main, met achter haar een stapel van acht veel te grote, niet bij elkaar passende koffers. Ze had zulke grote koffers wel eens eerder gezien en zich afgevraagd wie bij zijn volle verstand zulke foeilelijke, onhandelbare dingen zou aanschaffen. Nu wist ze het antwoord: iemand die zijn hele hebben en houden moest inpakken, zo snel mogelijk.

Verspreid tussen die acht lelijke, grote koffers lagen nog vier reistassen, een handtas, twee computertassen, twee kinderrugzakken en – aan de rand – wat jasjes, teddyberen en een tas met mueslirepen en fruit, vers en gedroogd, plus zakjes bruine M&M's. Alle populaire kleuren waren voor Nova Scotia al verorberd.

Nu was zij het zelf, met de blauwe paspoorten van haar gezin in haar hand geklemd, duidelijk te onderscheiden van de rode reispapieren van de Duitsers. En dat was niet het enige verschil. De mensen uit het land zelf hingen niet rond met stapels lelijke bagage en hun paspoort in hun hand.

Nu was zij het zelf, die niet kon verstaan wat er om haar heen werd gezegd, omdat ze de taal niet kende. Zeven uur in een vliegtuig, met maar twee uur slaap, wallen onder haar ogen, doodmoe en uitgehongerd, een beetje misselijk, angstig en gespannen.

Nu was zij het zelf: een immigrante, bezig te immigreren.

Haar eerste concessie was dat ze Dexters achternaam had aangenomen. Ze gaf toe dat ze haar meisjesnaam, de naam die ze op haar werk gebruikte, niet langer nodig had. Dus was ze naar het gemeentekantoor van het District of Columbia gegaan om de formulieren in te vullen en de leges te betalen. En ze had een nieuw rijbewijs en paspoort aangevraagd.

Ze had zichzelf wijsgemaakt dat ze zich gemakkelijker door de bureaucratie van een katholiek land zouden worstelen als man en vrouw dezelfde naam droegen. En inmiddels was ze al bezig de rest van haar identiteit op te geven – dat web van uiterlijke kenmerken waaronder een meer complexe waarheid schuilging. Een naam, redeneerde ze, was uiteindelijk maar bijzaak.

Dus was ze nu iemand die ze nooit eerder was geweest: Katherine Moore. Ze zou zichzelf Kate noemen. Vriendelijke, relaxte Kate. Heel anders dan die strenge, serieuze Katherine. De naam klonk eigenlijk wel aardig. Kate Moore was iemand die wist hoe je je in Europa moest amuseren.

Een paar dagen had ze in gedachten nog Katie Moore geprobeerd, maar Katie Moore klonk meer als iemand uit een kinderboek, of een cheerleader.

Kate Moore had de hele verhuizing georganiseerd. Ze had tientallen rekeningen en andere accounts bevroren of laten overschrijven. Ze had die lelijke koffers gekocht. Ze had hun bezittingen verdeeld in de verplichte drie categorieën: ingeklaarde bagage, luchttransport en zeetransport. Ze had de vervoersbewijzen, de verzekeringsformulieren en al die andere papieren ingevuld.

En ze had afscheid genomen van haar werk. Dat was bepaald niet gemakkelijk of snel gegaan. Maar toen alle gesprekken en bureaucratische problemen eenmaal achter de rug waren, was haar een afscheidsborrel aangeboden in het huis van haar baas op Capitol Hill. Hoewel ze nooit eerder ontslag had genomen in haar volwassen leven, had ze in de loop van de jaren wel een paar van zulke bijeenkomsten meegemaakt. Eerst vond ze het jammer dat ze niet naar een Ierse pub gingen, met een poolbiljart en een bar waaraan iedereen zich kon bezatten, net als in de film. Maar natuurlijk konden de mensen van haar werk niet in een bar samenkomen. Dus hadden ze bier gedronken op de benedenverdieping van Joe's herenhuis, dat – zoals Kate half opgelucht en half teleurgesteld constateerde – niet veel groter of beter onderhouden was dan haar eigen huis.

Ze hief het glas met haar collega's, en twee dagen later was ze uit Amerika vertrokken.

Dit, zei ze nog eens tegen zichzelf, was haar kans om zichzelf opnieuw uit te vinden. Als iemand die geen halfslachtige pogingen deed om een bedenkelijke carrière voort te zetten; als iemand die niet lusteloos probeerde een goede moeder te zijn; iemand die niet in een vervallen huis in een armoedige, onvriendelijke buurt van een verbitterde stad woonde waar iedereen elkaar naar het leven stond – een stad die ze alleen had gekozen omdat ze er toevallig had gestudeerd en nooit meer was weggegaan. Ze was alleen in Washington gebleven en had alleen dit werk gedaan omdat het één toevallig tot het ander leidde. Ze had haar leven niet zelf bepaald, maar andersom.

De Duitse chauffeur zette de muziek wat harder; zware synthesizerpop uit de eighties. 'New Wave!' riep hij uit. 'Heerlijk!' Hij trommelde woest met zijn vingers op het stuur, tikte met zijn voet tegen de koppeling en knipperde als een waanzinnige met zijn ogen. Om negen uur 's ochtends! Amfetamines?

Kate verlegde haar aandacht van deze maniak naar het rustige Duitse landschap dat voorbij gleed; glooiende heuvels, dichte bossen, uitgestrekte weilanden met koeien, en dorpjes van dicht opeen gebouwde stenen huizen, die tegen elkaar aan leken te kruipen vanwege de kou.

Ze zou een heel nieuw mens worden, een nieuwe start maken. Eindelijk zou ze een vrouw worden die niet voortdurend tegen haar man hoefde te liegen over wat ze deed en wie ze was.

'Hallo,' had Kate gezegd toen ze die ochtend in alle vroegte Joe's kantoor binnenkwam. Dat ene woord was haar enige inleiding voordat ze verderging met: 'Sorry, maar ik neem ontslag.'

Joe keek op van een rapport dat bestond uit grijze vellen papier, afkomstig van een dotmatrixprinter die ergens op een Russisch metalen bureau in een Midden-Amerikaans land moest staan.

'Mijn man heeft een baan aangeboden gekregen in Europa. Luxemburg.'

Joe trok een wenkbrauw op.

'En dat leek me wel een goed idee.' Die uitleg was een ernstige simplificatie, maar wel eerlijk. Kate was vastbesloten volkomen eerlijk te blijven in deze hele situatie – behalve over één onderwerp, als dat zich zou aandienen, en die kans was groot.

Joe sloot de map. Het dikke blauwe omslag was versierd met allerlei stempels, handtekeningen en initialen. Aan de zijkant zat een metalen klem. Joe klapte hem dicht. 'Wat voor baan?'

'Dexter houdt zich bezig met de elektronische beveiliging van banken.'

Joe knikte.

'En er zijn heel wat banken in Luxemburg,' voegde ze eraan toe.

Joe lachte vaag.

'Een van die banken heeft hem een contract aangeboden.' Het verwonderde Kate dat ze zo veel spijt voelde. Met elke seconde die verstreek raakte ze er meer van overtuigd dat ze de verkeerde beslissing had genomen, maar met goed fatsoen niet meer terug kon.

'Mijn tijd is gekomen, Joe. Ik doe dit nu al... ik weet het niet eens meer...'

'Heel lang.'

Ze voelde niet alleen spijt, maar ook schaamte, een vreemd gevoel van gêne om haar eigen trots, haar onvermogen om een verkeerde beslissing terug te draaien.

'Ja, heel lang. En eerlijk gezegd begin ik me wat te vervelen. Al een tijdje. En dit is een geweldige kans voor Dexter. Voor ons allebei. Een nieuw avontuur.'

'Heb je nog niet genoeg avontuur gehad in je leven?'

'Als gezin. Een familieavontuur.'

Hij knikte kort.

'Maar eigenlijk gaat het niet om mij. Of nauwelijks. Het gaat om Dexter, zijn werk, en de kans om misschien eindelijk eens wat geld te verdienen. Een heel ander leven.'

Joe opende zijn mond een beetje, waardoor zijn kleine, grauwe tanden zichtbaar werden, onder een borstelige grijze snor, die op zijn doodsbleke gezicht leek geplakt. Om in stijl te blijven droeg hij meestal ook grijze pakken. 'Kan ik je nog tot andere gedachten brengen?'

De laatste paar dagen, toen Dexter met steeds meer praktische bijzonderheden kwam, zou het antwoord waarschijnlijk 'ja' zijn geweest. Of in elk geval 'misschien'. Maar juist de afgelopen nacht had Kate een definitief besluit genomen. Om vier uur was ze overeind geschoten in bed en had in paniek haar handen gewrongen. Wat wilde ze nu eigenlijk? Al zo lang – bijna haar hele leven – had ze zichzelf de vraag gesteld wat ze nodig had. Dat was iets heel anders dan wat ze wílde.

En ze was tot de slotsom gekomen dat ze in de eerste plaats ontslag wilde nemen. Ze moest hier eens en voor altijd vertrekken, definitief stoppen met dit werk. Het werd tijd om een nieuw hoofdstuk te beginnen, een heel nieuw boek van haar leven, waarin ze een totaal andere rol zou spelen. Niet dat ze per se een vrouw zonder werk wilde zijn, een vrouw zonder professionele ambities, maar in elk geval niet langer een vrouw met dít beroep en déze ambitie.

'Nee, Joe. Het spijt me,' luidde dus haar antwoord, in het gedempte licht van een mistige augustusochtend.

Joe glimlachte weer, wat bleker en strakker, eigenlijk meer een grimas. Zijn hele houding veranderde. Van een stoffige bureaucraat, een man van het middenkader, zoals hij meestal overkwam, werd hij opeens weer de meedogenloze vechter die ze kende. 'Juist.' Hij schoof de blauwe map opzij en pakte zijn laptop. 'Dan moet er heel wat worden gepraat. Maar dat had je al begrepen?'

Ze knikte. Hoewel de mensen hier nooit over ontslag spraken, was ze zich er altijd wel van bewust geweest dat dat niet simpel of snel zou gaan. En ze wist ook dat ze nooit meer een stap in haar kleine kantoortje zou zetten, nooit meer tot dit gebouw zou worden toegelaten. Haar persoonlijke bezittingen zouden haar keurig per koerier worden nagestuurd.

'En die gesprekken beginnen nu meteen.' Joe klapte zijn computer open. 'Ach...' Hij maakte een autoritair en tegelijk onverschillig handgebaar, terwijl zijn kaak verstrakte en hij een frons in zijn voorhoofd trok. 'Doe de deur even dicht, wil je?'

Ze vertrokken vanaf het hotel door de doolhof van smalle klinkerstraatjes in het centrum, die de natuurlijke, glooiende lijnen van de middeleeuwse vestingstad volgden. Ze liepen langs het paleis van de vorst, de terrasjes van de cafés en een breed plein waar een markt werd gehouden die uitpuilde van etenswaren en bloemen.

Door de dunne rubberzolen van haar schoenen voelde Kate alle richels en kuilen van de harde stenen onder haar voeten. Vroeger had ze vaak door zulke oneffen straatjes gelopen, in de ongure wijken van onbekende steden. Toen had ze daar ook de schoenen voor. Meer dan vijftien jaar geleden had ze zelfs over deze zelfde keitjes gewandeld. Ze herkende de arcade tussen de twee belangrijkste pleinen, waar ze ooit aan de zuidkant was blijven staan, terwijl ze zich afvroeg of haar geen gevaarlijke valstrik wachtte. Ze had die Algerijnse jongen gevolgd die, zoals later bleek, niets boosaardigers van plan was dan een pannenkoekje kopen.

Het was allemaal lang geleden, toen ze nog jongere voeten had. Nu zou ze een heel nieuwe collectie schoenen moeten aanschaffen, passend bij haar nieuwe kleren.

De kinderen liepen gehoorzaam voor hun ouders uit, druk in gesprek over zo'n typisch esoterisch kleinejongensonderwerp als legopoppetjeshaar. Dexter pakte Kates hand, zomaar op straat, op dit levendige Europese plein, waar mensen dronken en rookten, lachten en flirtten. En hij kriebelde haar handpalm met het topje van zijn wijsvinger, een subtiele uitnodiging – of heimelijke belofte – voor later, als ze alleen waren. Kate merkte dat ze bloosde.

Ze installeerden zich aan een tafeltje van een brasserie. Midden op het drukke, lommerrijke plein was een band van tien jongelui aan een kakofonie begonnen. Het deed Kate sterk denken aan de talloze Mexicaanse steden waar ze ooit haar dagen sleet: een plaza omringd door cafés, toeristische winkeltjes en alle generaties van de plaatselijke bevolking, van pruttelende baby's tot roddelende oude dames die elkaar bij de arm grepen – iedereen verzameld rond een muziekgroep van amateurs die bekende nummertjes speelden. Niet om aan te horen, meestal.

De lange, verre arm van het Europese kolonialisme.

Kate had de meeste tijd doorgebracht in Oaxaca's *zócalo*, nog geen kilometer van haar eenkamerappartement, naast de talenschool waar ze halve dagen de privélessen voor gevorderden volgde om alle dialecten onder de knie te krijgen. Ze kleedde zich net als andere vrouwen zoals zij, in een lange linnen rok en een boerenblouse, met een bandana in haar haar en een kleine neptatoeage van een vlinder in haar nek. Ze viel niet op als ze daar rondhing in de cafés, Negra Modelos dronk en een boodschappennetje meezeulde voor haar aankopen op de 20ste-November Markt.

Op een avond, toen er een paar tafeltjes tegen elkaar aan stonden geschoven, met een Duits echtpaar, een paar Amerikanen en de onvermijdelijke jonge Mexicanen die altijd op de versiertoer waren – ze gooiden heel wat pijltjes in het donker, zulke types, en raakten heel soms de roos – vroeg een knappe, zelfverzekerde man of hij mocht aanschuiven. Kate had hem al eerder gezien, heel vaak zelfs. Ze wist wie hij was, zoals iedereen: Lorenzo Romero.

Van dichtbij was hij knapper dan op de foto's. En toen bleek dat hij was gekomen om met Kate te praten, kon ze haar opwinding nauwelijks verbergen. Haar ademhaling werd oppervlakkig en het zweet stond in haar handen. Ze had moeite zich te concentreren op zijn grappen en insinuaties, maar dat deed er niet toe. Ze begreep wat hier gebeurde, ze liet haar blouse openvallen en ze raakte zijn arm aan, iets te lang.

Ze nam een laatste slok bier om haar zenuwen te bedwingen. Toen boog ze zich naar hem toe. '*Cinqo minutos*,' zei ze, en ze knikte naar de kathedraal aan de noordkant van het plein. Hij knikte begrijpend en likte zijn lippen, met een gretige blik in zijn ogen.

De wandeling over de plaza leek een eeuwigheid te duren. Alle kleine kinderen en hun ouders waren naar huis. De jongelui, de oude mensen en de toeristen bleven over – een decor van sigarenrook, marihuana, gebrekkig dronken Engels en het gekakel van de grootmoeders. Onder de bomen, weg van de straatlantaarns, zaten stelletjes elkaar schaamteloos op te vrijen.

Kate kon niet geloven dat ze dit echt deed. Ze wachtte ongeduldig op Independencia, in de schaduwen naast de kathedraal, totdat hij arriveerde en zich naar haar toe boog voor een kus.

'*No.*' Ze schudde haar hoofd. '*No aquí.*'

Zwijgend liepen ze naar El Llano, het park waar ooit een dierentuin was. Het braakliggende terrein zou gevaarlijk voor Kate zijn geweest, in haar eentje. Maar ze was niet alleen. Ze glimlachte naar Lorenzo en liep het donker in. Hij volgde haar, een roofdier klaar om toe te slaan.

Kate haalde diep, heel diep adem. Eindelijk. Het was zover. Ze liep om een dikke boom heen, onder een zwaar bladerdak, wachtend tot hij achter haar aan kwam, terwijl ze haar hand in de binnenzak van haar wijde canvas jack stak.

Toen hij in het donker om de boom heen kwam, drukte ze de loop in zijn buik en haalde twee keer de trekker over voordat hij wist wat er gebeurde. Slap zakte hij tegen de grond. Kate vuurde hem nog een keer in zijn hoofd, voor alle zekerheid.

Lorenzo Romero was de eerste die ze ooit had gedood.

3

'Heb jij haar al gezien?' vroeg de Italiaanse. 'Die nieuwe Amerikaanse?'

Kate nam een slok van haar latte en overwoog er een zoetje in te doen.

Ze wist niet meer of deze Italiaanse vrouw nu Sonia, Sophia of – omdat het totaal niet in het rijtje paste – Marcella heette. De enige naam die ze goed had onthouden was die van Claire, de elegante Britse die een kwartiertje was blijven kletsen en daarna was opgestapt.

Bovendien kwam het niet bij Kate op dat de vraag aan haar was gericht, omdat ze zelf die nieuwe Amerikaanse was.

Als om haar gebrek aan belangstelling te onderstrepen, bekeek Kate ijverig alles wat er op tafel stond aan koffie-zoetstofjes. Ze zag een klein stenen busje met witte suikerklontjes, een grote glazen kan met bruine suiker – nou ja, een sóórt bruine suiker, want dit leek haar niet het spul waarmee je brownies bakte, iets wat Kate precies twee keer in haar leven had gedaan, voor liefdadigheidsfeestjes op school. Verder stonden er nog een kleine stalen kan met gestoomde en een glazen karaf met gewone melk.

Ooit was Kate heel goed geweest in het onthouden van namen; daar had ze allerlei ezelsbruggetjes voor. Maar ze had al jaren niet meer geoefend.

Het zou makkelijker zijn als iedereen met naamplaatjes liep.

Ze tuurde naar een vierkant doosje van hard plastic, met kartonnen onderzetters waarop een barok wapenschild stond afgebeeld, met een leeuw, wimpels en misschien ook slangen, een zon, een maansikkel, strepen en een kasteeltoren, plus een gotische tekst die haar ontging omdat de dikke, gestileerde zwarte letters op hun kop stonden. Ze wist niet eens welke taal het was die ze niet kon lezen.

Er stond een stalen dispenser met servetjes die in driehoekjes waren gevouwen en daardoor tegelijk dun en stevig leken, hoe onwaarschijnlijk dat ook klonk. De laatste tijd gebruikte ze die dingen regelmatig om Bens neusje schoon te vegen. Die servetjes zag je overal, en het kind was verkouden. Bovendien had ze hier nog niet die handige kleine pakjes tissues gevonden die je in Amerika bijna overal kon kopen, bij benzinestations, buurtwinkels, supermarkten, snoepwinkels, kiosken en drogisten. De drogisten in Luxemburg leken alleen medicijnen te verkopen. Als je naar tissues vroeg – voor zover je dat al kon – zou de strenge dame achter de toonbank je waarschijnlijk uitlachen. Of erger nog. Ze waren héél erg streng, al die vrouwen achter al die toonbanken.

Op het tafeltje lagen verder nog een witte iPhone, een zwarte iPhone en een blauwe BlackBerry – een Blueberry, dus. Kate had zelf nog geen mobiel aangeschaft bij een plaatselijke provider, en ondanks de geruststelling van de helpdesk in Mumbai van haar eigen provider in Colorado, was er geen enkel nummer, geen enkele toetsencombinatie, geen andere netwerkinstelling of wat dan ook om haar in Frankrijk ontworpen, in Taiwan geproduceerde en in Virginia gekochte mobiel hier in Europa aan de praat te krijgen.

Het leven was zoveel eenvoudiger geweest toen ze nog andere mensen had om zulke technische zaken voor haar te regelen.

Maar wat blijkbaar ontbrak op deze tafel was een buisje zoetjes. Die zag je nergens.

Ze had het Franse woord voor zoetjes nog niet geleerd. In gedachten formuleerde ze de Franse vertaling van 'Heb je hier iets om in je koffie te doen dat op suiker lijkt, maar dan anders?' Was het woord voor suiker mannelijk of vrouwelijk? Want dat bepaalde weer de uitspraak van het woord voor 'anders'? Of was dat wel zo? Bij welk zelfstandig naamwoord hoorde dat bijvoeglijke naamwoord dan?

Wás 'anders' wel een bijvoeglijk naamwoord?

Nou ja, een zinnetje als 'Heb je hier iets om in je koffie te doen dat op suiker lijkt, maar dan anders?' klonk toch al achterlijk, dus wat maakte het dan uit hoe ze de laatste medeklinkers van *diffé-rent/différente* uitsprak?

Er stond natuurlijk wel een asbak op het tafeltje.

'Kate?' De Italiaanse keek haar nu recht aan. 'Heb jij haar al gezien? Die nieuwe *Americana*?'

Verbijsterd besefte Kate dat de vraag aan haar gericht was. 'Nee.'

'Ik geloof dat die nieuwe Amerikaanse vrouw geen kinderen heeft, in elk geval geen kinderen die op onze school zitten, of anders is ze niet degene die ze komt brengen en halen,' meldde de Indiase.

'Klopt,' zei de andere Amerikaanse aan de tafel. Amber, misschien? Of Kelly? Zoiets. 'Maar haar man is een lekker ding. Lang, donker en knap. Ja toch, Devi?'

De Indiase giechelde, sloeg haar hand voor haar mond en bloosde zelfs. 'O, ik weet niet of hij knap is of niet, dat zou ik echt niet kunnen zeggen. Ik heb geen idee.' Kate was onder de indruk van de hoeveelheid woorden die deze vrouw nodig had om iets duidelijk te maken.

Onwillekeurig vroeg ze zich af wat deze vrouwen over haar en Dexter hadden gezegd, twee weken geleden, toen zij voor het eerst naar de school waren gekomen. Haar blik dwaalde door de merkwaardige café-bar in het lage souterrain van het sportcentrum. Boven kregen de kinderen tennisles van twee Engelssprekende coaches die Nils en Magnus heetten. De een was redelijk lang, de ander zelfs nog langer. Allebei beantwoordden ze aan het beeld van een lange, blonde Zweedse tennisleraar. Alle tennisleraren hier waren blijkbaar Zweeds, hoewel Zweden zo'n duizend kilometer van Luxemburg lag.

Ze deden dit elke woensdag. Of dat zouden ze doen. Of dit was de tweede woensdag dat ze dit deden, met de bedoeling om het elke woensdag te doen.

Misschien was het al een vaste afspraak en had Kate dat nog niet door.

'Kate, neem me niet kwalijk als ik het al heb gevraagd, dus het spijt me als het onbeleefd overkomt, maar ik weet niet meer of ik het al heb gevraagd. Hoelang zijn jullie van plan in Luxemburg te blijven?'

Kate keek eerst de Indiase, toen de andere Amerikaanse en ten slotte de Italiaanse aan.

'Hoelang?' Die vraag had Kate zichzelf ook al honderd keer gesteld. 'Ik heb geen idee.'

'Hoelang blijven jullie in Luxemburg?' had Adam haar gevraagd.

Kate staarde naar zichzelf in de spiegel die een volledige wand besloeg van de verhoorkamer – officieel een vergaderzaaltje, maar iedereen wist beter – op de vijfde verdieping. Ramen waren er niet.

Ze streek een verdwaalde lok kastanjebruin haar achter haar oor weg. Kate droeg haar haar altijd kort, uit praktische overwegingen, zelfs een noodzaak in de tijd dat ze nog veel reisde. En zelfs toen ze niet meer in het buitenland kwam, was ze nog steeds een drukbezette werkende moeder en was kort haar gewoon makkelijker. Maar het was ook lastig om een afspraak te plannen bij de kapper, waardoor haar haar dikwijls wat te lang werd en zich niet liet bedwingen. Zoals nu.

Haar wangen leken wat te hangen. Kate was lang en slank – hoekig, had iemand ooit gezegd, niet erg vriendelijk maar wel terecht – en ze behoorde niet tot die gestoorde types die zichzelf te dik vonden, of deden alsof. Ze had alleen iets te dikke wangen, wat betekende dat ze niet verstandig at of te weinig beweging nam. Meestal vertaalde zich dat in een extra pondje, hooguit twee.

Ook de wallen onder haar grijsgroene ogen vielen vandaag meer op, in het felle tl-licht. Ze sliep slecht, heel slecht zelfs, en afgelopen nacht had ze nauwelijks een oog dichtgedaan. Ze zag er niet uit.

Kate zuchtte. 'Dat heb ik twee uur geleden al uitgelegd.'

'Niet aan mij,' zei Adam. 'Vertel het nog maar eens.'

Kate sloeg haar lange benen over elkaar, waardoor haar enkels tegen elkaar stootten. Haar benen waren altijd haar sterke punt geweest. Ze had graag vollere borsten of een wespentaille gehad, maar had zich erbij neergelegd dat haar benen waarschijnlijk de beste keus waren in dat scala van bizarre fysieke details waar mannen op vielen. Grote borsten waren gewoon lastig, terwijl haar kont weliswaar niet te klein was maar toch de neiging had te gaan zakken bij vrouwen van haar leeftijd die zo weinig aan fitness deden als zij en zo nu en dan wel een ijsje lustten.

Kate had deze Adam, die overkwam als een stugge ex-militair, nooit eerder ontmoet. Maar dat verbaasde haar niet. Haar organisatie werkte met tienduizenden mensen over de hele wereld, van wie al duizenden binnen Washington zelf, verspreid over god-mochtweten hoeveel gebouwen. Natuurlijk kende ze niet iedereen.

'Mijn man heeft een contract voor een jaar. Dat is gebruikelijk, heb ik begrepen.'

'En na dat ene jaar?'

'Dan wordt het hopelijk verlengd. Ook dat is heel normaal onder expats.'

'En als dat niet gebeurt?'

Ze keek over Adams schouder in de grote doorkijkspiegel waarachter, zoals ze heel goed wist, een hele rij van haar chefs het gesprek volgde. 'Dat weet ik niet.'

'Jongens.'

'Maar het was Jake. Hij...'

'Jóngens!'

'Mama! Ben pakte mijn...'

'Jongens. Hou daarmee op. Onmiddellijk!'

Opeens was het stil in de auto, de stilte van de ochtend na een tornado, met ontwortelde bomen, afgerukte takken, weggewaaide dakpannen. Kate haalde heel diep adem om zich te beheersen en ontspande haar verkrampte greep op het stuur. Ze kon niet tegen dat geruzie.

'Mama, ik heb een nieuwe beste vriend,' verklaarde Ben plompverloren, op luchtige, zorgeloze toon. Het deed hem niets dat zijn moeder nog maar vijftien seconden geleden zo tegen hem was uitgevallen. Dat nam hij haar niet kwalijk.

'Geweldig. Hoe heet hij?'

'Dat weet ik niet.'

Natuurlijk niet. Kleine kinderen wisten dat het niet uitmaakt hoe je een roos noemt.

'Bij de volgende rotonde. Neemt u de. Tweede afslag. Naar de. Autobaan,' meldde Kates navigatiesysteem in bekakt Engels.

'Naar de. Autobaan,' bauwde Jake vanaf de achterbank de gps na. 'Naar de. Autobáán.' Nu met een andere klemtoon. 'Naar de. Autóbaan. Mama, wat is een autobaan?'

Ooit had Kate zich met plezier in autokaarten en plattegronden verdiept. Ze hield van kaarten, en ze wist feilloos de juiste routes te vinden, zonder dat haar inwendige kompas ooit afweek. Haar geheugen voor wegen en afslagen liet haar nooit in de steek. Maar sinds deze Julie-Andrews-kloon van haar gps haar langs alle bochten en over alle kuilen bij de hand nam, hoefde ze haar hersens niet langer te pijnigen. Het ding was net als een calculator, sneller en eenvoudiger, maar je werd er wel achterlijk van.

Kate had nog aarzelend voorgesteld om hier geen gps in de auto te nemen, maar Dexter had er niet van willen horen. Zijn richtingsgevoel was altijd al gebrekkig geweest.

'Een autobaan is een snelweg,' zei Kate, zo geduldig mogelijk. Ze probeerde zich te beheersen en niet uit te vallen. Haar lieve jochies ontdooiden Kates hart, dat in vergelijking zo onmenselijk koud leek. Als ze haar kinderen zo zag, schaamde ze zich over zichzelf.

De laaghangende zon verblindde haar een moment toen ze naar het zuidwesten keek, in de richting van de tegenliggers op de rotonde.

'Mama, is dit de autobaan?'

'Nee, daar komen we pas na de rotonde.'

'O. Mama, wat is een rotonde?'

'Een rotonde,' zei ze, 'is een verkeersplein.'

Ze had een hekel aan rotondes, die in haar ogen een uitnodiging vormden tot botsingen in de flank. Bovendien waren ze half anarchistisch. En ze had het gevoel dat ze haar kinderen voortdurend uit hun zitjes slingerde, terwijl de boodschappentassen achterin alle kanten op vlogen. Plonk, daar gingen de groenten. De cherrytomaten rolden al door de kofferbak, en de appels liepen beurse plekken op.

In Latijns-Amerika waren de wegen veel slechter geweest en hield niemand zich aan de regels, maar daar had ze nooit rondgereden met kinderen op de achterbank.

'Mama, wat is een verkeersplein?'

Ze waren overal tegenwoordig, die rotondes. Net als raamsluitingen, die ook overal hetzelfde waren. En de stortbakken van de wc's, altijd ingebouwd in de muur boven het toilet. En van die brede lichtknoppen, en smeedijzeren trapleuningen, en glimmende plavuizenvloeren... Alsof de hele inrichting van een huis door een centrale instantie aan aannemers werd voorgeschreven, volgens een exclusieve licentie.

'Dit...' antwoordde ze, terwijl ze nog steeds probeerde zich niet te ergeren aan al die vragen van haar jongens, 'is een verkeersplein, lieverd. Maar hier in Luxemburg noemen ze dat een rotonde.'

Wat dééd je eigenlijk met kinderen, de hele dag? In Washington had ze zich alleen in het weekend over hen ontfermd. Door de week liet ze hen over aan de oppas en de buitenschoolse opvang. Toen had ze graag meer tijd voor haar kinderen willen hebben.

Maar nu? Nu zag ze hen elke dag na school – de hele avond, elke nacht, elke ochtend, het hele weekend. Hoe moest je hen bezighouden zonder dat je zelf de hele dag met lego op de grond lag? Zonder dat de kinderen elkaar naar het leven stonden, een geweldige troep maakten of je de zenuwen bezorgden?

Nu ze had wat ze wilde, begon ze toch te twijfelen. Die twijfel was ook haar grootste angst geweest om de hele onderneming.

'Mama, is dit de autobaan?'

'Ja, schat. Dit is de autobaan.'

Het dashboard begon te knipperen. De boordcomputer stuurde haar regelmatig berichten in het Duits, ongelooflijk lange woorden, die soms knipperden. Kate probeerde ze te negeren. Het was maar een huurauto; ze waren nog niet toegekomen aan de aankoop van een eigen auto.

'Mama?'

'Ja, lieverd?'

'Ik moet poepen.'

Ze wierp een blik op de gps: nog twee kilometer. 'Over een paar minuten zijn we thuis.'

De autoweg eindigde en ze kwam uit op een straat langs het rangeerterrein, naast gereedstaande hogesnelheidstreinen en de klokkentoren van het station, in het hart van het Gare-district. Hier kende ze de weg verder wel. Ze schakelde de navigatie uit. Weg was haar ruggensteun. De enige manier om het te leren.

'En je man heeft daar vier jaar gewerkt voordat hij bij die bank kwam?' Adam hield zijn pen boven zijn schrijfblok, zonder op te kijken.

'Dat klopt.'

'Hij is een jaar vóór de beursgang vertrokken?'

'Ja.'

'Dat lijkt me geen eh... handig moment.'

'Dexter is nooit een financieel strateeg geweest.'

'Blijkbaar niet. Goed, die bank. Wat deed hij daar precies?'

'Hij werkte aan de beveiliging. Hij moest nagaan hoe mensen het systeem konden binnendringen – en proberen dat te voorkomen.'

'Welk systeem?'

'De rekeningen. Hij beschermde de rekeningen.'

'Het geld.'

'Inderdaad.'

Adam keek sceptisch. Kate wist dat hij – zoals iedereen – zijn bedenkingen had tegen Dexter en hun verhuizing naar Luxemburg. Kate niet. Zij had al lang geleden haar huiswerk gedaan en wist dat Dexter boven alle verdenking stond. Daarom was ze met hem getrouwd.

Maar dat wisten zíj natuurlijk niet. Logisch dat ze wantrouwend waren. Misschien zou zij dat ook moeten zijn. Maar ze had zich al lang geleden voorgenomen om dat nooit te worden.

'Weet jij veel over dat soort werk?' vroeg Adam.

'Bijna niets.'

Adam staarde haar aan, wachtend op een uitleg, maar die wilde Kate niet geven – niet hardop. Ze durfde het niet eens aan zichzelf te bekennen. De waarheid was dat ze Dexters wereld niet wílde begrijpen, omdat hij ook niets van haar wereld mocht weten. Een eerlijke ruil.

Adam was niet bereid haar stilzwijgen te accepteren. 'Waarom niet?'

'Zolang we niet over zijn werk hoefden te praten, werd er ook niet over het mijne gesproken.'

'En nu?'

Kate staarde over de tafel naar deze man, deze onbekende, die haar zulke intieme dingen vroeg, vragen die ze zelf ontweek, antwoorden die ze niet wilde weten. 'Hoezo nu?'

'Nu je ons gaat verlaten. Ga je hem nu wel vertellen over je werk?'

VANDAAG, 10:54 UUR

Kate doet een stap naar voren en strekt haar armen uit naar deze vrouw. Ze omhelzen elkaar, maar heel behoedzaam en beheerst; misschien omdat ze elkaars verplichte sjaals of perfect gekapte haar niet uit model willen brengen. Misschien ook niet.

'Ik ben zo blij je te zien,' zegt de vrouw kalm en gemeend in Kates haar. 'Zo blij.'

'Ik ook,' zegt Kate, net zo kalm, wat minder gemeend. 'Ik ook.'

Als ze een stap naar achteren doen, laat de vrouw een hand op Kates bovenarm liggen. Het lijkt een oprecht en warm gebaar. Maar het kan ook zijn dat ze Kate op haar plaats probeert te houden, met zachte maar niet minder sterke dwang.

Niet alleen is Kate ervan overtuigd dat ze in de gaten worden gehouden, ze begint nu ook overal aan te twijfelen. Echt aan alles.

'Woon je hier? In Parijs?'

'Het grootste deel van het jaar,' zegt Kate.

'In deze buurt?'

Kate kijkt toevallig in de richting van hun appartement, een paar straten verderop. 'Ja, niet ver hiervandaan,' zegt ze.

'En de rest van het jaar?'

'Van de zomer waren we in Italië. We hadden daar een villa gehuurd.'

'Italië? Wat geweldig. Welke streek?'

'In het zuiden.'

'De Amalfikust?'

'Zo ongeveer.' Kate houdt het vaag. 'En jij? Waar woon jij nu?'

'O...' Een licht schouderophalen. 'Nog steeds geen vaste stek. Hier en daar.' Ze glimlacht; een beetje smalend eigenlijk.

'Nou...' Kate gebaart naar het straatje, niet bepaald de Champs-Elysées of de Boulevard St.-Germain. 'Wat brengt jou naar deze uithoek van Parijs?'

'Shoppen.' De vrouw houdt een kleine tas omhoog en Kate ziet dat ze een verlovingsring draagt, met een bescheiden diamant – niet langer de gouden trouwring van een tijdje geleden. Logisch dat die ring verdwenen is. Maar de diamant is een verrassing.

Als er één ding was waar deze vrouw van hield, is het wel shoppen. In net zulke straten als de Rue Jacob. Op zoek naar antiek, stoffen, meubels – en platenboeken over antiek, stoffen en meubels. Maar Kate had altijd gedacht dat dat schijn was.

Het is onmogelijk te zeggen wat er echt is aan deze vrouw; misschien wel niets.

'Natuurlijk,' zegt Kate.

Ze kijken elkaar aan met een gefixeerde glimlach.

'Hoor eens, ik zou het leuk vinden om bij te praten. Is Dexter ook in de stad?'

Kate knikt.

'Zullen we vanavond iets gaan drinken? Of eten?'

'Goed idee,' zegt Kate. 'Ik zal aan Dexter vragen wanneer het hem uitkomt.' Zodra ze het zegt, beseft Kate dat de vrouw van haar verwacht dat ze het meteen zal regelen, dus is ze haar vóór. 'Ik kan hem wel even bellen.'

Ze zoekt in haar tas naar haar telefoon om tijd te winnen terwijl ze een goede smoes probeert te bedenken. 'Hij is naar de sportschool', is het enige wat bij haar opkomt. Goed genoeg, en misschien nog waar ook. Dexter verdeelt zijn tijd tussen de sportschool en de tennisbaan. Zijn werk als vermogensbeheerder is hooguit een halve baan. 'Geef me je nummer maar.'

'Weet je wat?' De vrouw houdt haar hoofd schuin. 'Geef me het jouwe.' Ze haalt een leren opschrijfboekje met een bijpassende pen uit haar tas; allebei kostbaar, afkomstig uit dezelfde boetiek als het jasje. Deze vrouw is in Parijs opgedoken en heeft een fortuin uitgegeven op maar een paar straten afstand van waar Kate woont. Kan dat toeval zijn?

'Ik kan mijn oplader niet vinden,' vervolgt de vrouw, 'en ik zou niet willen dat we elkaar mislopen omdat mijn telefoon niet werkt.'

Dat is zo'n onzin dat Kate bijna in lachen uitbarst. Maar ze verdient het. Je kunt iemand moeilijk kwalijk nemen dat ze liegt als je dat zelf ook doet, en om precies dezelfde redenen. Kate dreunt haar nummer op, dat de vrouw braaf noteert, hoewel Kate ook wel weet dat deze dame geen telefoonnummers hoeft op te schrijven om ze te onthouden.

Kate verbaast zich over het web van leugens tussen haar en de ander.
'Ik bel je om vijf uur, oké?'

'Geweldig.' Opnieuw zo'n geforceerde omhelzing en een valse glimlach, over en weer.

De vrouw loopt weg. Kate merkt dat haar blik naar de kont van de ander glijdt, die wat dikker is dan vroeger. Ooit, nog niet zo lang geleden, was ze zo mager als een lat.

Kate draait zich om en verdwijnt de andere kant op, weg van huis, om geen andere reden dan afstand te scheppen tussen haar en de vrouw. Ze dwingt zichzelf om niet over haar schouder te kijken, de ander niet te volgen. Dat zou niet verstandig zijn. Ze zou het ook niet kunnen.

'O, Kate?' De vrouw draait zich weer naar haar om, zonder haast.

'Ja?'

'Zou je Dexter een boodschap willen doorgeven?' Langzaam komt ze naar Kate toe.

'Natuurlijk.'

'Zeg hem,' vervolgt ze, vlak bij Kate gekomen, 'dat de kolonel dood is.'

4

'Nou...' zei Kate. Ze keek op van de kleurboeken die ze op tafel voor de jongens had uitgespreid. Weer een etentje met het hele gezin in een of ander schappelijk restaurant – dezelfde oplossing als de afgelopen drie weken om een plekje te vinden in een nieuw leven in een nieuwe omgeving op een nieuw continent. 'Je hebt het de laatste tijd wel druk gehad.'

Dexter trok zijn wenkbrauwen op, verrast door die kritiek en de klagende toon waarop zijn vrouw dat zei. 'Er moesten een heleboel dingen meteen worden geregeld.'

'Gelukkig wordt het nu wat rustiger,' verklaarde Kate, hoewel ze het tegendeel vermoedde. Maar ze wilde het hem horen ontkennen. Hoewel hun relatie sinds de verhuizing redelijk goed was, had ze hem niet zo vaak thuis gezien als ze had gehoopt.

'Niet echt.'

'Ik dacht dat deze baan niet zo veeleisend was. Dat je genoeg tijd zou overhouden om ons te helpen inburgeren.'

Na drie uur rondrijden met een makelaar hadden ze voor een groot appartement in het oude centrum van de stad gekozen. Binnen een paar dagen nadat ze het contract hadden getekend was de gehuurde inboedel gearriveerd en konden ze het hotel verlaten. Kate was begonnen hun lelijke grote koffers uit te pakken en de gehuurde potten, pannen, handdoeken en lakens op te bergen. De scheepscontainer met hun eigen spullen zou nog minstens een maand onderweg zijn.

Kate had verwacht dat Dexter haar wel zou helpen bij het uitpakken, maar dat viel tegen. 'Je had beloofd dat ik dit niet allemaal alleen zou hoeven doen, Dexter.'

Hij keek nadrukkelijk naar de kinderen. 'Dat is ook zo, maar ik zal toch moeten werken.'

'Waarom meteen? Waarom zo snel?'

'Omdat ik een goed beveiligd kantoor moet installeren, met alle noodzakelijke systemen. Er is apparatuur nodig, er zijn elektriciens en timmerlui aan het werk, en ik hou toezicht op de hele operatie. En dat alles zo snel mogelijk, omdat ik onmiddellijk aan de slag moest met een belangrijke operatie.'

'Wat dan? Waar gaat het om?'

'Dat is moeilijk uit te leggen.'

'Kun je een poging doen?'

Hij zuchtte. 'Jawel, maar liever niet vanavond. Oké?'

Kate keek hem aan zonder direct antwoord te geven, hoewel ze allebei wisten wat ze dacht. Haar stilzwijgen was een duidelijk teken van ontstemming. Hoe langer ze zweeg, des te krachtiger haar protest. 'Goed,' zei ze na een paar seconden – niet te lang, want ze wilde geen ruzie. 'Vertel me dan in ieder geval wie je cliënt is.'

Weer zuchtte hij. 'Katherine, ik...'

'Ik heb je gevraagd om me Kate te noemen.'

Hij keek nors. '*Kate*, ik heb je dit al verteld. Iedereen in deze stad werkt in het bankwezen. Het zou niet zo gunstig zijn – heel bedenkelijk zelfs – als de concurrenten van mijn cliënt zouden weten dat ze een beveiligingsexpert uit Amerika hadden ingehuurd om hun procedures te analyseren.'

'Waarom?'

'Omdat het een teken is van zwakte, van onzekerheid. Die informatie kan de concurrentie gebruiken om ons klanten af te troggelen, met het argument dat onze beveiliging niet goed genoeg zou zijn. Zelfs de mensen die bij mijn cliënt werken mogen er niets van weten.'

'Oké, dat kan ik volgen. Maar waarom kun je het míj dan niet vertellen?'

'Omdat het je toch niets zegt, Kat. *Kate*. Jij kent de namen van die banken nu nog niet, maar vroeg of laat kom je erachter dat de man van je beste vriendin misschien bij mijn cliënt werkt. En zij zou je kunnen uithoren, na een paar borrels. "Toe nou, Kat, je kunt het míj toch wel vertellen?" En dan zit jij in een ongemakkelijke situatie. Waarom zouden we dat willen?' Hij schudde zijn hoofd. 'Dat is zinloos.'

'Zinloos? Om eerlijk te zijn tegen je eigen vrouw?'

'Nee, schat, zinloos om je iets te vertellen waar je niets aan hebt en wat je alleen maar geheim moet houden. Voor iedereen. Dat is heel vervelend. En er staat niets nuttigs tegenover.'

Geheimen. Wat wist Dexter nu van geheimen? 'Wat moet ik dan tegen mensen zeggen?'

'De waarheid – dat mijn contract me verbiedt de naam van mijn cliënt bekend te maken.'

'Zelfs aan je vróúw?'

'Niemand maakt daar een punt van. Deze hele economie is gebaseerd op geheimhouding.'

'Maar toch...' zei ze. 'Het druist wel in tegen alle principes van een huwelijk.' Ze stond ervan versteld hoe ze Dexter durfde te beschuldigen van haar eigen onwaarachtigheid.

'Het komt wel goed,' zei hij. 'Geloof me.'

Dexter reed in de gehuurde Volvo het terrein van de ambassade op. In de motregen beschreef hij een grote, hobbelige cirkel rond het complex – of eigenlijk geen cirkel, maar een grillige, vervormde vijfhoek – op zoek naar een parkeerplek. Eindelijk vonden ze een krappe plaats onder een zware kastanjeboom, waar de grond bezaaid lag met bladeren en kastanjes. Je kon die dingen beter niet op je hoofd krijgen.

Vijf of zes mensen stonden in de rij voor het wachthuisje tot ze door de bewakers werden gewenkt om hun bezittingen door een röntgenapparaat te halen. Daarna werden ze via de tuin naar een kleine wachtkamer in het kantoor van de consul geloodst, waar ze vijf minuten tot een kwartiertje moesten wachten.

Kate was één keer eerder op deze ambassade geweest, jaren geleden. Toen had ze meteen kunnen doorlopen.

Ze kregen een teken, en Kate en Dexter stapten een kamertje binnen met een loket van kogelvrij glas en een geüniformeerde beambte aan de andere kant.

'Goedemorgen,' zei hij. 'Uw paspoorten, alstublieft?'

Ze schoven hun passen door de gleuf. Hij inspecteerde de documenten en raadpleegde zijn computer. Eén of twee minuten heerste er een doodse stilte. Kate hoorde een klok tikken aan de andere kant van het glas. De man klikte zijn muis, bewoog zijn cursor en typte wat op zijn toetsenbord. Een paar keer wierp hij een blik op Kate en Dexter door de dikke ruit.

Kate had geen enkele reden om nerveus te zijn, maar toch was ze dat.

'Wat kan ik vanochtend voor u doen, meneer en mevrouw Moore?'

'Wij zijn hiernaartoe verhuisd,' zei Dexter. 'Een paar weken geleden.'

'Juist.' De beambte keek Dexter strak aan.

'Problemen?' Dexter staarde terug door het glas en probeerde te glimlachen, maar hij keek eerder alsof hij hoge nood had.

'Heeft een van u beiden hier een baan, meneer Moore?'

'Ja, ik.'

Kates hart bonsde in haar keel. Je kunt makkelijk zenuwachtig worden als je ver van huis bent en iemand in uniform je paspoort in handen houdt, aan de andere kant van een kogelvrije ruit.

De beambte keek nu Kate strak aan. De periode in haar leven waarin ze zich zorgen had gemaakt over haar eigen geheimen lag nog niet ver genoeg achter haar. Het kwam nauwelijks bij haar op dat iemand argwaan zou koesteren jegens haar man in plaats van haar.

Zijn blik ging weer naar Dexter. 'En hebt u een werkvergunning?'

'Ja,' zei Dexter. 'Ja, die heb ik.'

'Daar is ons niets van bekend – van uw werkvergunning. De Luxemburgse overheid stuurt ons kopieën van nieuwe werkvergunningen die aan Amerikanen zijn verleend.'

Dexter sloeg zijn armen over elkaar, maar zei niets.

'Wanneer is hij uitgegeven?'

'Pardon?'

'Uw werkvergunning, meneer Moore. Wanneer is die uitgegeven?'

'Eh, dat weet ik niet precies... Kortgeleden.'

De mannen keken elkaar aan door het dikke glas.

'Er zal wel een vergissing in het spel zijn,' meende Dexter.

'Daar lijkt het op.'

'Wilt u een kopie? Van mijn werkvergunning?'

'Graag.'

Kate voelde de spanning rondom Dexter als een elektrisch veld.

'Dan kom ik wel terug,' zei Dexter. 'Met een kopie. Moeten we dan allebei weer komen?'

'Nee, meneer Moore. Alleen u.'

'Nog één laatste kwestie, Katherine.'

Ze staarde naar het tafelblad terwijl ze alle informatie prijsgaf waarover ze beschikte. Morgen wachtten er nog meer van zulke gesprekken, en overmorgen ook. Ze had geen idee hoelang het ging duren. Mensen spitten haar dossiers door, haar projecten, haar staat van dienst. Steeds opnieuw. Steeds weer dezelfde details. Om er zeker van te zijn dat ze niet loog.

'Wil je nog iets zeggen over je besluit, vijf jaar geleden, om je uit het veld terug te trekken?'

Ze hief haar hoofd op, keek Adam uitdagend aan en onderdrukte een golf van paniek, een visioen dat ze de vorige avond niet had kunnen verjagen. Dat ze naar het parkeerterrein werd gebracht en in een busje zonder ramen werd gezet, zogenaamd op weg naar een ander kantoor, maar in werkelijkheid naar een vliegveld met een kleine privéjet, geëscorteerd door twee zware jongens op een vlucht van negen uur, die eindigde bij de ingang van een gevangenis in Noord-Afrika, waar ze een maand lang dagelijks werd afgeranseld totdat ze stierf aan inwendige bloedingen, zonder dat ze haar man en kinderen ooit nog had teruggezien.

'Nee,' zei ze. 'Ik geloof het niet.'

Adam liet zijn handen van de tafel op zijn dijbenen zakken, in een houding alsof hij fysieke actie wilde ondernemen.

Kate schudde de paraplu uit en liet hem op de welkomstmat staan om te drogen. Het lichtje van het antwoordapparaat knipperde. Eerst moesten de kinderen voor de televisie worden geïnstalleerd met een geschikt programma in het Frans. Daarna moest ze de boodschappen uitpakken en aan het eten beginnen in de keuken met zijn Duitse apparaten. Tot de tientallen opties op de schakelaar van haar oven behoorden functies als *Ober-Unterhitze*, *Intensivbacken* en *Schnellaufheizen*. De klank van *Intensivbacken* sprak haar wel aan, dus gebruikte ze die instelling voor alles.

Ze liet een glazen fles met perziknectar uit haar handen vallen, die uiteenspatte op de stenen vloer, zodat niet alleen de scherven alle kanten op vlogen, maar ook de halve keuken onder het dikke, kleverige sap zat. Het stond in plasjes op de grond. Het kostte haar een kwartier om de rommel op te ruimen, op handen en knieën, met keukenpapier, sponzen en de goedkope staande stofzuiger die bij de gehuurde inboedel hoorde.

Haar afkeer van deze bezigheden was met geen pen te beschrijven.

Een halfuur verstreek voordat Kate eindelijk op de toets van het antwoordapparaat drukte.

'Hallo, met mij.' Dexter. 'Sorry, maar ik ben niet op tijd voor het eten vanavond.' Alweer. Dit dreigde een irritante nieuwe gewoonte te worden. 'Ik heb een afspraak om zes uur, en nog een om acht uur. Tegen halftien ben ik hopelijk wel thuis. Zeg tegen de jongens dat ik van ze hou.'

Wissen.

'Hallo, Kate, met Karen van de AWCL.' Wat was in vredesnaam de AWCL? 'Ik wilde me even melden en je zeggen dat er nog een Amerikaans stel in de stad is aangekomen.' Wat kon haar dat schelen? 'Ik vond dat jullie elkaar maar moesten treffen.'

'Weet je het zeker?' had Adam gevraagd.

Kate had moeite om rustig te blijven ademen.

Dit zou over die zaak in Barbados kunnen gaan, die niet helemaal officieel was verlopen. Of over het vermiste dossier van die gangsters in El Salvador, waar zij helemaal niets mee te maken had. Of het kon gewoon betekenen dat Joe haar niet vertrouwde, heel simpel.

Maar vermoedelijk ging het om Torres. De afgelopen vijf jaar was Kate ervan overtuigd geraakt dat Torres bij haar zou komen spoken om wraak te nemen.

Aan de andere kant, misschien was het gewoon protocol.

'Ja,' zei ze. 'Ik weet het zeker.'

Adam keek haar doordringend aan. Kate verzamelde voldoende moed om zijn blik te trotseren. Een krachtmeting, aan twee kanten van een vergadertafel. Vijf seconden. Tien. Een halve minuut stilte.

Hij kon dit eeuwig volhouden. Dat was zijn werk.

Maar zij ook.

Het was ook niet Torres die Kate bleef achtervolgen. Het was die onverwachte vrouw. Die onschuldige vrouw.

'Goed dan,' zei Adam eindelijk. Hij keek op zijn horloge en maakte een aantekening op zijn schrijfblok. 'Je legitimatie op tafel.'

Kate haalde het koordje van haar hals, aarzelde even en legde het neer.

Adam scheurde het vel papier van zijn blocnote. Hij stond op en liep om de tafel heen, met uitgestoken hand. 'Hier moet je je morgenochtend melden. Om negen uur.'

Kate wierp een blik op het papier. Het drong nog altijd niet tot haar door dat deze fase was afgesloten. Het eindigde altijd abrupter dan je dacht.

Geen confrontatie dus. Niet vandaag, niet hier. En als het vandaag niet was, en niet hier, wanneer dan wel? En waar?

'Vraag naar Evan,' zei hij.

Kate keek op naar Adam en probeerde haar verbazing te verbergen dat het onderwerp Torres niet ter sprake was gekomen. 'Hoelang gaat dit duren?' vroeg ze, om maar iets te zeggen, haar opluchting niet te duidelijk te laten blijken. Ze kon nog altijd een fout maken. Daarvoor was het nooit te laat.

'Een paar dagen, minstens. Hoelang weet ik niet precies. Hou maar twee volle weken vrij, dat is de tijd dat je nog salaris krijgt. Zo lang zal het niet duren, maar het is een bruikbaar kader. Het normale tijdschema uiteraard.'

'Natuurlijk.'

'Dat was het.' Adam glimlachte en stak zijn hand weer uit, nu om de hare te drukken. 'Je bent niet langer in dienst van de Central Intelligence Agency. Veel succes, Katherine.'

5

'Ik ben Julia,' zei de vrouw. 'Leuk om kennis te maken.'

'En ik ben Katherine. Kate.' Ze liet zich op de rieten caféstoel zakken en keek over het tafeltje deze nieuwe Amerikaanse aan, die haar was opgedrongen door de AWCL, de American Women's Club of Luxembourg, zoals ze nu wist, en waar ze inmiddels lid van was. Dat deed je blijkbaar, als Amerikaanse in Luxemburg.

'Heb je je plek al gevonden?' vroeg Kate.

Ze voelde zich een oplichter toen ze het vroeg. Andere vrouwen stelden die vraag altijd aan háár, omdat zij al waren ingeburgerd en misschien hulp of goede raad konden bieden. Kate was nog lang niet zover.

'Ja, redelijk,' antwoordde Julia. 'Maar ik heb nog geen idee hoe alles hier werkt.'

Kate knikte.

'Kun jij je al aardig redden hier?'

'Nee.' Kate schudde haar hoofd. 'Maar inmiddels ben ik een expert in het monteren van al die rotzooi van Ikea. Kasten kennen ze hier niet.'

'Nee!' beaamde Julia. 'Je hebt gelijk. Die oude huizen zijn gebouwd voordat er kasten bestonden.'

'De afgelopen maand heb ik bureaus en kleerkasten in elkaar gezet. En lampen. Waarom werkt het elektra hier anders dan in Amerika? Waar slaat dat op?'

'Ja, onzinnig. Doet je man die dingen niet – meubels monteren en zo?'

'Nee. Mijn man werkt alleen maar. De hele tijd.'

'De mijne ook.'

Ze tuurden allebei in hun wijnglas. De ober verscheen om hun bestelling op te nemen.

'Nou,' begon Julia nog eens. 'Hoelang zit jij hier al?'

'Vier weken.'

'Niet lang dus.'

'Nee.'

Dit was een ramp. Kate wilde zich excuseren, opstaan en vertrekken. Het was een van de vele aspecten van het expat-leven waarvoor ze zichzelf niet geschikt vond: zinloos kletsen met onbekenden.

'Je komt uit Washington, hoorde ik?' ging Julia verder. 'Spannend!'

En dit? Stomvervelend.

Maar Kate was vastberaden haar best te doen. Ze had vriendinnen nodig, een eigen leven, en zo deed je dat: door met vreemden te praten. Iedereen was hier een vreemde, en ze waren allemaal gelijk. Belangrijke kenmerken thuis – familie, school, ervaringen – waren hier niet meer van belang. Iedereen begon weer bij nul, en dat was het. Je maakte praatjes met onbekenden.

'Nou, ik kóm niet uit Washington,' zei Kate, 'maar ik heb er wel vijftien jaar gewoond. Eigenlijk kom ik uit Bridgeport, Connecticut. En jij? Waar kom jij vandaan?'

De ober arriveerde met de salade, het voorgerecht.

'Chicago. Ben je er ooit geweest?'

'Nee,' moest Kate een beetje beschaamd toegeven. Dexter plaagde haar er wel eens mee. Het was een standaardgrapje geworden, dat Kate nooit een stap in Chicago wilde zetten omdat ze zo'n bloedhekel had aan die stad. Ze wilde zelfs geen vrienden uit Chicago.

'Jammer.' Julia keek even op. Ze was bezig haar toastje met geitenkaas – nee, haar hele *salade composée* – in tweeën te snijden. 'Het is een leuke stad.'

De waarheid was dat Kate helemaal geen hekel had aan Chicago. Ze was er gewoon nooit geweest.

'Nou, misschien kom je er nog eens als je teruggaat,' zei Julia. 'Wanneer vertrekken jullie weer uit Luxemburg?'

'Dat staat nog niet vast.'

'Bij ons ook niet.'

'Wat doet je man?' vroeg Kate.

'Iets met geld, waar ik niets van begrijp.' Julia keek Kate aan. 'En de jouwe?'

'Idem.'

'Ze doen allemaal iets met geld waar wij niets van begrijpen, is het wel?'

'Je zou het denken.'

Dat was de functie van Luxemburg: geld verdienen en belastingen ontwijken.

'Ik weet vaag wat mijn man doet,' gaf Julia toe. 'Hij is valutahandelaar. Maar wat dat in de praktijk betekent, zou ik je niet kunnen vertellen. En de jouwe?'

'Hij is systeemanalist, iets met beveiliging en software voor financiële instellingen.' Dat zinnetje had ze uit haar hoofd geleerd.

'O, dat klinkt heel... gespecialiseerd. Wat doet hij dan eigenlijk?'

Kate schudde haar hoofd. 'Geen idee, eerlijk gezegd.'

Wat ze wist, in grote lijnen, was dat Dexter het hackers onmogelijk – of bijna onmogelijk – moest maken om geld te stelen tijdens financiële transacties. Op de een of andere manier leek dat de afgelopen tien jaar Dexters specialiteit geworden. Hij was van een internetprovider bij een bank terechtgekomen, toen bij een volgende bank, totdat hij ongeveer een jaar geleden voor zichzelf was begonnen als zelfstandig consulent. En nu dus Luxemburg.

'Waar werkt hij?' vroeg Julia.

'Hij heeft een kantoor aan de Boulevard Royal, maar hij is freelancer.'

'En wie heeft hij als cliënten?'

Kate bloosde. 'Ik zou het werkelijk niet weten.'

Julia giechelde. Kate grijnsde ook, en ze kregen allebei de slappe lach, totdat Julia opeens een grimas trok. 'O god,' zei Julia, wapperend met haar handen alsof ze probeerde weg te vliegen. 'Ik blaas wijn door mijn neus. Ahhhh!'

Toen ze weer tot bedaren waren gekomen, ging Julia verder: 'En jij? Werk jij hier ook?'

'Niet betaald, nee. Ik zorg voor de kinderen en het huis.' Ook dat was een antwoord dat Kate al tientallen keren had gegeven. Maar het beviel haar nog steeds niet; ze sloeg haar ogen neer als ze het zei. 'En jij?'

'Ik ben interieurontwerper. Nou ja, dat wás ik. Ik geloof niet dat ik hier veel werk zal krijgen. Helemaal niets, ben ik bang.'

Kate had nooit gedacht dat ze ooit een blind date zou hebben voor een lunch met een vrouw die interieurontwerper was geweest. 'Waarom niet?'

'Je moet een heel sociaal netwerk opbouwen. Zo vind je je klanten. En je moet alle verkoopkanalen kennen, alle winkels, iedereen die opdrachten voor je kan uitvoeren. Ik weet hier niets en ik ken hier niemand. Ik heb gewoon geen kans als interieurontwerper in Luxemburg.'

Kate nam deze nieuwe Amerikaanse aandachtig op. Haar schouderlange, blonde haar – golvend, conditioned, gekruld en geföhnd – was ongetwijfeld geverfd, maar dan wel perfect. Deze vrouw maakte er werk van. Blauwe ogen met een zweem van mascara en oogschaduw, heel subtiel aangebracht. Ze was knap, maar niet echt mooi, aantrekkelijk op een niet intimiderende manier. Iets langer dan Kate, bijna een meter vijfenzeventig, slank en mager op alle plaatsen, het figuur van een vrouw zonder kinderen. Ze was minstens vijfendertig.

'Hoelang ben je al getrouwd, Julia?'

'Vier jaar.'

Kate knikte.

'Ik weet wat je denkt,' ging Julia verder. 'Vier jaar getrouwd, halverwege de dertig... waar zijn de kinderen? Ik zal het je maar meteen zeggen, dan hebben we dat gehad. Ik kan ze niet krijgen.'

'O.' Amerikaanse vrouwen, besefte Kate inmiddels, waren ongelooflijk openhartig over hun vruchtbaarheid. 'Wat jammer.'

'Ja. Maar zo is het leven, niet? Het zit wel eens tegen.'

'Dat is waar.'

'Nou ja, we hebben plannen voor adoptie, maar omdat de biologische klok toch niet tikt, hebben we besloten te wachten tot we veertig zijn. Dan kunnen we deze tien jaar nog plezier maken, terwijl Bill goed verdient. Daarna doen we het rustig aan en nemen we kinderen.'

Kate was een beetje beduusd door al die informatie. Mensen die te veel over zichzelf vertelden maakten haar altijd achterdochtig, alsof al die verhalen een rookgordijn waren om geheimen te verbergen. Hoe duidelijker iemand een bepaalde indruk probeerde te wekken, des te meer Kate ervan overtuigd raakte dat het een dekmantel was.

En Julia deed al haar alarmbellen rinkelen. Toch moest ze toegeven dat de vrouw wel aardig was. 'Lijkt me een goed plan.'

'Ja toch?' Julia nam nog een slok wijn. 'Wat voor werk deed jij in Amerika?'

'Onderzoek, voor de regering. Strategische rapporten over internationale handel en ontwikkeling. Dat soort zaken.'

'Klinkt interessant.'

'Soms,' zei Kate. 'Maar het kon ook stomvervelend zijn.'

Ze lachten allebei nog eens, namen nog een slok en zagen dat hun glazen bijna leeg waren.

'*Monsieur*,' riep Julia naar een passerende ober. '*Encore du vin, s'il vous plaît?*' Ze sprak Frans met een afgrijselijk Amerikaans accent. Je kon het eigenlijk geen Frans noemen.

De ober keek vragend. Kate zag dat hij probeerde haar misvormde klinkers te volgen. Toen begreep hij het. '*Oui, madame.*'

En hij kwam terug met de fles Riesling.

'Jij ook nog wat?' vroeg Julia.

'Laat ik dat maar niet doen. We hebben ons hoofdgerecht nog niet eens gehad.' Julia had maar de helft van haar salade gegeten en toen haar vork neergelegd. Kate was onder de indruk van haar klaarblijkelijke discipline.

'Doe niet zo mal. *Pour elle aussi*,' zei Julia tegen de ober.

Toen hij veilig buiten gehoorsafstand was, zei Kate: 'Je spreekt geweldig Frans.'

'Dank je voor dat leugentje, maar het slaat nergens op,' zei Julia. 'Ik heb een vreselijk accent. Daar ben je nu eenmaal mee behept als je uit het Midden-Westen komt.' Zo klonk ze anders niet. Maar aan de andere kant, overal in Amerika vervaagden de accenten. Over twintig jaar zou iedereen overal hetzelfde klinken. 'Maar ik heb wel aan mijn woordenschat gewerkt.' Julia pakte haar glas en proostte met Kate. '*A ta santé*,' zei ze, en ze klonken. 'En *à nouvelles amies*.'

Kate keek nog eens naar deze vrouw, met haar glinsterende ogen en haar rode wangen van de wijn. 'Op nieuwe vrienden,' beaamde ze toen.

Kate tuurde tegen het felle licht van de lage zon in en zag haar man het grindpad op komen.

'Wat doe jij hier?' vroeg ze.

Zij en de jongens hadden Dexter de afgelopen week niet veel gezien. En als hij er was, leek hij afwezig en verstrooid. Kate was blij dat hij weer opdook – overdreven blij zelfs, met zo'n alledaags feit.

'Er is niet veel te doen op mijn werk,' zei Dexter, en hij boog zich naar haar toe voor een kus op haar lippen. Kate had lang geworsteld met de zinloosheid van zo'n plichtmatige kus, maar ze kon het niet over haar hart verkrijgen om het Dexter te verbieden. Het zou niet makkelijk zijn haar bezwaren onder woorden te brengen en ze wilde niet liefdeloos overkomen, ondanks haar overtuiging dat juist die plichtmatige kus liefdeloos was. Daarom zei ze niets en kuste hem braaf terug.

'Dus kwam ik maar eens kijken wat jij en de kinderen na schooltijd uitspoken.'

Zijn blik gleed over de speelplaats, die werd gedomineerd door een groot piratenschip en een hoge glijbaan met een ombouw, net als in het zwembad, maar zonder water. Jake hield zich daar ergens schuil. Ben sloop geheimzinnig rond het piratenschip. Hij probeerde zich onzichtbaar te maken, maar dat lukte niet echt. Bovendien kon hij zijn gegiechel niet inhouden.

Een halfuur geleden was een dagenlange ruzie tussen de jongens ermee geëindigd dat Jake zijn broertje op zijn gezicht had getimmerd, waarna Ben aan Jakes haar had getrokken. Schreeuwend en huilend hadden ze over de grond gerold. Ze moesten even naar buiten, onder de mensen, om tot rust te komen. Kate had hen allebei met hun rug tegen een boom gezet, met gekruiste benen op de gevallen blaadjes, een flink eind bij elkaar vandaan. Ze zaten er zielig bij, daar in het bos, en Kate had zich heel schuldig gevoeld, maar de remedie werkte wel. Berouwvol waren ze ten slotte weer naar haar toe gekomen.

'Dit is het vaste patroon,' zei Kate. Ze zat aan een metalen tafeltje met een kop koffie en een fles water voor het moment dat de kinderen dorst zouden krijgen. Haar Franse leerboek lag open. Tot haar schaamte moest ze toegeven dat ze er nog nauwelijks in gevorderd was.

Dexter keek hoe de kinderen geruisloos rondslopen. 'Wat doen ze?'

Kate probeerde haar gezicht strak te houden toen ze antwoordde: 'Ze spelen spionnetje.' Ze wilde liever geen uitleg geven over dit spelletje dat ze had verzonnen.

'Wat?'

'Spionnetje,' herhaalde ze, wat luider. 'Dat heb ik voor ze bedacht.'

Dexter leek te verstijven. Vreemd. Toen glimlachte hij geforceerd en vroeg: 'Hoe gaat dat dan?'

'Zie je die servetjes die uit hun achterzak steken?' Ze had weer een toepassing gevonden voor de in driehoekjes gevouwen servetten. Ze zou er ooit een boek over schrijven: *101 Mogelijkheden met Papieren Servetjes.* 'Je verdient een punt als je het servetje van je tegenstander uit zijn achterzak trekt. Maar dat mag alleen door hem stiekem van achteren te besluipen. Dus moet je heel geduldig, behoedzaam en geconcentreerd te werk gaan.'

Dexter keek lachend om zich heen. 'Je zit hier wel mooi.'

De zon stond laag aan de zuidelijke hemel, onder een bijna winterse hoek, hoewel het pas september was, en nog betrekkelijk warm. De kinderen liepen in hemdjes rond. Maar die lage zon betekende ook iets anders, wist Kate. Als hij onderging, zou het weer totaal veranderen. Dat gebeurde hier altijd.

Voordat ze de kinderen van school had gehaald, was ze de hele dag alleen geweest, met tijd voor allerlei klusjes – de was ophangen, boodschappen doen, de badkamer schoonmaken. Het harde water veroorzaakte overal kalkstrepen, waardoor de badkamer en de keuken aan een verlaten poolbasis deden denken. Ze had ontkalker nodig, of een bleekmiddel, of allebei. Dus was ze naar de *hypermarché* gegaan, een zaak die veel groter was dan een gewone supermarkt, waar ze tot de ontdekking kwam dat alle etiketten in het Frans of Duits waren, met termen die ze nog niet had geleerd bij haar cursus Frans voordat ze vertrok, en die ze ook zeker niet zou leren tijdens haar Berlitz-cursus hier, twee keer in de week.

Ze reed naar huis om haar zakwoordenboekje te halen en keerde terug naar de winkel via een verkeersopstopping veroorzaakt door enkele tientallen trekkers die zich midden op straat hadden opgesteld. Het waren melkveehouders die ergens tegen protesteerden – tegen de koeien, de gekkekoeienziekte, of de belastingen. Het laatste leek het meest waarschijnlijk. Iedereen, overal, protesteerde altijd tegen de belastingen. De belastingen hadden een betere pr nodig.

Al met al kostte het haar twee uur om een schoonmaakmiddeltje van vier euro te kopen.

Ze had er geen verklaring voor, maar ze wilde niet klagen, geen kritiek leveren op haar nieuwe bestaan. Nog niet. Waarschijnlijk nooit. Ze had het zelf gewild en haar man verzekerd dat ze gelukkig zou worden. Dan moest ze nu niet zeuren.

'Ja,' zei ze, 'dit is zo slecht nog niet.'

Kate was een logische kandidaat geweest. Ze was naar een universiteit in Washington gegaan en had belangstelling voor een overheidsfunctie. Ze studeerde niet alleen politieke wetenschappen, maar ook Spaans, in een tijd waarin de grootste bedreigingen uit Latijns-Amerika kwamen en de belangrijkste informatie ook uit het zuiden afkomstig was. Allebei haar ouders waren overleden en ze had geen nauwe contacten met de rest van haar familie of met wie dan ook. Ze kon zelfs met een wapen omgaan. Haar vader ging vaak jagen en Kate had al op haar elfde haar eerste Remington-geweer afgevuurd.

Dus paste ze uitstekend in het profiel. Haar enige minpunt was dat ze geen bijzonder vaderlandslievende gevoelens koesterde. Ze had zich verraden gevoeld door de overheid, die haar ouders gewoon had laten creperen omdat ze arm waren. Het kapitalisme was een harteloos systeem, het Amerikaanse sociale vangnet werkte niet en de gevolgen waren onmenselijk en barbaars. Na zo'n twaalf jaar van republikeins bewind was de tweedeling in de maatschappij alleen maar groter geworden, niet kleiner. En Bill Clinton schermde wel met het woord 'hoop', maar had nog niet veel bereikt.

Maar Kate hield haar bedenkingen voor zich, zoals ze met alles deed. Ze had nog nooit een boze brief aan een senator gestuurd, nog nooit een venijnige scriptie geschreven. Ze deed niet mee aan stakingen of protestmarsen. In het begin van de jaren negentig was er niet veel politiek activisme om – zelfs tegen beter weten in – voor warm te lopen.

In de lente van haar eerste jaar werd Kate uitgenodigd om een glas sherry te drinken met een professor in internationale betrekkingen, een gevestigd academicus die, zoals Kate later ontdekte, ook een ontdekker was van potentieel 'talent' – studenten die tot goede agenten konden worden opgeleid. Een week later dronken ze koffie in een kantine op de campus en vroeg de professor haar naar zijn kantoor te komen. Een overheidsinstantie zocht kandidaten, beweerde hij. Ze hadden liever ouderejaars, maar soms waren ze ook geïnteresseerd in jongerejaars met goede antecedenten.

Kate bleek ideaal, dat hadden ze goed gezien. En omgekeerd bleek de CIA ook ideaal voor Kate. Tot dat moment bestond haar leven uit een aaneenschakeling van teleurstellingen, met zo nu en dan een straaltje hoop. Ze had iets nodig om de grote leegte in zichzelf te vullen, haar talent op iets te richten, wat dan ook. Ze liet zich verleiden door het romantische beeld van het werk en kreeg nieuwe energie van alle mogelijkheden.

Daarom, met haar vingers gekruist achter haar rug, slikte ze de indoctrinatie – het verhaal dat ze een belangrijke rol speelde in een cruciale missie tegen de doodsvijanden van het land. Vergeleken bij Cuba, Nicaragua of Chili, laat staan de gehavende restanten van de Sovjet-Unie, het logge monster China of zelfs de vastgelopen, inefficiënte sociale democratieën van West-Europa, stond Amerika er nog niet zo slecht voor. Dat moest ze toegeven. De Verenigde Staten waren de enig overgebleven supermacht en iedereen was graag vrienden met de yanks. Of bijna iedereen.

Zo werd Kate opgenomen in de familie van het Directoraat Operaties, een strakke, allesomvattende organisatie met slimme en gedreven mensen net als zij, die over weinig talent voor intimiteit beschikten. Ze hield van haar werk, ondanks bepaalde aspecten waarvan ze soms badend in het zweet wakker schrok. Kate bloeide helemaal op bij de geheime dienst.

En toen, op een of andere manier, wist ze ruimte te maken voor Dexter. En voor kinderen. En naarmate haar leven zich vulde met dit nieuwe gezin – deze échte familie – werden de geheimen allengs een groter probleem, een groter ongemak, een verkalking van haar psyche. Ze moest afstand nemen van haar oude leven, haar geconstrueerde leven, dat in stand werd gehouden door gevoelens die niets met liefde te maken hadden. Ze had de CIA steeds minder nodig, en haar man en kinderen steeds meer.

En zo offerde ze haar oude identiteit op voor een nieuwe. Immers, dit nieuwe leven was iets waarnaar iedereen verlangde.

6

'Het is net als toen je ging studeren. Heb jij dat ook?'

Dexter spuwde een mondvol schuimende tandpasta uit. 'Hoe bedoel je?'

Kate keek naar haar man in de driedelige spiegel, waarvan elk paneel een andere hoek had. De verschillende spiegelbeelden vormden een grillige, verbrokkelde combinatie, als een soort badkamerkubisme.

'Je ontmoet allemaal nieuwe mensen, probeert erachter te komen wie je vrienden zullen worden, of je vijanden, of de zielenpoten bij wie je op een feestje uit de buurt moet blijven.' Ze verplaatste de tandenborstel die uit haar mondhoek stak. 'Je moet uitvinden waar je gaat stappen, waar je je koffie koopt, waar je... nou, wat dan ook. En iedereen verkeert in feite in dezelfde situatie. We zijn allemaal bezig onze eigen weg te zoeken.'

'Dat klinkt inderdaad als je studententijd,' beaamde Dexter. 'Maar zo ziet mijn leven er niet uit. Ik zit de hele dag naar een scherm te turen, in mijn eentje.' Hij plensde een handvol water over zijn mond om de tandpasta weg te spoelen. Dexter was een schone, keurige man, een attente huisgenoot. 'Ik heb geen nieuwe vrienden om mee te kletsen.'

Kate spuwde en spoelde ook.

'Weet je dat ik vandaag letterlijk geen mens gesproken heb?' ging Dexter verder. 'Behalve om een broodje te kopen bij de bakkerij. "*Un petit pain jambon-fromage, merci.*" Dat is alles wat ik heb gezegd.' Hij herhaalde het zinnetje en telde op zijn vingers mee. 'Tien lettergrepen. Tegen een vreemde.'

Ook Kate had nog geen vrienden. Ze kende wel namen van mensen, maar niemand die ze echt een vriend of vriendin zou kunnen noemen. Maar nu Dexter een beschrijving had gegeven van zijn superieure eenzaamheid, voelde het belachelijk om hetzelfde te doen. 'Ik heb vandaag met een vrouw geluncht,' zei ze dus maar. 'Julia. We hadden een soort blind date.'

Kate legde de tube met oogcrème in het kastje terug, naast een zuiver decoratief kristallen flesje parfum. De laatste keer dat ze een luchtje had gedragen was nog in haar studententijd geweest, toen ze het voor Valentijn cadeau had gekregen van een jongen die een oogje op haar had. Maar in haar werk werd parfum meestal geschuwd. Het was te opvallend, makkelijk te identificeren, te onthouden en te traceren. En dat was allemaal niet gunstig.

'Moet je horen, ze komt uit Chicago!'

Dexter keek haar aan in de spiegel. 'Weet je wel zeker dat je vriendinnen met haar kunt worden, Kat?' Die kans op een grap liet hij zich nooit ontgaan, hoewel hij er nu wat minder plezier in leek te scheppen dan anders. Net als zijn kussen waren ook zijn grapjes wat plichtmatig geworden.

'Ik zal mijn best doen.' Ze rook eens aan het parfumflesje, ook voor Valentijn gekregen, maar van haar man. Misschien moest ze het luchtje maar eens opdoen, nu het kon. 'Maar eh... Dexter?'

'Hm?'

'Wil je me geen Kat meer noemen? Of Katherine? Hier ben ik Kate.'

'Sorry, ik vergeet het steeds.' Hij drukte een schone pepermuntkus op haar lippen. 'Ik zal even moeten wennen aan mijn nieuwe vrouw.'

Deze kus was niet zo plichtmatig. Hij liet zijn hand naar haar middel zakken, en naar het elastiek van haar broekje. 'Chicago, zei je?' Hij grinnikte, voordat zijn lippen naar haar hals gingen, en zijn hand naar haar dij.

Pas veel later besefte Kate dat Chicago de eerste aanwijzing had moeten zijn.

Waarom had ze Dexter nooit de waarheid verteld?

Aan het begin van hun relatie zou het natuurlijk belachelijk zijn geweest om hem iets te zeggen. Dat punt kwam niet op totdat ze gingen trouwen. Maar toen?

Ze keek eens naar hem, met een boek op schoot, zoals altijd. Dexter was een fanatiek lezer. Hij las alles, van technische tijdschriften en vakbladen over het bankwezen tot serieuze non-fictie en, vreemd genoeg, een soort rustige Engelse detectiveromans die Kate meer met vrouwen associeerde. Er lag altijd een hoge stapel naast zijn bed, het enige slordige element in zijn verder zo keurige, geordende bestaan.

Waarom had ze haar geheim altijd bewaard? Ook na hun huwelijk, ook nadat ze kinderen hadden gekregen? Zelfs nadat ze was gestopt met haar missies in het veld?

Het was niet alleen protocol, hoewel dat natuurlijk een rol speelde. Had ze gewoon niet willen toegeven dat ze zo lang had gelogen? Lag het zo simpel?

Hoe langer ze de waarheid verborgen had gehouden, des te moeilijker werd de gedachte aan dat onvermijdelijke gesprek. 'Dexter,' zou ze zeggen, 'ik moet je iets vertellen.' Verschrikkelijk zou het zijn.

Ook wilde ze Dexter niet de dingen opbiechten die ze had gedaan, de dingen waartoe ze in staat was geweest – en nog steeds was. En als ze hem niet de hele waarheid kon vertellen, dan liever niets. Dat leek nog erger. En omdat die ochtend in New York het ergste was geweest, de reden om er een streep onder te zetten, zou haar verhaal nooit volledig zijn zonder die gebeurtenis. En daarvoor was geen enkel excuus te verzinnen.

Bovendien moest ze zichzelf bekennen dat ze diep in haar hart ook wel iets voor zichzelf wilde houden. Als ze Dexter nooit de waarheid vertelde, hield ze het recht om naar haar oude wereld terug te keren, ooit weer geheim agent te worden – iemand die de grootste geheimen voor altijd verborgen kon houden voor iedereen, zelfs voor haar man.

Stipt om negen uur had Kate zich in de hotelsuite in Penn Quarter gemeld en plaatsgenomen achter een geel schrijfblok en een Bic-pen, tegenover een vriendelijk ogende man van middelbare leeftijd die Evan heette en haar de volgende acht uur geduldig ondervroeg over alle operaties waaraan ze ooit had deelgenomen, alle mensen met wie ze had samengewerkt en alle losse draden die misschien overbleven.

Na bijna drie volle dagen vroeg Evan haar: 'En Sarajevo?' Ze hadden al alles besproken wat ze misschien onvermeld had gelaten in haar rapporten – de locatie van kantoren, de namen van attachés, de signalementen van kennissen. Daarna volgden de minder belangrijke details. Haar eerste trainingsmissies in Europa: een bericht achterlaten in een omgebouwd palazzo bij de Piazza Navona; contact leggen met een Baskische nationalist in Bilbao; een geldkoerier volgen langs de klinkerstraatjes en private banks van Luxemburg.

En nu waren ze blijkbaar aangeland bij dingen die niet eens waren gebeurd. 'Ik ben nooit in Sarajevo geweest,' antwoordde ze.

'Nooit?'

'Nee.'

'Maar je man wel. Kortgeleden nog.' Evan keek op van zijn eigen blocnote, gevuld met notities, onderstrepingen, grote kruizen en pijlen. 'Waarom?'

Niemand geeft graag toe dat hij geen idee heeft van het doen en laten, de gewoonten en eigenaardigheden van zijn partner. Kate wilde niet praten over Dexters buitenlandse reizen. Die hadden immers niets te maken met haar eigen werk?

'Ik weet het niet,' zei ze, zo onverschillig mogelijk. 'Voor zijn werk.'

Eindelijk arriveerde de eerste post. De formulieren voor de adreswijziging en het doorsturen hadden hun werk gedaan. Kate opende een envelop van de Amerikaanse regering met een compensatie voor niet opgenomen vakantiedagen; ze moest de cheque terugsturen naar Washington om het geld te kunnen opnemen. Ook het huurcontract zat erbij, voor hun huis in Washington, dat ze helaas verhuurden voor iets minder dan ze aan de hypotheek kwijt waren. Een paar reclamefolders, voor een sportschool in Virginia en een boekenclub. Bestonden die nog?

Ze had nog geen post gezien van Dexters bank, waaruit ze de naam van zijn werkgever hoopte af te leiden. Maar waarschijnlijk kwam die post ook niet thuis. Hij werkte freelance en alle correspondentie zou wel naar zijn kantoor gaan. Kate was een beetje achterdochtig – wie zou dat niet zijn? – maar herinnerde zichzelf weer aan haar eigen heimelijke toevoeging aan hun huwelijkseed, om nooit de gangen van haar echtgenoot na te gaan.

Natuurlijk had ze wel een onderzoek naar Dexter ingesteld voordat ze trouwden. Heel uitvoerig zelfs, en meer dan eens. De eerste keer vlak nadat ze elkaar hadden ontmoet op de markt van Dupont Circle, toen ze zich van twee kanten over dezelfde kist met groente bogen. Het was een prachtige zomerse ochtend geweest, een vriendelijke tijd van de dag, en ze waren allebei nog high van de natuurlijke endorfine na hun conditietraining. Dexter jogde toen nog, en Kate fietste – een kortstondige bevlieging. Dus voelden ze zich ongewoon extravert. Ze gingen koffiedrinken bij de boekwinkel verderop, sjouwend met tassen vol groente en fruit, op weg naar huis. Tijdens de koffie bleek dat ze vlak bij elkaar woonden. Het was een prettige, spontane ontmoeting, bijna té spontaan.

Kate vroeg zich af of het een valstrik was, dus dook ze achter haar computer op de bovenste verdieping van het bakstenen appartementengebouw. Vaag drong het gehuil van de pasgeboren baby in de flat beneden tot haar door. Ze logde in op de beveiligde server en zocht de naam Dexter Moore, totdat ze de juiste had gevonden. Online volgde ze het spoor van zijn burgerservicenummer van de ene database naar de andere, via zijn universiteit naar zijn rijbewijs, het Departement van Onderwijs in Arkansas, het strafblad van zijn vader – geweldpleging in Memphis – en de militaire loopbaan van zijn broer, die in Bosnië was gedood.

Na een uurtje was ze ervan overtuigd dat deze Dexter Moore een brave burger was. Ze pakte de telefoon, toetste zijn nummer in en vroeg hem mee uit naar de film. Later die week zou ze een maand of langer de stad uit gaan, naar Guatemala, grotendeels in de jungle van het noorden.

Twee jaar later groef ze nog dieper. Ze haalde telefoongegevens en bankafschriften boven water, nam stiekem zijn vingerafdrukken en vergeleek die met de CIA-database. Opnieuw kreeg ze de bevestiging dat Dexter niets anders was dan wat hij leek, een eerlijke en fatsoenlijke vent.

En ze had al ja gezegd.

Dat was nu zes jaar geleden, het moment waarop ze haar scepsis over mensen eindelijk liet varen en een nieuw geloof kreeg in de onschuld van het leven – een geloof dat ze lang geleden, als puber, was kwijtgeraakt toen al die rampen zich voltrokken in haar familie.

Ze kon... nee, ze wilde, ze móést... haar cynisme opzijzetten om met deze man te trouwen en een soort normaal leven te kunnen leiden. En nadat ze hem uitvoerig had doorgelicht, nam ze zich heilig voor dat nooit meer te doen.

Toch besefte ze ook op dat moment dat ze misschien bewust haar ogen sloot. En nu, na al die jaren, vroeg ze zich af of ze zichzelf voor de gek had gehouden.

'Ben,' zei ze, terwijl ze een hand uitstak naar haar jongste, die druk aan het spelen was.

'Wat?'

'Kom eens hier.' Ze spreidde haar armen en de jongen liet zich omhelzen. Hij sloeg zijn eigen, pezige armpjes om haar dijen. 'Ik hou van je,' zei ze.

'Ik ook van jou, mama, maar nu moet ik weer weg. Ik hou van je. Dag, dag!'

Misschien was het zelfbedrog geweest. Maar anders zou ze dit nooit hebben gehad.

Kate kon er niets aan doen. Ze doorzocht de archiefkast, bladerde haastig de creditcardnota's, de polissen en de oude gas- en lichtrekeningen door. Niets. Ze probeerde het opnieuw, langzamer nu. Een voor een haalde ze de mappen uit de bovenste la, las alle papieren en spreidde de gebruiksaanwijzingen uit van de routers, externe harde schijven en een stereo waarvan ze zeker wist dat hij in Washington was achtergebleven.

Toen schonk ze een verse kop koffie in en begon aan de onderste la, helemaal achterin. Daar ontdekte ze een oude bruine map, voorzien van een beduimelde, gescheurde tab met het opschrift TWEEDE HYPOTHEEK. Tussen het uniforme aanvraagformulier en de taxatie vond ze eindelijk wat ze zocht: een simpel contract voor werkzaamheden te verrichten door Dexter Moore voor de Continental Europe Bank.

Kate las de twee pagina's met juridische teksten twee keer door, maar ze kon er niets bijzonders in ontdekken.

Heel even was ze kwaad dat Dexter dit contract voor haar verborgen had gehouden. Maar hij had natuurlijk weinig keus als hij de naam van de bank voor haar geheim wilde houden.

Dus vergaf ze het hem en voelde zich schuldig over haar achterdocht en haar gesnuffel. Ze had zich immers voorgenomen zoiets nooit meer te doen, zulke gedachten nooit meer te koesteren?

Maar uiteindelijk vergaf ze ook zichzelf en reed naar school om de kinderen op te pikken.

'Mijn ouders,' zei Kate, 'zijn allebei gestorven. Wij, mijn zuster en ik, hebben hen een jaar na elkaar moeten begraven.'

'Mijn god,' zei Julia. 'En waar woont je zus nu?'

'In Hartford, geloof ik. Of in New London. We hebben geen contact meer.'

'Slaande ruzie?'

'Niet echt,' zei Kate. 'Emily drinkt. En ze gebruikt ook drugs.'

'Hè, bah.'

'Toen mijn ouders ziek waren, hadden ze niet veel aandacht voor ons. En geld was er ook niet. Mijn vader en moeder waren nog te jong voor Medicare en het bedrijf waar mijn vader werkte, een elektronicafabriek, was dichtgegaan. Daarom werkten ze parttime en hadden ze geen goede medische verzekering toen ze ziek werden. Niemand wilde hen helpen. Echt, het was schandalig zoals ze werden behandeld.'

'Ben je daarom naar het buitenland vertrokken?'

'Nee. We zijn hier omdat we iets nieuws wilden. Maar ik koester nog wel een wrok. Of misschien is dat niet het juiste woord. Teleurstelling? Begrijp me goed, ik hou van Amerika, maar niet in alle opzichten. Mijn zus is in de goot geraakt door alle ellende die ons gezin overkwam. Ze werd haar eigen ondergang.'

Terwijl Emily haar heil zocht in drank en drugs, trok Kate zich terug achter een muur, eenzaam en onbenaderbaar, en begroef zich in haar werk. En ze ontwikkelde een houding die haar volwassen leven zou beheersen, die van martelaar. Opeens was ze de belangrijkste verzorger en kostwinner in huis, en deed ze het huishouden er nog bij. Al die opofferingen en narigheid. Maar pas later besefte Kate hoe ze had genoten van die kant van haar karakter.

'Ten slotte heb ik mijn handen van Emily af getrokken; ze was niet meer te helpen.'

'Hoe raak je je eigen zuster kwijt?'

'Ze kon zelf geen contacten onderhouden. Zodra onze ouders waren gestorven, hóéfden we geen contact meer te hebben. De rest van de familie zagen we ook nooit. Dus was het heel eenvoudig voor mij om haar niet meer te bellen.'

Dat was niet waar. Ook jaren na de dood van hun ouders had Kate nog ijverig de band met Emily in stand gehouden, terwijl ze zelf studeerde en Emily steeds verder afgleed. Maar toen Kate bij de geheime dienst kwam werd haar relatie met Emily niet alleen een persoonlijke beproeving maar ook een handicap in haar werk, iets wat tegen haar gebruikt kon worden. Kate wist dat ze een eind moest maken aan haar medelijden, zich moest ontdoen van die gevoelens, als van oude, gescheurde kleren die je weggooide.

Dat eerste jaar bij de CIA hoorde ze nog een paar keer iets van Emily, maar ze reageerde er niet meer op. Pas vijf jaar later kreeg ze weer bericht, toen Emily geld nodig had om op borgtocht te worden vrijgelaten. Maar Kate zat in El Salvador en kon haar niet helpen. En toen ze in Amerika terugkwam, wilde ze dat ook niet.

'Nou, en dan Dexters familie,' ging Kate verder. 'Zijn moeder, Louise, is overleden en zijn vader is hertrouwd met een vreselijk mens. Zijn broer is ook dood.'

'Zijn broer? O, wat erg.'

'Hij heette Daniel en hij was veel ouder dan Dexter. Andre en Louise hadden hem gekregen toen ze eigenlijk zelf nog kinderen waren. Eind jaren tachtig nam Daniel dienst bij de mariniers. Een paar jaar later ging hij daar – officieel – weer weg en kwam hij officieus op de Balkan terecht als een van die zogenaamde militaire adviseurs, die wij nu heel anders zouden noemen. Hoe je het ook wendt of keert, hij was gewoon een huurling.'

'Zo.'

'Zijn lichaam werd ten slotte gevonden in een steegje in Dubrovnik.'

'Mijn god,' zei Julia toonloos. Vreemd genoeg leek ze niet erg verbaasd; of ze was juist zo geschrokken dat ze nauwelijks reageerde. Kate wist het niet.

'Nou, dus...' Ze veranderde van toon. 'Dat was een langer antwoord dan je waarschijnlijk verwachtte toen je vroeg of ik mijn familie miste.'

Nadat Kate haar hele familiegeschiedenis op tafel had gelegd, vertelde Julia haar hoe ze Bill had ontmoet. Als interieurontwerper had ze meegewerkt aan een veiling voor het goede doel, in de hoop een hele zwerm vliegen – liefdadigheid, netwerken, potentiële cliënten en sociale contacten – in één klap te slaan. En Bill deed wat jeugdige bankiers meestal doen. Hij smeet met geld om het juiste type vrouw te versieren, bij voorkeur ongetrouwd, ergens in de twintig en actief in societykringen. In het algemeen was daaraan geen gebrek op dit soort bijeenkomsten: een cocktailparty van vijfhonderd dollar per persoon, bedoeld om geld in te zamelen voor studiebeurzen aan kinderen uit achterstandswijken.

Bill zag Julia voor een van die dure dames aan, maar tegen de tijd dat ze hem uit de droom had geholpen, drie uur later, waren ze al naakt. Die situatie had Julia zelf in de hand gewerkt, omdat ze niet kon geloven dat deze ongelooflijk knappe vent werkelijk in haar geïnteresseerd kon zijn.

'In de loop van de jaren,' vertrouwde ze Kate toe, 'heb ik ontdekt dat mannen mij véél interessanter vinden als ik naakt ben.' En aan haar toon te horen was dat geen grapje.

Ze sloegen af naar het drukke parkeerterrein van Cactus, een megastore. Haastig renden ze door de stromende regen en bleven onder het afdak staan om op adem te komen.

'Verdorie.' Julia zocht in haar tasje. 'Ik geloof dat ik mijn telefoon in je auto heb laten liggen. Mag ik hem even halen?'

'Ik loop wel met je mee,' zei Kate.

'Nee. Het plenst. Ga jij maar vast naar binnen, dan ren ik terug.'

Kate haalde haar autosleutels uit haar tas. 'Ga je gang.'

'Dank je.'

Kate tuurde over het parkeerterrein, de weg, de natte, grimmige buitenwijk en het betonnen winkelcentrum vol schappen met rommel waar ze eigenlijk niets aan had. Dit uitstapje was een vergissing. Ze hadden beter iets anders kunnen doen, koffiedrinken, een ritje naar Duitsland of een lunch in Frankrijk. Een korte trip.

Reizen begon Kates roeping te worden. Zodra ze terug waren uit Kopenhagen, hun eerste lange weekend weg, was ze aan het werk gegaan om nog meer gezinsuitstapjes te plannen. Volgend weekend zouden ze naar Parijs rijden.

'Bedankt,' zei Julia, terwijl ze haar paraplu uitschudde. Met een ondoorgrondelijk lachje gaf ze Kate haar sleuteltjes terug.

VANDAAG, 11:02 UUR

Kate loopt de straat uit, de hoek om, naar de Rue de Seine, onzichtbaar vanuit de Rue Jacob en voor iedereen daar die haar misschien in de gaten houdt. Dan pas durft ze stil te staan, happend naar lucht. Ze heeft niet eens gemerkt dat ze al die tijd haar adem had ingehouden terwijl er allerlei mogelijkheden door haar hoofd gingen en ze steeds meer in paniek raakte.

Ze wonen nu een jaar in Parijs, heel onopvallend, zonder aandacht te trekken of argwaan te wekken. Ze zouden veilig moeten zijn.

Waarom loopt ze deze vrouw dan nu tegen het lijf?

Haar stijgende nervositeit dwingt haar te blijven staan, een beetje afwezig, in de portiek van een paar reusachtige houten deuren. Een van die deuren gaat krakend open en een kleine, breekbare vrouw in een onberispelijk bouclé-pakje, leunend op een stok, staart Kate aan op die vrijpostige manier die door oude Franse dames lijkt te zijn uitgevonden.

'*Bonjour!*' roept de oude vrouw, zo abrupt dat Kate geschrokken terugdeinst.

'*Bonjour,*' antwoordt Kate. Langs de vrouw heen heeft ze uitzicht op een zonnige, lommerrijke binnenplaats aan de andere kant van een donkere galerij met brievenbussen, elektrische schakelkasten, vuilnisemmers, losse snoeren en fietsen aan kettingen. Haar eigen gebouw heeft net zo'n passage. Parijs telt er duizenden, die allemaal wedijveren om de prijs voor de meest geschikte plek om iemand om zeep te helpen.

Kate loopt verder, in gedachten verzonken. Pas bij de grote ramen van een kunstgalerie blijft ze staan. Moderne fotografie. Ze kijkt naar de voorbijgangers in de weerspiegeling van de ruit – voornamelijk vrouwen, net zo gekleed als zij, met bijpassende mannen. Een groepje Duitse toeristen op sokken en sandalen, drie Amerikaanse jongelui met rugzakken en tatoeages.

Eén man aan haar kant van de stoep loopt net iets te langzaam. Hij draagt een slecht zittend pak en de verkeerde schoenen, met veters en rubberzolen, een beetje te nonchalant en te lelijk. Ze kijkt hem na als hij door de straat verdwijnt, uit het zicht.

Kate kijkt nog eens door de ramen, niet langer naar de weerspiegeling, maar naar binnen. Vijf of zes mensen slenteren door grote, lichte ruimtes die organisch in elkaar overgaan. De voordeur wordt op een kier gehouden met een plastic wig en laat de frisse herfstlucht binnen. Het zal waarschijnlijk rumoerig zijn, luid genoeg voor Kate om onopvallend te bellen zonder te worden afgeluisterd.

'*Bonjour*,' zegt ze tegen het stijlvolle meisje achter de balie, inwisselbaar met al die andere knappe jonge meiden achter kassa's en desks, daar geïnstalleerd om het geld aan te trekken dat altijd door de straten van de centrale arrondissementen dwaalt.

'*Bonjour, madame.*'

Kate voelt zich bekeken als de jonge vrouw met één blik haar schoenen, handtas, sieraden en kapsel aan een kritisch onderzoek onderwerpt. Als Parijse verkoopsters één ding goed kunnen, is het snel beslissen wie een serieuze klant is en wie alleen komt rondneuzen of hooguit met het goedkoopste artikel uit de zaak vertrekt. Kate weet dat ze de test heeft doorstaan.

Ze laat haar blik over de vergrotingen in de voorste ruimte glijden: semiabstracte landschappen met rechtlijnige akkers, repeterende gevels van modernistische kantoren, golfpatronen in het water. Ze kunnen overal ter wereld zijn gemaakt, deze foto's.

Braaf blijft ze een paar seconden voor elke foto staan voordat ze doorloopt en ten slotte in de volgende ruimte terechtkomt, gewijd aan kunstfoto's van stranden. Een jong stel staat luid te praten in het Spaans, met een Madrileens accent.

Kate pakt haar telefoon.

Ze had geprobeerd zichzelf wijs te maken dat ze deze vrouw nooit terug zou zien, maar echt zeker was ze daar niet van. In haar achterhoofd was ze eerder overtuigd geweest van het tegendeel. Ooit zou ze haar weer tegenkomen, in een situatie zoals deze.

Is dit Dexters verleden, dat hem op de hielen zit?

Ze drukt op een voorkeuzetoets.

Of haar eigen geschiedenis?

7

Kate bracht haar eigen Parijse verlof in de Marais door. Dexter was het met haar eens dat ze sommige steden ook in haar eentje mocht bekijken. Reizen was niet leuk als je niet kon zien of doen wat je wilde; het was gewoon een ander soort werk, in een andere omgeving.

In Kopenhagen, twee weekends geleden, had Kate haar eigen uurtjes gebruikt om langs de boetieks van het centrum te slenteren. Nu, in de Village St.-Paul, kocht ze een set oude theedoeken, een gegraveerde zilveren ijsemmer en een geëmailleerde zoutpot; echt huishoudelijke Franse spulletjes, een beetje antiek. Ook schafte ze een paar stevige canvas schoenen met rubberzolen aan, om haar voeten te beschermen tegen de klinkerstraten van Luxemburg, Parijs en de rest van het oude Europa.

De lucht was hemelsblauw, met hoge witte wolken; een warme herfstdag van zeventig graden Fahrenheit – of eenentwintig graden Celsius, zoals ze het nu hoorde te zeggen.

Kate moest nog wennen aan het idee om door een buitenlandse stad te wandelen zonder zich zorgen te maken dat iemand haar, om wat voor reden dan ook, zou willen liquideren.

Ze zigzagde terug naar de rivier om zich weer bij haar man en kinderen aan te sluiten op het Ile St.-Louis. Na vier uurtjes begon ze die jochies al flink te missen. In gedachten zag ze voortdurend hun gezichtjes, hun lachende ogen, hun pezige kleine armen. Thuis in Luxemburg verlangde ze ernaar om eindelijk eens van hen verlost te zijn, maar als het zover was, kon ze niet wachten om hen terug te zien.

Ze kwam bij de brasserie, dook naar binnen, maar kon haar gezinnetje nergens ontdekken. Dus zocht ze maar een plekje op het terras en tuurde tegen de zon in. Even later zag ze hen aankomen vanaf het Ile de la Cité, tegen de achtergrond van de Notre Dame met haar waterspuwers en luchtbogen. De jongens renden over de voetgangersbrug die het ene eiland van het andere scheidde, zigzaggend tussen voorbijgangers, fietsers en loslopende jackrusselterriërs door.

Kate stond op, riep naar hen en zwaaide. Ze stormden op haar toe om haar te omhelzen en te kussen.

'Mama, kijk!' Jake hield een action-figuur omhoog, een in het zwart geklede plastic Batman.

'Ja!' gilde Ben, die bijna overkookte van enthousiasme. 'Kijk!' Hij had een Spiderman.

'We kwamen een stripwinkel tegen,' gaf Dexter toe. 'De verleiding was te groot.' Hij klonk verontschuldigend, een beetje beschaamd dat hij van die waardeloze plastic prullen voor zijn kinderen had gekocht, op de markt gebracht door Amerikaanse bedrijven en geproduceerd in Zuidoost-Azië.

Kate haalde haar schouders op. Zij was het stadium voorbij om kritiek te hebben op de manier waarop iemand de dag door kwam met zijn kinderen.

'Maar we zijn ook naar een boekwinkel geweest. Ja toch, jongens?'

'Ja,' bevestigde Jake. 'Papa heeft *Het Kleine Prinsje* voor ons gekocht.'

'*De Kleine Prins.*'

'Ja, hoor. Een heel mooi boek, mama.' Alsof hij er alles van wist.

'Het heet *De Kleine Prins.* En we hebben het gekocht bij Shakespeare and Company.'

'Ja, hoor,' zei Jake nog eens, inschikkelijk. 'Wanneer kunnen we het lezen? Nu?'

'Nee, nu niet, schat,' zei ze. 'Straks, misschien.'

Jake zuchtte met de hevige teleurstelling die kleine jongens wel honderd keer per dag kan treffen, om alles of om niets.

'*Monsieur?*' De ober verscheen naast Dexter, die een biertje bestelde. Daarna stapte de man opzij om een Russisch stel van middelbare leeftijd ruimte te geven om hun tafeltje vrij te maken. Ze maakten onbeschoft veel lawaai. De vrouw was beladen met tassen van de duurste boetieks in de Rue St.-Honoré, bijna twee kilometer verderop. Deze mensen waren veel te ver gekomen, naar de verkeerde plek.

'Et pour les enfants?' vroeg de ober, die de Russen negeerde. *'Quelque chose à boire?'*

'Oui. Deux Fanta orange, s'il vous plaît. Et la carte.'

'Bien sûr, madame.' De ober pakte een paar in leer gebonden menukaarten en stapte weer opzij toen een ander stel zich aan het volgende tafeltje installeerde.

Nog afgezien van het voorafje, een oester, – 'een grote grijze snottebel in een schaaltje met snot,' zoals Jake het beschreef – was de maaltijd van de vorige avond geen succes geweest bij de kinderen. Kate bad in stilte dat deze brasserie iets kindvriendelijks op het menu had staan. Koortsachtig gleed haar blik over de kaart.

De man aan het tafeltje naast hen bestelde iets te drinken en de vrouw voegde eraan toe: *'La même chose.'* De stem klonk bekend. Kate keek op en zag een verpletterend knappe man aan de andere kant zitten. De vrouw zat naar Dexter toe gericht en droeg een zonnebril, net als Kate. Vanwege die opstelling, de zonnebril en Kates aandacht voor de menukaart – ze neigde tot een varkenshaasje met altijd welkome appelmoes – duurde het een volle minuut voordat de twee vrouwen, zij aan zij, beseften wie er naast hen zat.

'O mijn god!'

'Julia!' zei Kate. 'Wat een verrassing.'

'Aha,' zei Dexter, 'dus jij bent die vrouw uit Chicago.' Hij grijnsde plagend naar Kate.

Kate schopte hem onder het tafeltje.

Ze lieten drank komen en maakten een afspraak om later die dag samen te gaan eten. Bill opperde dat het hotel wel een oppas zou hebben, en dat bleek ook zo te zijn. Kate kwam al snel tot de ontdekking dat Bill zo'n man was die altijd gelijk had.

Dus gaven ze de kinderen te eten en gingen terug naar het hotel. De receptie beloofde dat de oppas om tien uur zou arriveren. Kate en Dexter brachten de jongens naar bed en prentten hen in dat ze, als ze 's nachts wakker werden om te drinken, te plassen, of omdat ze akelig hadden gedroomd, een vreemde in de kamer zouden treffen die waarschijnlijk geen Engels sprak.

Om halfelf slenterden vier aangeschoten volwassenen de stad door, op weg naar een modieus nieuw restaurant dat Bill had uitgekozen. Het lag in een stille, ogenschijnlijk verlaten straat, maar binnen was het warm, levendig en krap. Ze stootten met hun knieën tegen de tafelranden, de stoelen stonden met de leuning tegen de muur, en de obers haalden behendige capriolen uit met borden en schalen, begeleid door het gerinkel van glazen en bestek.

Hun eigen ober stak zijn neus diep in het ballonglas en fronste zijn voorhoofd toen hij kritisch de wijn keurde die hij kwam brengen. Toen trok hij zijn wenkbrauwen op en maakte een grimas. '*Pas mal,*' zei hij. Niet slecht. Hij moest een soort dansje rond de tafel uitvoeren om de wijn correct te kunnen inschenken. Bekwaam ontweek hij de andere obers en de armen van druk gesticulerende gasten.

Kate keek uit het raam, over de halve gordijntjes heen; bistrogordijnen, herinnerde ze zich de term, en nu begreep ze ook waarom. Aan de overkant van de avenue zag ze de fraai bewerkte artnouveauleuning van een smal balkon voor een paar onwaarschijnlijk hoge ramen met kaarslicht achter wapperende vitrage. Daarachter waren de contouren van een feestje te zien, bewegende schimmen en flakkerende lichten. Een vrouw schoof de gordijnen opzij om een wolk sigarettenrook door de kier van de glazen deuren over de brede avenue te blazen.

De mannen knoopten een gesprek aan over skiën. Bill onthaalde Dexter op verhalen over Zermatt, Courchevel en Kitzbühel. Bill was een van die experts in alles, een man met een favoriet Alpendorp, Caribisch eiland en bordeauxwijn. Hij wist alles van skibindingen en tennisracketsnaren, en was fan van een Brits rugbyteam en een tv-cultserie uit de sixties.

Dexter had duidelijk ontzag voor hem.

Bill pakte de fles en verdeelde het laatste restje eerlijk over iedereen. Toen schoof hij zijn manchet terug en keek op zijn horloge, zo'n groot ding met een metalen band, waar bankiers altijd mee lopen. Dexter had gewoon een Timex van de drogist.

'Het is bijna middernacht,' verklaarde Bill.

'Nog een fles?' vroeg Julia, met een vragende blik om zich heen om de stemming te peilen.

'Dat zouden we kunnen doen.' Bill boog zich samenzweerderig

naar het gezelschap toe. 'Of we zouden naar een andere tent kunnen gaan, die ik ken.'

'*Nous sommes des amis de Pierre,*' zei Bill tegen de portier.

Ze stonden op de brede stoep van de al even brede en rustige boulevard, aan de andere kant van de Pont de l'Alma.

'*Est-il chez lui ce soir?*'

De man achter het fluwelen koord was groot, zwart en kaal. '*Votre nom?*'

'Bill Maclean. *Je suis américain.*'

De man grijnsde om deze overbodige mededeling en knikte naar een mager meisje in een strak zilveren jurkje, dat een paar meter verderop stond te roken. Ze leek zelf een beetje op een sigaret. Ze schoot haar peuk weg en slenterde naar binnen.

Kate, Dexter, Julia en Bill bleven achter, tussen een tiental mensen die misschien op hetzelfde antwoord wachtten – van dezelfde man. Ook vrienden van Pierre, zogenaamd.

Dexter en Kate hadden zoiets nog nooit gedaan in Washington, of waar dan ook. Hij pakte haar hand, wreef haar koude vingertoppen in de frisse herfst en kietelde haar handpalm met zijn wijsvinger. Kate had moeite niet te giechelen om het geheime teken van haar man voor seks.

Het sigarettenmeisje dook weer op, knikte naar de uitsmijter, stak een nieuwe sigaret op en staarde weer verveeld voor zich uit.

'*Bienvenue, Bille,*' zei de uitsmijter.

Een andere grote, zwarte man, met een kort afrokapsel, die naast het fluwelen koord stond in plaats van erachter, opende het koperen hengsel en hield de dikke vlecht opzij.

Bill loodste zijn vrouw naar voren door de opening. Toen herhaalde hij het gebaar voor Kate, met zijn hand luchtig op haar jasje, zijn vingertoppen licht maar onmiskenbaar tegen haar rug, door de wol en zijde heen. Met een schok besefte Kate dat dit contact niet deugde. Zo had Bill zijn eigen vrouw niet aangeraakt.

'*Merci beaucoup.*' Bill drukte de uitsmijter de hand.

De gang was rood verlicht. Het vage schijnsel weerkaatste tegen de matglanzende muren. Kate stak een hand uit en liet haar vingers over het leliemotief van luxueus fluweel tegen de satijnen achtergrond glijden. De gang verbreedde zich en kwam uit bij een korte bar. Bill bestelde een fles champagne en legde een creditcard op het glanzende hout, die meteen door de barman naast de kassa werd opgeborgen, als carte blanche.

Voorbij de bar stonden lage tafeltjes en divans rondom een kleine dansvloer. Twee vrouwen dansten speels om een man heen, die stilstond en alleen zijn hoofd op en neer bewoog. Een vorm van minimalistisch dansen.

Bill boog zich naar Kates oor. 'Het is nog vroeg,' verklaarde hij. 'Straks wordt het drukker.'

'Vroeg? Het is middernacht.'

'Deze zaak gaat pas om elf uur open. En niemand wil al om elf uur worden gezien.'

Ze arriveerden bij het tafeltje van een slanke man met een olijfkleurige huid, ringen in zijn oren, tatoeages op zijn armen en een shirt dat tot zijn navel openhing. Hij stonk naar tabaksrook. Bill en hij kusten elkaar op de wang. Bill stelde hem voor als Pierre, eerst aan Kate, toen aan Dexter en ten slotte aan *'ma femme, Julia'*. Pierre leek verbaasd dat Bill getrouwd was.

De Amerikanen namen een tafeltje naast dat van Pierre, die gezelschap had van een identiek ogende man en een paar jonge vrouwen in jeans, strakke bloesjes en geen grammetje vet te veel. Ze leken op modellen.

Kate nam nog een slok wijn.

Het was er donker en luidruchtig. Bijna als vanzelf trokken de dansvloer, de lampen en de muziek alle aandacht naar het licht, de lichamen, de beat en de stemmen. Het was een overbelasting van de zintuigen, die een soort privacy schiep, een energieschild waarachter Kate een moment de tijd kon nemen om Bill te bestuderen – de echtgenoot van de vrouw die in korte tijd haar beste vriendin was geworden op dit continent.

Bills arm lag over de leuning van de banquette. Hij had zijn jasje uitgedaan en twee knoopjes van zijn hemd losgemaakt. Zijn golvende donkere haar zat een beetje in de war en hij had de makkelijke glimlach van iemand die al zes uur lang aan de wijn zat. Zo te zien voelde hij zich volledig in zijn element in deze *club privé* aan de rechteroever. Hij boog zijn hoofd naar achteren om naar Pierre te luisteren en lachte toen luid en ontspannen. Hij had een modeontwerper kunnen zijn, of een filmmaker. In elk geval had hij weinig van een valutahandelaar.

Zijn lach om Pierres grap verbleekte en hij draaide zich weer om naar zijn Amerikaanse vrienden aan zijn eigen tafeltje. Zijn blik ontmoette die van Kate en bleef daar even hangen, zonder dat hij iets zei of vroeg. Hij keek alleen maar. Kate vroeg zich af waar hij naar op zoek was en wie hij precies was.

Bills aanwezigheid domineerde de omgeving. Bij hem vergeleken leek zijn vrouw klein en stil, hoe lang ze ook was en hoe luid ze ook praatte. Het was een vreemd stel. Bill leek eigenlijk te hoog gegrepen voor Julia.

'Hé, mensen,' zei Kate tegen haar man en Bill, terwijl ze haar telefoon pakte. 'Maken we een foto?' Ze keken allebei ongemakkelijk, maar protesteerden niet.

Kate had in haar leven genoeg types zoals Bill meegemaakt, alfamannen die probeerden andere alfamannen de loef af te steken. Het was haar werk geweest om met hen om te gaan. In haar privéleven meed ze hen liever.

'En Julia?' vroeg ze. 'Kom je er ook even bij?'

Het drietal glimlachte en Kate maakte de foto.

Ze keek naar de mannen aan dit lage, volle tafeltje; haar eigen echtgenoot en deze onbekende. De een straalde zelfvertrouwen uit, vanuit een diepe bron die god-mocht-weten waar ontsprong. Misschien was hij erg goed geweest in sport, had hij een fotografisch geheugen of was hij opvallend groot geschapen. In elk geval bewoog hij zich soepel, bijna vloeiend, alsof al zijn gewrichten voortdurend werden geolied. Het gaf hem een efficiënte, fysieke motoriek, een speelse glimlach en een onmiskenbare dierlijke seksualiteit. Dit was geen man om met zijn hand door zijn haar te strijken, zijn boordje los te trekken, schichtig om zich heen te kijken of kletspraatjes te houden. Hij vertoonde geen enkel teken van onrust.

De andere man miste dat zelfvertrouwen. Zijn bron was geblokkeerd, de toevoer afgesneden, zodat er niet meer overbleef dan een dun straaltje, niet genoeg om zelfs de ruwe randjes van zijn nervositeit of onzekerheid weg te slijpen, niet voldoende om zijn schokkerige lichaamstaal en zijn hoekige bewegingen te compenseren. Toch was dit haar eigen man, degene die haar niet alleen wilde maar ook nodig had, niet vluchtig, maar wanhopig. En ze had hem gekozen vanuit de erfenis van haar eigen jeugd, het resultaat van haar eigen beperkte zelfvertrouwen, haar zelfbeeld in deze wereld. Kate had een wanhopige behoefte om nodig te zijn. Dus werd ze aangetrokken door mannen voor wie ze meer een noodzaak invulde dan een erotische behoefte. Uiteindelijk was ze getrouwd met de man die haar het meest nodig had.

Maar die ander, die nieuwe man, keek haar weer aan. Uitdagend ging zijn blik van Dexter naar haar, omdat hij wist dat ze geïnteresseerd was en hij haar duidelijk wilde maken dat hij hetzelfde dacht.

Onwillekeurig vroeg Kate zich af hoe het zou zijn om iets te hebben met een man die haar absoluut niet nodig had, maar haar wel wilde.

Het was Kate ontgaan wie de derde fles champagne had besteld of gebracht, maar dit kon onmogelijk nog de tweede zijn. Ze had het warm, ze had dorst en ze nam twee flinke slokken voordat Julia haar weer de overvolle dansvloer op trok, waar iedereen zich op dezelfde manier op dezelfde beat bewoog, zwetend in de knipperende lichtbundel van de traag ronddraaiende discobol.

Dexter was in gesprek met een oogverblindend mooie vrouw die het nieuws las bij een of andere tv-zender. De Française wilde naar Washington verhuizen als politiek verslaggeefster, en ze probeerde informatie van Dexter te krijgen die hij eigenlijk niet had. Kate, die hem zijn charmante gesprekspartner van harte gunde, zag hoe hij zich koesterde in de gloed van deze onbereikbare vrouw.

Ze waren allemaal behoorlijk dronken.

Julia had nog een knoopje van haar blouse losgemaakt, waarmee ze de grens tussen sexy en hoerig overschreed. Maar de helft van de vrouwen in de club verkeerden in dezelfde halfnaakte toestand.

Kates blik ging van Julia, via de lichten en de dansende schimmen, naar de tegenoverliggende muur, waar Bill onderuitgezakt naast een aantrekkelijke vrouw zat, die zich naar hem toe boog en misschien zijn oor likte. Of niet.

Kate keek naar Julia, wier zware oogleden zich gesloten hadden, en die daarom ook niets in de gaten had.

Weer gleed Kates blik over de kolkende zee van vlees. Nu was het Bill die zich naar de hals van de jonge vrouw boog. Ze glimlachte en knikte. Bill pakte haar bij haar pols en nam haar mee.

Julia had haar ogen weer open, maar ze keek niet naar haar man.

Kate zag Bill en het meisje verdwijnen door een van die gangen in clubs en bars die naar afzondering leiden – toiletten, een bezemkast, een voorraadkamer, de achterdeur naar een steegje. Plekken waar mensen zich diep in de nacht terugtrekken om te voelen en te vozen, ritsen los te maken en broekjes opzij te trekken, hijgend en hitsig.

Kate knipperde lang en traag met haar ogen en hield ze even dicht, een paar maten van de luide technobeat. Julia gleed over de dansvloer met een lange, gevaarlijk magere jongeman, haar vochtige lippen halfopen, met glinsterende tanden en een tong die langzaam langs haar lip gleed. Een van haar handen rustte tegen haar platte buik, ging omhoog, omvatte haar eigen borst en daalde toen weer af naar haar heup, haar dijbeen. Ze wierp haar hoofd naar achteren en ontblootte haar glanzende hals. Haar geloken ogen, half geopend, keken niet naar de man met wie ze danste, maar naar de andere kant van de zaal. Niet naar het gangetje waarin haar eigen man verdwenen was, wist Kate, zonder te kijken, maar naar Dexter.

Het was halfvier in de ochtend.

De boulevard was verlaten. Geen spoor meer van gespierde uitsmijters of huwbare meisjes, geen taxi of voorbijgangers in zicht, maar opeens doken ze met hun tweeën uit het donker op, compleet met hoodies, wijde jeans, piercings en vlasbaardjes. De een duwde Dexter met kracht tegen de muur, de ander – met de onmiskenbare, onbeheerste beweging van iemand onder invloed – bracht een pistool omhoog.

De volgende paar seconden kon Kate in haar geheugen beeldje voor beeldje terugspoelen. De paniek op Dexters gezicht, Julia's verstijfde afgrijzen, en Bills indrukwekkende, onverstoorbare rust. *'Je vous en prie,'* zei hij. *'Un moment.'*

Kate stond wat terzijde van het incident, door iedereen genegeerd. Het zou geen probleem voor haar zijn geweest om een eind te maken aan deze confrontatie: een snelle trap tegen de zijkant van het hoofd, een goed gerichte klap tegen de nieren en een greep naar het wapen. Maar als Kate daartoe besloot, zou iedereen zich afvragen waar ze het lef – en de techniek – vandaan had. Een vraag waarop ze geen antwoord zou kunnen geven.

Dus vroeg Kate zich af of ze iets zou missen wat ze aan dat tuig zou moeten weggeven. Want overvallers schieten toeristen toch niet dood in een straat in het hartje van Parijs? Welnee.

Toen gebeurde er iets vreemds. Bill greep Julia's handtas om die aan de jongen met het pistool te geven. Maar dat was duidelijk niet de bedoeling van de overvallers. Ze schudden allebei hun hoofd.

'*Tenez*,' zei Bill. Kate zag dat hij wist wat hij deed en waarom. Door de tas naar het wapen toe te duwen, kwam hij te dichtbij en dwong hij de andere man om tussen Bill en de kogels in te stappen om de buit te grijpen. Dat was het moment waarop Bill de ongewapende man aanviel en hem als schild gebruikte terwijl hij tegelijkertijd een brutale uitval naar de ander deed en hem moeiteloos het pistool ontfutselde.

Ze stonden nog een seconde als verstijfd, starend naar het wapen en naar elkaar, hijgend met open mond. Iedereen probeerde de volgende actie te calculeren...

De jongemannen gingen ervandoor en Bill smeet het pistool in de goot.

8

Maandagmiddag. Het regende pijpenstelen.

Kate stond in haar eentje voor de school. Ze hield haar paraplu zo laag dat haar hoofd het gestreepte nylon raakte en de aluminium baleinen op haar schouders lagen, in een poging nog een paar vierkante centimeter van haar lichaam droog te houden. Onder de gordel was alles tot op de draad doorweekt, niet meer te redden.

Gordijnen van grote, zware druppels stortten zich omlaag uit de donkere, bewolkte hemel, beukten op het beton en het gras en kletterden oorverdovend in de diepe plassen die zich in alle gaten, kuilen en kieren hadden verzameld.

De wachtende moeders waren keurig verdeeld naar nationaliteit. Er waren zelfvoorzienende groepjes blauwogige Deense en blonde Nederlandse vrouwen, hooggehakte Italiaanse en kerngezonde Zweedse expats. De Engelstalige kliekjes werden gedomineerd door bleke Britse moeders, met een paar mollige Amerikaanse vrouwen, altijd glimlachende Aussi's, opdringerig vriendelijke Kiwi's, en wat verdwaalde Ierse en Schotse dames. Dan had je nog moeders uit India, altijd op zichzelf, en uit Japan, helemaal onbenaderbaar. Eenzame Russische, Tsjechische en Poolse vrouwen probeerden zich bij de West-Europese groepjes aan te sluiten door onderdanig handjes te schudden om tot de Europese Unie te worden toegelaten, hoewel ze – opzettelijk? – voorbijgingen aan het feit dat ze nooit waar dan ook zouden worden uitgenodigd.

Er stonden zelfs een paar mannen, maar die praatten niet met elkaar en trokken zich terug op hun eigen, onafhankelijke eilandjes van ongemak.

Medisch gesproken had Kate geen kater meer van de zaterdagavond, maar ze was nog altijd moe door te weinig slaap – de kinderen waren zondagochtend al om zeven uur wakker geworden toen hun ouders net in bed lagen – en ze voelde zich brak.

Bovendien zat haar iets dwars, wat deels verband hield met wat ze misschien had waargenomen van Bills ontrouw, deels met Julia's onbetamelijke exhibitionisme, bedoeld voor Dexter. Deels ook met Bills heldhaftige – overdreven heldhaftige? – optreden tegenover de overvallers. En deels met haar eigen wanhoop, terug in het hotel, in de badkamer, met de deur op slot tegen slaapwandelende kinderen, toen ze zich bijna uitgehongerd op Dexter stortte en hem smeekte om meer, en harder, terwijl er onbeheersbare beelden door haar hoofd flitsten van mensen die niet haar echtgenoot waren, en soms ook niet zijzelf, maar glibberige lijven, lippen en tongen...

Het begon steeds harder te regenen, hoewel dat bijna onmogelijk leek.

Kate kon niet precies bepalen wat er nu eigenlijk met hen vieren was gebeurd, die late avond in Parijs, en of het goed of slecht was, of allebei.

'Hoor eens,' zei Dexter, 'ik ben laat thuis vanavond.' Alweer.

Kate en de jongens hadden hun natte kleren verruild voor zachte sweatpants, shirts en slippers, en zich dik ingepakt in fleece. Toch had Kate nog moeite de kou van die laatste regenbuien kwijt te raken. 'Alles oké?'

'Ja, hoor. Ik ga tennissen. Met Bill.'

Ze hadden geen woord meer over Julia en Bill gezegd sinds ze vier dagen geleden om halfvijf in de ochtend in aparte taxi's waren gestapt op de Avenue George V.

'Hij is lid van een club en zijn vaste partner heeft afgezegd.'

Er kwam een beeld bij haar op van Bill, met ontbloot bovenlijf in de kleedkamer, terwijl hij zijn riem losmaakte, zijn broek omlaag...

Kate legde de telefoon naast de laptop neer en staarde naar het bekende indrukwekkende uitzicht, dat nu bestond uit een weidse wolkenlucht met mist en regen tegen het bruin en groen van de kale bomen, het leigrijs en zwart van de stenen daken, het beige en bruin van de stenen vestingwerken, de rotsen en de klinkerstraatjes.

Ze voelde zich weer troosteloos en eenzaam, terug van weer zo'n woensdagmiddag in het vensterloze souterrain van de sportschool in Kockelscheur, pratend over bikiniwaxes. Vroeger was ze iemand die dingen déédde. Geen gewone, alledaagse dingen, maar riskante missies, met gevaar voor eigen leven. Illegaal een grens oversteken. De politie ontwijken. Huurmoordenaars op iemand afsturen, verdomme. Nu stond ze de was op te vouwen. Was dit nu echt haar nieuwe leven?

'Wanneer komt papa thuis?' vroeg Jake, met zijn beer tegen zijn borst geklemd. Zijn broertje stond zwijgend naast hem. Allebei waren ze koud en nat en misten ze hun vader.

'Het spijt me, schat,' zei Kate. 'Dat wordt pas laat. Als jullie al naar bed zijn.'

Ben draaide zich boos om en liep weg. Maar Jake bleef staan. 'Waarom?' vroeg hij. 'Waarom komt hij niet thuis?'

'O, dat wil hij wel, lieverd, maar soms moet hij andere dingen doen.'

De jongen veegde een traan van zijn wang. Kate nam hem in haar armen. 'Het spijt me echt, Jake. Maar ik beloof je dat papa je nog een kus komt geven als hij thuis is. Oké?'

Hij knikte, vechtend tegen zijn tranen, en rende toen zijn broer achterna, die al met lego bezig was.

Kate ging achter de computer zitten en schoof wat mappen opzij met teksten als INBOEDEL TE HUUR, SCHOLEN IN LUXEMBURG en GAS EN LICHT IN LUXEMBURG. Toen wachtte ze starend naar het scherm op de draadloze verbinding, met twijfels over wat ze van plan was, wat ze hoopte te vinden en of ze dat wel wilde.

Het kwam geen moment bij haar op dat ze precies deed wat er van haar verwacht werd.

Maar voordat ze iets kon doen, ging de telefoon weer over.

'Vreselijk bedankt,' zei Julia. 'Ik voel me zo verloren als het internet eruit ligt.'

'Geen probleem.' Kate deed de deur achter Julia dicht. 'Ik weet precies hoe je je voelt. Jongens, zeg eens dag tegen Julia.'

'Hoi!'

'Hallo!'

Ze renden terug naar de keuken. De deurbel had niets spannends gebracht. Ben was bezig worteltjes te schrapen, Jake sneed ze in stukjes. Ze stonden allebei op krukjes aan het aanrecht, heel geconcentreerd, voorzichtig met hun scherpe gereedschap.

'Je hebt souschefs,' zei Julia.

'Ja.' De jongens hielpen mee aan een *poule au pot*. Het kookboek lag open op het aanrecht, onder een plank met nog vijf of zes andere kookboeken, allemaal online besteld bij Amazon in Engeland.

Julia slenterde de kamer binnen. 'Wauw!' Ze zag het uitzicht. 'Jullie wonen geweldig hier.'

Ze stonden nu in de huiskamer, twee deuren en een hoek bij de kinderen vandaan, veilig buiten gehoorsafstand. Als ze nog ooit op zaterdagavond wilden terugkomen, was dit het moment. Maar het gebeurde niet.

'De computer staat daar,' zei Kate, wijzend naar de logeerkamer.

'Nou, dank je. Heel fijn. Ik heb maar tien minuutjes nodig, denk ik.'

'Neem alle tijd.' En Kate liet Julia alleen.

De kinderen lagen te slapen en Dexter was tennissen met Bill. Kate zat in haar eentje in het grijze schijnsel van het scherm, met haar handen losjes op de gladde toetsen, haar vingertoppen tegen de randjes van de J en de F. Ze kreeg een warm, tintelend gevoel. Eigenlijk zocht ze iets te doen, iets tegen de verveling. En een foto, om haar fantasie te prikkelen.

Ze typte BILL spatie MACLEAN.

De eerste zoekpagina leverde maar één bruikbare verwijzing op naar een persoon, maar dat was niet degene die ze zocht. Ze scrolde langs de resultaten, zeven, acht, negen pagina's met tientallen links, maar nergens vond ze een valutahandelaar van een jaar of veertig die kortgeleden van Chicago naar Luxemburg was verhuisd.

Niet op Facebook, niet op LinkedIn. Niet bij de jaarboeken van de universiteiten, leerlingenlijsten van middelbare scholen, societyrubrieken of registers van tijdschriften.

Dan maar anders: WILLIAM spatie MACLEAN.

Een iets gewijzigde lijst met links, maar grotendeels identiek. Op een minder bekende professionele netwerksite vond ze een pagina voor William Maclean uit Chicago, die iets in bankzaken deed. Verder niets. Geen foto, geen links, geen bio, geen feiten.

Ze probeerde nog een paar spellingen – *Mclean, McLean, Maclane, Maclaine* – maar de resultaten waren vergelijkbaar. De Bill Maclean die ze zocht zat er niet bij.

'En Santibanez,' had Evan gevraagd.

'Dat was Leo, heb ik gehoord,' antwoordde Kate.

'Ja, dat hoorde iedereen. Maar heb je niet wat meer details?'

Kate voelde zich opgelucht nu dit gesprek eindelijk plaatsvond. Het zat er al een tijd aan te komen. Het verbaasde haar dat het met zo'n lange omweg ging, via allerlei verhoren, executies en eliminaties die helemaal niets met haar te maken hadden.

'Nee.'

Evan raadpleegde zijn aantekeningen. 'Hij is gedood in Veracruz. Twee kogels in de borst, een in het hoofd. Geen ontvoering, geen slachtpartij, geen spektakel.' Precies zoals ze was getraind.

Dit was het moment in het gesprek – het verhoor, de debriefing – waarop ze eindelijk de bedoeling begreep van deze eindeloze litanie van geweld. Ze wilden Kate eraan herinneren dat ze weliswaar al vijf jaar geleden afscheid had genomen van het veldwerk, maar zich nog altijd niet had bevrijd van de stank van dit soort vuile operaties. Die zou altijd aan haar blijven kleven.

'Het zag er dus niet uit als een afrekening binnen het drugsmilieu. Het leek eerder een actie van iemand binnen onze eigen wereld.'

Want dat wisten ze altijd.

'Santibanez had toch ooit banden met Lorenzo Romero?'

Romero was een CIA-tipgever die zijn CIA-contact misleidende informatie had toegespeeld, in ruil voor veel geld van de *narcotraficantes*. Helaas was zijn CIA-contact dankzij die informatie in het hoofd geschoten en achtergelaten in de haven van Tampico. De hele afdeling in Mexico had wraak gezworen, en Kate, de enige vrouw in de groep, was de aangewezen persoon om de rokkenjager in de val te lokken als hij niet op zijn hoede was.

'Zoals ik al zei: ik weet niets bijzonders over Santibanez.'

'Oké.' Evan knikte, met zijn ogen op zijn schrijfblok gericht. 'En Eduardo Torres?'

Kate haalde adem, niet te diep, niet te oppervlakkig. Eindelijk, daar was het dan.

Dexter was in Londen toen de meubels werden opgehaald. Het verhuurbedrijf arriveerde om acht uur 's ochtends met een kleine kraan om al het meubilair – banken, bedden, linnengoed, servies, wc-borstels, stofzuiger, stoelen, bureaus, een eettafel – weer mee te nemen. Door het raam. Om tien uur waren alle spullen verdwenen, de papieren ondertekend en de truck vertrokken.

Het was weer zo'n donkere, regenachtige herfstdag. Het raam had de hele ochtend opengestaan en het appartement was koud en leeg. Kate stond er weer alleen voor.

Nu was het wachten op de container, die na een reis van drie weken eindelijk moest aankomen, aangenomen dat de douane niet moeilijk deed. Dezelfde oranje container die twee maanden geleden vanaf hun stoep in Washington was meegenomen toen ze in haar eentje in dat andere lege huis had gestaan, nadat de papieren waren getekend en ze de oplegger had nagekeken, getrokken door een zwarte truck, die vrolijk was versierd met de neoncontouren van vrouwen met onmogelijk grote boezems, op weg naar de haven van Baltimore. Daar zou de oplegger aan boord van de *Osaka* worden geladen, een vrachtschip dat elf dagen later in Antwerpen aankwam, waar de trailer vervolgens werd overgenomen door de onopvallende witte truck van een Nederlands bedrijf, die op ditzelfde moment de hoek om kwam en voor haar lege appartement stopte. Daar stond ze dan weer, in haar eentje, terwijl haar man naar zijn werk was – hetzelfde werk als altijd, maar op een ander continent. Haar kinderen waren naar school, om dezelfde dingen te leren als in Amerika, en de container bracht haar dezelfde spullen achterna. Er was maar één groot verschil, dacht ze: waar ze was en wie ze was. Midden in Europa, de nieuwe Kate.

'Dexter lijkt me een geweldige man om mee getrouwd te zijn. Is dat zo?'

Gesprekken met Julia werden vaak veel persoonlijker dan Kate wilde. Julia liep te koop met haar behoefte aan intimiteit en smeekte Kate bijna om vertrouwelijk met haar te worden. Ondanks Julia's extraverte zelfvertrouwen was ze in wezen heel onzeker. Ze had geen geluk gehad in de liefde, geen succes in relaties, en ze had moeite met intimiteit. Eigenlijk was ze haar hele leven eenzaam geweest, net als Kate, totdat ze Bill tegen het lijf was gelopen. Maar ze was nog altijd geconditioneerd als eenzaam persoon, voortdurend bang dat haar geluk haar ieder moment door de vingers kon glippen, zonder dat ze daar zelf invloed op had.

Kate wist niet wat ze moest antwoorden op Julia's vraag – ook niet voor zichzelf. Haar relatie met Dexter was na de verhuizing een stuk beter geworden. Hij was ongewoon attent geweest en ze waren dichter naar elkaar toe gegroeid. Die verandering deed hun allebei goed. De verhuizing was een gunstige stap geweest voor hun huwelijk. Maar nog niet erg gunstig voor Kate als individu.

En na een tijdje was Dexter steeds vaker van huis geweest, op reis naar god-mocht-weten waar. Kate had nauwelijks de energie om al zijn reisverhalen aan te horen. Bovendien werd hij steeds afstandelijker als hij thuis was – verstrooid en afwezig.

Kate wist niet of ze haar belofte om geen argwaan tegen haar man te koesteren wel gestand kon doen. En als ze die achterdocht toeliet, waar was ze dan eigenlijk bang voor? Dat hij haar bedroog? Dat hij een soort psychologische crisis had? Dat hij moeilijkheden had met zijn werk en haar dat niet durfde te zeggen? Dat hij kwaad op haar was, om welke reden dan ook?

Ze kon niet bepalen waar het probleem lag – áls er een probleem was. En hoewel ze de vage behoefte had om erover te praten, was haar neiging om haar zorgen voor zichzelf te houden nog sterker. Ze had het altijd prettiger gevonden om dingen ongezegd te laten; geheimen, daar was ze goed in.

Kate keek Julia recht aan, zag de deur naar een nieuwe dimensie van hun relatie, maar besloot er niet doorheen te stappen. Zoals ze nog nooit in haar leven had gedaan.

'Ja,' zei Kate, 'hij is een geweldige echtgenoot.'

Kate ontwikkelde een vaste routine.

Op dinsdag en donderdag, als ze de kinderen naar school had gebracht, deed ze haar huiswerk Frans en ging dan naar les. Haar lerares, een verontrustend jonge en gemoedelijke Frans-Somalische dame, was onder de indruk van Kates snelle vorderingen en haar accentloze uitspraak. Frans was niet zo moeilijk voor Kate, omdat ze jarenlang Spaans had gesproken en ook de verschillende Cubaanse, Nicaraguaanse, Noord- en Oost-Mexicaanse dialecten beheerste.

Twee of drie dagen per week deed ze aan fitness. Ze had het advies van Amber – die altijd aan haar conditie werkte maar nooit fit was – opgevolgd en was lid geworden van een bizarre sportschool waar je wel broodjes ham en cappuccino's kon krijgen, maar geen handdoeken of een ochtendprogramma. De zaak ging pas om negen uur open.

En ze zat veel in de auto, op zoek naar dingen. Ze reed dertig minuten naar een grote speelgoedzaak in een winkelcentrum in Foetz, uitgesproken als *Futz*. Ze zocht een action-figuur van Robin, die nergens te krijgen was. Niet zo verwonderlijk, want wie wilde nou Robin als je Batman overal kon kopen? Ben, dus.

Ze reed naar Metz, een ritje van drie kwartier, om een speciale blender te kopen.

Ze nam de hoofdwegen van Luxemburg – de Route d'Arlon, de Route de Thionville en de Route de Longwy – om allerlei winkelcentra te bekijken en te lunchen in Indiase restaurants: smakeloze *tikka masala* en vette *naan*.

Ze zat achter haar computer, op zoek naar weekenduitstapjes, hotels en attracties, vliegreizen en autoroutes, restaurants en dierentuinen.

Op verschillende plaatsen liet ze de auto wassen. Bij een zo'n carwash zat ze een halfuur vast. Een bezorgde assistent in overall kwam om de paar minuten bij haar kijken en zei op een gegeven moment dat ze best de politie mocht bellen.

Ze liet haar haar doen. Je zag heel wat rare kapsels in Luxemburg. Het liep niet helemaal goed af, hoewel ze nog net op tijd kon melden dat ze niet geïnteresseerd was in de specialiteit van de kapsalon – een matje, een pagekopje of een hanenkam.

Ze kocht gordijnen, kleden, placemats en doucherekjes.

Ze kocht en installeerde een extra handdoekenrekje in de badkamer. Daarvoor moest ze ook een boormachine aanschaffen. En weer terug naar de bouwmarkt om bits te kopen, die niet bij de boor zaten. En nog eens terug, voor extra harde steenboren die ze nodig had om door de muur achter het stucwerk te komen. En elke expeditie naar de winkel kostte een uur.

Ze trof andere vrouwen, bij de koffie of de lunch. Meestal was het Julia, maar soms ook Amber, Claire of wie dan ook. Ze wilde iedereen wel proberen, Hollands of Zweeds, Duits of Canadees. Ze was haar eigen ambassadeur.

En haar eigen babysit. Ze lag op de grond met de jongens, bouwde dingen van lego of blokken en schoof de zesendertig stukjes van de legpuzzel rond. Ze las boeken voor, het ene na het andere.

Zo nu en dan ontmoette ze haar man, bij het eten. Maar niet vaak. Dexter maakte lange dagen en werkte ook meestal 's avonds nog.

Ze verheugde zich op hun vaste avond – officieel een keer per week, hoewel dat dikwijls niet doorging vanwege werk of reizen. Die vaste avond was in Washington niet zo belangrijk geweest; dat hing er gewoon van af. Maar nu had ze dat afspraakje met haar man echt nodig om als huisvrouw haar hart te kunnen luchten en wat begrip en waardering te krijgen.

Het leek vaak zo zinloos allemaal. Ze liep het appartement rond, raapte speelgoed en kleren op, legde stapeltjes recht, borg paperassen op. Ze waste het haar van de jongens, en hun oksels, lette op of ze wel goed hun billen afveegden, hun tanden poetsten en recht in de wc plasten in plaats van zo ongeveer.

Ze deed boodschappen en zeulde met tassen. Ze maakte ontbijt, lunchpakketten, kookte eten en deed de afwas. Stofzuigen, dweilen, stof afnemen. Ze zocht de was uit voor de droger, vouwde alles op en deed de schone was in laden, op hangers of aan haken.

En als ze overal mee klaar was, werd het tijd om weer helemaal opnieuw te beginnen.

En haar man had geen idee. Geen enkele man wist wat zijn vrouw de hele dag deed, in die zes uur dat de kinderen op school zaten – niet alleen die eindeloze taken, maar ook het tijdverdrijf, de kook- en taalcursussen, de tennislessen en, in sommige kringen, de affaires met tennisleraren. En maar koffiedrinken met iedereen. Naar de sportschool of het winkelcentrum. Op een bankje zitten bij de speelplaats, nat worden in de regen. Gelukkig was er een speelplaats met een afdakje, dat enige beschutting bood.

Dexter wist het allemaal niet. Zoals hij ook niet echt had geweten hoe Kate haar dagen doorbracht in Washington, toen ze heel iets anders deed dan ze beweerde.

Zoals Kate eigenlijk ook niet wist waar hij de hele dag mee bezig was.

VANDAAG, 11:09 UUR

'*Bonjour*,' zegt Dexter als hij opneemt. '*Comment ça va*?'

Kate kijkt de galerie rond, die nu verlaten is, afgezien van het Spaanse stel, van wie de man voortdurend zachtjes commentaar geeft. Hij vindt zichzelf een echte kenner.

'*Ça va bien*,' antwoordt Kate.

Ze zijn een jaar geleden uit Luxemburg naar Parijs verhuisd, aan het begin van het nieuwe schooljaar – een nieuwe school in een nieuwe stad in een nieuw land. Maar tegen Nieuwjaar vond Kate dat ze geen van beiden voldoende vloeiend Frans spraken. Dus heeft ze Dexter overgehaald om dinsdags en donderdags alleen nog Frans te spreken. Vandaag is het donderdag, negen maanden later. Maar dit gesprek moet maar in het Engels worden gevoerd, omdat ze op een heel ander niveau wil communiceren.

'Ik ben net een oude vriendin tegengekomen,' zegt ze. 'Julia.'

Dexter zwijgt een moment, en Kate dringt niet aan. Ze weet dat hij nadenkt over de betekenis van die ontmoeting. '*Quelle surprise*,' zegt hij dan effen. 'Dat is een tijd geleden.'

Kate en Dexter hebben Julia niet meer gezien sinds haar overhaaste maar niet onverwachte vertrek uit Luxemburg, twee winters geleden.

'Kunnen we vanavond afspreken om wat te gaan drinken? Bill is ook in Parijs.'

Dexter wacht weer even. 'Oké. Het lijkt me leuk om bij te praten.'

'Ja,' zegt Kate. Maar of het leuk wordt, is een andere vraag. 'Zullen we zeggen... zeven uur, in het café aan de Carrefour de l'Odéon?'

'Goed,' beaamt Dexter. 'Dat klinkt uitstekend.'

Het café ligt om de hoek van hun parkeergarage en een halve straat van een druk metrostation. Er zijn kleine toiletten zonder ramen, geen achterkamers en geen achteruitgang. Niemand kan zich daar verbergen of hen van achteren besluipen. De tafeltjes op het terras hebben een onbelemmerd uitzicht over het hele kruispunt. De ideale plek om wat te drinken – en om snel weg te komen, als dat nodig zou zijn.

'Dan zal ik Louis bellen om een tafeltje te reserveren,' zegt Dexter. 'Als er een probleem is, hoor je het nog wel.'

Kate weet dat er geen probleem zal zijn, niet met Louis en het tafeltje. Maar ze kan zich een heleboel andere problemen voorstellen, waarvan de meeste eindigen met de rekening en een roze vijftigeurobiljet onder een zware glazen asbak op het tafeltje gestoken, een paar haastige stappen de hoek om, een duik naar de zachte kussens van de stationcar waar de kinderen al op de achterbank zitten vastgegord, een wuivende hand naar Sylvie de nanny, een wilde rit naar de Seine, over de Pont Neuf naar de autoweg onder de *quais* en de *autoroute de l'Est*, de rustige, brede snelweg naar het oosten, via de A4, dan naar het noorden over de A31 naar een ander land met andere wegen, die steeds smaller en heuvelachtiger worden, tot ze eindelijk, vier uur na hun vertrek uit de parkeergarage onder de linkeroever, tot stilstand komen voor de stenen poort van een witgeschilderde boerderij op een bebost plateau diep in de dunbevolkte Ardennen.

En in de badkamer op de begane grond van het kleine stenen huis, achter het paneel van de defecte verwarmingsschuif, is een stalen kistje bevestigd, met krachtige magneten.

'Oké. En, o, Dexter? Julia vroeg me een boodschap aan je door te geven.'

Die snelle vlucht naar de Ardennen hebben ze al geoefend. Een proefrit.

'Ja?'

'De kolonel is dood.'

Dexter geeft geen antwoord.

'Dexter?'

'Ja,' zegt hij. 'Ik heb het gehoord.'

'Goed dan. *A bientôt*.'

En in dat kistje in de badkamer van de boerderij liggen stapeltjes nieuwe bankbiljetten, in totaal een miljoen euro aan contant geld. Niet traceerbaar. Het geld voor een nieuw leven.

Het Spaanse stel heeft de galerie verlaten. Kate blijft in haar eentje achter en staart naar de foto's van water, zand en lucht; water, zand en lucht; water, zand en lucht. Een eindeloze reeks evenwijdige lijnen, blauw en geelbruin, grijs en wit. Hypnotiserende lijnen, abstracties van een plek, zo gestileerd dat ze niet langer een plek verbeelden, maar nog slechts lijn en kleur.

Misschien een strand, denkt Kate. Misschien zoeken we wel een heel ver strand. Als we hier verdwenen zijn.

9

Het was lastig om iemand in Amerika te bellen, vanwege het tijdsverschil en de schooltijden. De hele ochtend was ze vrij en beschikbaar, maar op dat moment lag de Amerikaanse oostkust nog in bed of zat aan het ontbijt. Als het in Washington negen uur was, moest zij al de kinderen van school halen en boodschappen doen bij de supermarkt, de slager en de bakker. Dan bracht ze de jongens naar vriendjes toe, ze had zelf een afspraak bij de sportschool, ze moest autorijden, het huis schoonmaken, eten koken. Tegen de tijd dat ze haar handen weer vrij had – de kinderen gewassen en naar bed, de afwas gedaan, het huis aan kant – was ze zo moe en in zichzelf gekeerd dat ze alleen nog naar oude tv-series op iTunes wilde kijken. De laptop was met de tv verbonden via dikke, veeladerige kabels, als digitale life-support.

Eigenlijk was er maar één persoon binnen haar eigen tijdsbestek die ze kon bellen. Dus toetste ze het lange nummer in. Er werd meteen opgenomen. 'Hallo.'

'Hé,' zei ze. 'Ik verveel me.' Ze noemde haar naam niet, noch de zijne. Nooit namen noemen over de telefoon. 'Nog nooit in mijn leven heb ik me zo verveeld.'

'Wat jammer,' zei hij.

'Ik doe de was.'

'O, maar dat is goed,' zei hij. 'Je man en kinderen moeten er netjes bij lopen.'

Kate besefte dat dit gesprek, van een eenzame vrouw die de was deed, precies leek op de conversatie van een CIA-agent die een codebericht doorgaf. 'Heb je nog interessante nieuwtjes?' vroeg ze.

'Interessant? Eh... even denken. Geen enkele Amerikaanse president was ooit enig kind. Ze hadden allemaal broertjes of zusjes, zo niet biologisch, dan in elk geval via een tweede huwelijk van de ouders.'

Ze kende Hayden al sinds het begin van haar carrière. Na al die tijd vergat ze wel eens hoe vermoeid zijn temerige stem kon klinken, met dat accent uit Locust Valley. Niemand klonk zoals hij, hier in Luxemburg. Zelfs Engelsen niet.

'Nou en? Daar kan ik je niet meer voor geven dan een vier.'

'Hé, dat is niet eerlijk. Statistisch gezien is twintig procent van alle Amerikanen enig kind. En geen enkele Amerikaanse president zou zo zijn opgegroeid? Toe nou!'

'Oké, je hebt een punt,' zei Kate. Onwillekeurig moest ze glimlachen, ondanks haar ellendige stemming. Hayden wist haar altijd op te vrolijken met zijn humor. 'Ik ben eenzaam.'

'Ik weet dat het moeilijk is,' zei hij. 'Maar het wordt wel beter.'

Hayden had zijn hele volwassen leven in het buitenland gewoond. Hij wist waar hij het over had. 'Geloof me.'

'Misschien wil papa ons wel vertellen wat hij vandaag gedaan heeft.'

Jake en Ben keken niet op van hun bruine lap Böfflamot, bladzijde 115 van *Mijn Beierse kookboek*. Zelfs als ze besetten dat een van hun ouders hiermee de aanval had geopend, wisten ze ook dat het hun oorlog niet was.

Dexter zei niets.

'Of misschien denkt papa dat mama niet slim genoeg is om iets te begrijpen van zijn werk.'

Hij hield op met kauwen.

'Of misschien kan het papa helemaal niets schelen dat mama nieuwsgierig is.'

Jake en Ben wisselden nu een snelle blik en keken toen allebei naar hun vader.

Kate wist dat ze niet eerlijk was. Ze zou dit niet moeten doen. Maar haar verontwaardiging won het van haar nuchtere verstand. Ze had die middag drie wc's schoongemaakt, een klusje dat boven aan haar lijst van meest gehate huishoudelijke taken stond.

Dexter legde zijn mes en vork neer. 'Wat wil je precies weten, Kat?'

Ze kromp ineen bij dit bewuste gebruik van haar vorige naam.

'Ik wil weten wat je dóét.' Kate had nog nooit naar Dexters werk geïnformeerd, tenminste niet in zijn gezicht. Ze waren altijd een stel geweest dat elkaar de ruimte gaf. Dat was een van de dingen die ze het meest in haar man waardeerde: dat hij niets hoefde te weten. Nu was het Kate zelf die aandrong. 'Wat heb je vandaag gedaan? Of is dat te veel gevraagd?'

Hij glimlachte, ter wille van de kinderen. 'Natuurlijk niet. Eens even kijken... vandaag? Vandaag heb ik een fase voorbereid van een penetratietest die ik over een paar weken moet uitvoeren.'

Dat klonk als experimentele geslachtsgemeenschap.

'Zo'n test betekent dat een consulent zoals ik probeert een beveiliging te doorbreken. Dat kan op drie belangrijke manieren. Om te beginnen zuiver technisch, door een opening, een zwakke plek, te vinden waarop je je concentreert. Dan maak je die opening wat groter, zodat je op je gemak het systeem kunt binnenwandelen.'

'Hoe dan?'

'Bijvoorbeeld via een onbewaakte computer, die wel op het systeem is aangesloten maar niet door een wachtwoord wordt beveiligd – of door een wachtwoord dat je makkelijk kunt kraken of dat nog de standaardinstelling heeft, zoiets als "gebruiker" of "wachtwoord". Sommige systemen kunnen binnen een paar uur worden opengebroken, bij andere kost dat maanden. Hoe langer het duurt, des te groter de kans dat een hacker het opgeeft en een makkelijker doelwit zoekt.

De tweede mogelijkheid is zuiver fysiek. Je breekt gewoon ergens in. Je omzeilt de bewaking, klimt door een raam of sluipt de kelder binnen. Of je gebruikt geweld, met veel mankracht en vuurwapens. Maar dat is niet mijn specialiteit.'

'Dat had ik ook niet verwacht.'

'Wat bedoel je daarmee?'

'Niets. En de derde methode?'

'Die is in het algemeen het meest effectief. Sociale manipulatie. Je manipuleert iemand om toegang te krijgen.'

'En hoe doe je dat?'

'Er zijn allerlei manieren, maar ze komen bijna altijd op hetzelfde neer – je geeft iemand de indruk dat je bij zijn team hoort, terwijl dat niet zo is.'

Sociale manipulatie. Dat was Kates eigen werk geweest.

'Het meest effectief is natuurlijk een combinatie van alle drie: sociale manipulatie om ter plekke te kunnen komen, waar je je technische trucs gebruikt. Zo kun je een hele overheid platleggen, belangrijke bedrijfsgeheimen stelen, casino's belazeren en – het belangrijkste voor mij – banken beroven. Het is het ergste wat een bank kan overkomen.'

Dexter nam een hap vlees. 'Daarom zijn we hier.' En een slok wijn. 'Dat is mijn werk.'

Kate staarde uit haar raam, over een rots heen, naar een afgrond van tientallen meters tot aan het Alzetteravijn, met een moderne stalen brug van zo'n vierhonderd meter lang, een oud spoorwegviaduct, middeleeuwse versterkingen, weelderige grasvelden, dichte bossen, huizen met zwarte daken, hoge kerktorens en een kolkende rivier, langs de helling van het Kirchberg Plateau met zijn glas-en-stalen kantoorgebouwen, en als bekroning die stralend blauwe hemelkoepel. Het was een spectaculair uitzicht met eindeloze mogelijkheden, een uitzicht waarin heel Europa lag gevangen.

Haar blik ging weer naar haar computer. De website van Julia Maclean Interior Design was uitstekend vormgegeven en professioneel geproduceerd, met een sterk accent op sfeervolle muziek, langzaam vervagende beelden, verschillende lettertypen en banale kreten. Er was een aantal prettige maar onopvallende kamers afgebeeld. Volgens een van de pagina's streefde Julia naar een 'eclectisch traditionele stijl', een combinatie van duur ogend Amerikaans antiek en Afrikaanse tribale maskers, Chinese krukjes en Mexicaanse keramiek.

Nergens was een aanbeveling van haar cliënten te vinden. Geen lovende woorden van beroemdheden. Geen vermeldingen in de pers, geen links naar andere aspecten. De biografie luidde als volgt:

Julia Maclean, geboren in Illinois, studeerde architectuur en textiele werkvormen en heeft een graad in de kunstgeschiedenis, met interieurontwerp als specialisatie. Ze heeft stage gelopen bij een aantal vooraanstaande ontwerpers voordat ze haar eigen bedrijf begon, en de afgelopen tien jaar heeft ze een trouwe aanhang opgebouwd voor haar grillige maar traditionele benadering van het verfijnde interieur. Net zo thuis in het modernisme van Lake Shore Drive als in het traditionalisme van de North Shore, is Julia een van de meest gevraagde ontwerpers in Chicago en omgeving.

Op de contactpagina stond haar e-mailadres, maar geen fysiek adres, geen telefoon of fax. Namen van werknemers, collega's, partners of referenties werden niet genoemd.

Op de hele site, hoe aantrekkelijk ook, was niet één concrete verwijzing te vinden naar een bestaande persoon of plaats.

Kate had zulke websites wel eerder gezien. Het was meestal een verzinsel. Een dekmantel.

'Jongens!' riep Kate, zonder te reageren op haar man. Hij moest maar even wachten. 'Ontbijt!'

Ze zette de flensjes op tafel, eentje besmeerd met Nutella, het andere met Speculoos, allebei strak opgerold. Diepvrieswafels schenen ze niet te kennen in dit land en zeker geen Blueberry Eggo's. Gelukkig bleken de kinderen flexibel aan het ontbijt; als er maar suiker in zat.

Minder flexibel waren ze over het feit dat ze hun vader zo weinig zagen. Kate kon steeds slechter tegen hun voortdurende geklaag over zijn afwezigheid, wat ze als kritiek op haar eigen moederschap opvatte. Als de jongens hem zo nodig hadden, hielden ze blijkbaar niet genoeg van haar. Logisch, toch?

Rationeel wist ze ook wel dat dat onzin was, maar toch voelde ze het zo.

'Nee.' Kate draaide zich weer om naar Dexter, zonder een poging haar irritatie te verbergen. 'Ik kan me absoluut niet herinneren dat je had gezegd dat je deze week naar Sarajevo moest.'

Ze probeerde zich te beheersen. Zakenreizen waren nu eenmaal zelden vrije keus. Ze waren vermoeiend, geen ontspanning, geen pleziertje. En Sarajevo was wel een van de laatste plekken op aarde waar Dexter naartoe wilde. Hij had de pest aan heel voormalig Joegoslavië, vanwege de moord op zijn broer.

'Nou,' zei hij, 'dat spijt me dan, maar ik moet erheen.'

Kate mocht het hem natuurlijk niet kwalijk nemen dat hij haar achterliet met de kinderen, in een vreemd land, eenzaam en alleen. Toch deed ze dat.

'En wanneer kom je terug?'

De jongens lieten zich op hun stoelen vallen en staarden naar de tv. In Washington hadden ze nog nooit een aflevering van *Sponge-Bob SquarePants* gezien. Ze wisten niet eens dat het ook in het Engels bestond. Waar ze naar keken was *Bob l'Eponge*, een Frans bedenksel.

'Vrijdagavond.'

'Wat moet je daar eigenlijk, in Sarajevo?' Dit was al zijn tweede bezoek. Naar Liechtenstein, Genève, Londen en Andorra was hij pas één keer geweest.

'Cliënten van de bank helpen bij het verbeteren van hun beveiliging.'

'Heeft de bank daar geen eigen mensen voor?' vroeg ze. 'In Bosnië?'

'Daar word ik voor betaald: de klanten gerust te stellen. Dat is mijn werk, Kat.'

'Kate.'

Hij haalde zijn schouders op. Ze opende haar mond om hem uit te kafferen, maar dat kon en wilde ze niet waar de kinderen bij waren.

Met een klap sloeg ze de deur van de badkamer achter zich dicht. Ze leunde tegen de wastafel, die ze zelf had schoongeboend, en keek in de spiegel. Tranen welden op in haar ogen. Ze veegde eerst over haar ene oog, toen over het andere, maar het hielp niet. De huilbui liet zich niet stoppen. De eenzaamheid, het isolement, was niet meer te verdragen. Ze kon zich niet voorstellen hoe ze zich ooit als die andere vrouwen zou kunnen voelen, tevreden met het leven, rustig onderuitgezakt aan een cafétafeltje, lachend om het gedoe en gezanik om overtollig haar te verwijderen. Gewoon plezier maken. Of in elk geval de indruk te wekken, tegenover elkaar, tegenover jezelf, dat je een geweldig leven had.

Dat hadden Kate en Dexter dus niet. Nog niet. Ze hadden officiële kopieën van hun paspoorten, geboortebewijzen en trouwakte laten maken om een verblijfsvergunning aan te vragen. Ze hadden bankrekeningen geopend, verzekeringen afgesloten, mobiele telefoons en andere apparaten gekocht, spullen bij Ikea aangeschaft en gehaktballen in de diepvries opgeslagen. Ze waren naar Esch sur-Alzette, de op een na grootste stad van het land, gereden om een tweedehands Audi-stationcar te kopen met een automaat en nog geen vijftigduizend kilometer op de teller. Ze hadden er twee weken naar gezocht op internet, de tijd die het hun ook had gekost om erachter te komen dat een stationcar hier *break* heette.

Ze streepten punten af op een lijstje op de koelkast met dingen die nog gedaan moesten worden. Negentien punten in totaal. Vijftien hadden ze er al doorgestreept.

Het laatste punt was onderstreept: Genieten van dit leven.

Misschien was deze hele onderneming wel een rampzalige vergissing.

'Ik weet niets bijzonders over Torres,' had Kate gezegd.

'Maar in het algemeen?'

Kate haalde haar schouders op en sloeg haar ogen neer. Die vraag had ze al verwacht sinds het begin van dit traject. Sterker nog, ze zat er al vijf jaar op te wachten.

'Torres had geen gebrek aan vijanden,' zei ze.

'Nee,' beaamde Evan, 'maar toen hij werd vermoord, stelde hij niet zo veel meer voor. Het was een vreemd moment om hem uit de weg te ruimen.'

Kate wist oogcontact te houden, maar het kostte haar moeite. 'Wrok,' zei ze, 'is tijdloos.'

Evans pen zweefde boven zijn schrijfblok, maar er viel niets te noteren. Hij tikte met zijn balpen tegen het papier, vier langzame tikken, in een bepaald ritme.

'Ja,' beaamde hij, 'dat is waar.'

'Nou, nou, nou! Is dat geen prettige verrassing?'

Kate liep door de Grand Rue, waar het wemelde van de bakkerijen, *chocolateries*, slagers, lingeriezaken, schoenwinkels, apothekers en juweliers. Het voetgangersgebied was 's ochtends gedeeltelijk open voor het verkeer van leveranciers. Bestelwagens kropen door de straat of stonden met draaiende motor voor de winkels. Verkoopsters openden de deuren, sjouwden dozen naar binnen en controleerden hun haar en make-up. Bestellers bedienden de hydraulische liften, liepen met steekwagentjes en droegen zware kisten. En opeens stond daar die zogenaamde Bill Maclean, de valutahandelaar uit Chicago, die nergens terug te vinden was.

'Ja,' zei Kate, 'zeg dat wel. Wat doe jij op straat, op dit uur van de ochtend?'

Kate had Dexter willen vertellen over haar onderzoek. Ze was bijna blij over haar ontdekking dat de Macleans in een bepaald opzicht de kluit belazerden. Maar ze kon zich ook scenario's voorstellen waarin het stel op de vlucht was voor een bankroet. Ze zouden zelfs beschermde kroongetuigen kunnen zijn, of ondergedoken criminelen – bankrovers misschien, of moordenaars, gevaarlijke figuren, op de loop voor de wet. Of ze werkten voor de CIA.

Maar het was niet zo makkelijk om iets tegen Dexter te zeggen over haar verdenkingen. Om te beginnen raakte hij steeds meer met Bill bevriend. Sterker nog, Bill was de enige vriend die hij had. Ze waren weer samen gaan tennissen, hadden daarna nog wat gegeten, en Dexter was laat maar vrolijk thuisgekomen.

Als koppel waren Kate en Dexter naar een avondje wijn proeven geweest, georganiseerd door de American Women's Club. En naar een schoolavond, naar de film en naar het theater. Ze waren bij een ander stel te eten gevraagd en hadden zelf ook een echtpaar ontvangen. Ze kenden dus wel mensen, maar al die contacten liepen via Kate. Dexter ging mee omdat hij haar man was en kletste wat met Britse bankiers, Nederlandse advocaten en Zweedse verkopers. Maar Bill Maclean was Dexters eigen contact, en dat wilde Kate hem niet ontnemen. Ze wilde zelfs niet die indruk wekken.

Een tweede belemmering was dat haar onderzoek op internet het gevolg was van een diepgewortelde gewoonte om niemand te vertrouwen. Dat gaf ze liever niet toe. De oorsprong van die achterdocht was immers de wetenschap dat ze zelf niet te vertrouwen was.

'O jee.' Bill glimlachte ondeugend. 'Je hebt me betrapt.'

'Waarop?'

Het derde bezwaar was dat ze onmogelijk kon toegeven dat een deel van haar motivatie – een klein deel, maar niet te verwaarlozen – met seksuele aantrekkingskracht te maken had.

'Nou, mijn vrouw is de stad uit. Ze is vanochtend naar Brussel vertrokken.'

Kate had zich ermee verzoend dat ze niets tegen Dexter zou zeggen over de schimmige achtergrond van de Macleans. Totdat er meer feiten boven water kwamen. Of totdat ze nog dieper groef en niets zou kunnen vinden; wat op zichzelf al een ontdekking was.

'Daarom loop ik nu door de *ville...*' Bill deed een stap naar haar toe, en nog een, en fluisterde in haar oor: 'Op zoek naar een vrouw om samen de dag in bed door te brengen.'

Kates mond viel open.

Bills grijns werd nog breder en hij begon hartelijk te lachen. 'Grapje,' zei hij. Toen hield hij een kleine plastic tas omhoog. 'Ik had iets nodig van de computerwinkel.'

Ze stompte hem tegen zijn borst, maar niet te hard. 'Akelige man!' Ze keek hem onderzoekend aan. Hij had een speelse blik in zijn ogen. Ach, wat kon het voor kwaad? Misschien zou het wel goed zijn voor Kate en Bill – voor hen alle vier –, zo'n onschuldige kleine flirt. Die heeft iedereen wel eens.

'Dat was wel een stunt van je, daar in Parijs,' zei Kate. 'Heel dapper. Heel stoer.'

'Ach,' zei hij luchtig. 'Het stelde niets voor.'

'Waar had je dat geleerd?'

'Geleerd? Nee, hoor,' zei hij. 'Het waren gewoon mijn bliksemsnelle reflexen.'

Niet erg waarschijnlijk, maar Kate was zo verstandig er niet op door te gaan. 'Is Julia echt naar Brussel?'

'Ja. Naar een oude vriendin die op doorreis is in België om... nou ja, wat mensen daar ook te zoeken hebben.'

'Een oude studievriendin?'

'Nee.'

'Waar heeft Julia trouwens gestudeerd?' Kate keek hem nog steeds strak aan, speurend naar aanwijzingen dat hij haar vragen ontweek. Maar ze kon niets ontdekken.

'De universiteit van Illinois.'

'En jij? Wat is jouw alma mater?'

'Wauw.'

'Wat?'

Bill keek eerst naar links, toen naar rechts. 'Ik wist niet dat dit een sollicitatiegesprek ging worden, hier op straat. Ik wilde alleen maar een avontuurtje voor vanmiddag, dat zei ik je toch?' Hij grinnikte. 'Maar nu we er toch over beginnen, moet ik het wel vragen: wat verdient deze functie eigenlijk?'

'Dat,' zei ze, 'is afhankelijk van verschillende factoren.'
'Zoals?'
'Nou, waar heb je zelf gestudeerd?'
Heel even zag ze iets van verwarring, misschien zelfs schrik, in zijn ogen. Hij fronste even. Maar zijn glimlach veranderde niet. 'In Chicago.'
'Aan de universiteit daar?'
'Precies.'
'Niet slecht. En je hoofdvak?'
'Van alles.'
Ze trok een wenkbrauw op.
'Laat ik zeggen... een breed programma.'
'Hm. En daarna? Nog verder gestudeerd?'
'Nee.'
'Juist. Je meest recente functie?'
'Senior partner bij een valutahandelaar.'
'Waarom ben je daar weggegaan?'
'Het bedrijf ging failliet,' zei hij op besliste toon, om aan te geven dat het onderwerp daarmee afgedaan was. Maar nog steeds had hij dat zelfvoldane lachje op zijn gezicht, van iemand die overal goed in is: skiën en tennis, auto's repareren en timmerwerk, communiceren in onbekende talen, fooien geven en de politie omkopen, voorspel en orale seks.
'Hoor eens,' zei hij, en hij deed weer een stap naar haar toe. 'Mijn huidige baan bevalt me wel. Ik ben nog maar pas begonnen en niet op zoek naar iets nieuws. Dus...' Hij boog zich wat te ver naar voren, met zijn lippen bij haar oor, waardoor ze haar nekharen overeind voelde komen. 'Gaan we nou naar bed, of niet?'
Bill deed nog steeds alsof het een geintje was. Maar niemand maakt zulke grapjes als hij er geen bedoelingen mee heeft. Het is een excuus om de deur op een kier te zetten, een duidelijke uitnodiging. 'Jouw man is toch ook de stad uit, dacht ik?'
Hoewel Kate nooit ontrouw was geweest, had ze wel voorstellen in die richting gekregen. Meer dan eens. En dit soort zogenaamde grapjes was de meest bekende opening.
Ze was zich bewust van een zwakke plek in haar pantser, haar permanente worsteling met mannen zoals Bill; gladde, gevaarlijke types, met het talent om mensen te manipuleren. Het absolute tegen-

overgestelde van de man met wie ze was getrouwd, het fatsoenlijke type waaraan ze om intellectuele en pragmatische redenen de voorkeur had gegeven.

'Nee,' zei Kate. Ze schudde haar hoofd, maar met een glimlach. 'Naar bed gaan we niet.' Ze was er zich volledig van bewust dat haar antwoord dubbelzinnig klonk. Hoewel ze zich nooit zou laten verleiden, vond ze het toch wel prettig om zich door Bill mee te laten voeren.

'Als jij het zegt,' zei hij.

Kate had haar waakzaamheid laten verslappen, waardoor de troep van de jongens zich nu uitstrekte tot de logeerkamer en het kantoor, de ruimte waar ze nu zat, wachtend tot de trage verbinding haar internetpagina had ververst. Ontstemd keek ze om zich heen naar de reusachtige plastic vehikels – vliegtuig, helikopter, politie- en brandweerwagens – die verspreid door de kamer lagen. Eigenlijk zou ze moeten opruimen, maar daar had ze geen zin in. Ze had er een bloedhekel aan om speelgoed op te rapen.

Het scherm kwam weer tot leven; de pagina was geladen. Ze vond drie vestigingen voor de universiteit van Illinois. Urbana-Champaign telde zevenduizend afgestudeerden per jaar; Chicago zesduizend; en Springfield vijfduizend. Een snelle berekening leverde binnen de aangewezen periode zo'n vijftigduizend afgestudeerde vrouwelijke studenten op. Hoeveel Julia's waren daarbij?

Wat Bill betrof, telde ze minder dan vijftienhonderd afgestudeerden per jaar aan de universiteit van Chicago, en het probleem van de meisjesnaam deed zich niet voor.

Kate staarde naar het telefoonnummer op het scherm en het toestel in haar hand. Was ze dit echt van plan? En waarom?

Ja. Omdat ze een wantrouwend karakter had en beroepsmatig achterdochtig was. Omdat ze zich verveelde. Omdat ze er niets aan kon doen.

'Jawel,' zei de vrouw op het administratiekantoor met het platte Midwesterse accent dat Bill en Julia vreemd genoeg niet aan hun woonplaats hadden overgehouden, 'we hadden hier een William Maclean in 1992. Is dat degene die u zoekt?'

'Dat zal wel. Zou u me een foto kunnen mailen?'

'Nee, het spijt me. We houden geen fotoalbum bij van onze oud-studenten.'

'Een jaarboek dan?' vroeg Kate. 'Hij zal toch wel in het jaarboek staan?'

'Niet alle studenten willen daarin worden opgenomen, mevrouw.'

'Kunt u het niet nagaan?' Zo vriendelijk mogelijk. 'Alstublieft?'

Geen antwoord. Was de verbinding soms verbroken? 'Hallo?' zei Kate.

'Ja, mevrouw. Ik zal even kijken. Momentje.'

Kate benutte de stilte om zich af te vragen of Dexter ooit hun telefoonnota controleerde. En als hij dat deed, of hij Kate dan zou vragen waarom ze – nota bene – met Chicago belde. Natuurlijk wist hij dat ze daar geen vrienden had. En als hij naar de nota keek en haar iets vroeg, zou ze dan eerlijk antwoord geven, of... beweren dat er een probleem was met een helpdesk... Waarover dan? Een of andere smoes...

'Het spijt me, mevrouw. Zo te zien was William Maclean een van die studenten in 1992 die zijn foto niet in het jaarboek wilde hebben.'

'Heel jammer.' En vreemd, dat ook. De man die Kate kende was niet iemand die bezwaar zou hebben tegen een portretfoto. Ook niet toen hij nog studeerde.

10

Weer alleen. Nou ja, niet echt alleen, want met de kinderen. Maar zonder echtgenoot.

Kate ging weer achter de computer zitten.

Wat kon de meest voor de hand liggende, logische reden zijn om een valse identiteit aan te nemen? Ze opende de browser en dacht na...

Haar eerste gedachte, haar sterkste intuïtie, was dat de Macleans iets verschrikkelijks probeerden te verbergen, iets onvergeeflijks dat een van hen op zijn of haar kerfstok had. Een misdrijf, bijvoorbeeld een moord, waarvoor ze waren vrijgesproken maar die hun leven had verwoest. Daarom waren ze uit Amerika vertrokken.

Of misschien was het een geval van witteboordencriminaliteit. Bill kon fraude hebben gepleegd als accountant of financieel directeur. Stel dat hij de president-directeur van het bedrijf erbij had gelapt in ruil voor immuniteit? Dan was zijn reputatie vernietigd, zijn sociale status niet meer te redden, dus waren ze hier een nieuw leven begonnen.

Of het was Julia. Misschien had ze net tien jaar gevangenisstraf uitgezeten voor... ja, voor wat? Iets met minderjarigen? Dronken achter het stuur? En Bill had op haar gewacht, geduldig maar niet trouw, totdat ze vrijkwam. Ze hadden hun naam veranderd en waren vertrokken.

Kate opende een spreadsheet om namen, data en details over misdrijven in te vullen. Op het web zocht ze naar kranten en andere media uit Chicago. Toen ging ze op zoek, het ene misdrijf na het andere, speurend naar foto's van verdachten – veroordeeld, vrijgesproken of vrijgekomen.

'Ik moet je helaas meedelen,' had Evan haar gezegd, 'dat we je dekmantel niet opheffen.'

Dat had Kate ook niet verwacht, na alles wat ze had gedaan en gezien. In zekere zin was die permanente dekmantel zelfs een opluchting, die haar verloste van de noodzaak om zelf een besluit te nemen. Als ze niemand iets mocht vertellen, hoefde ze daar niet over na te denken.

'Goed. Oké.'

Evan nam haar scherp op. Waarschijnlijk probeerde hij vast te stellen hoe teleurgesteld ze was, of gefrustreerd, of kwaad om zijn beslissing. Maar dat was ze allemaal niet.

'Nou, dat was het, Kate.'

'Hoe bedoel je?'

'We zijn klaar.'

Kate keek op haar horloge. Het was halftwaalf in de ochtend. 'Voor vandaag?'

'Voorgoed.'

'O.' Ze schoof niet haar stoel naar achteren, ze sprong niet overeind, ze verroerde geen vin. Ze wilde niet dat dit achter de rug zou zijn. Want dan was alles voorbij, definitief. Haar hele carrière. 'Echt?'

Evan stond op. 'Echt.' Hij stak zijn hand uit. Het bittere eind.

Kates straat beschreef een flauwe bocht en liep dan abrupt dood, zoals veel straten in Europa. In Amerika waren alle straten lang en recht. Ze gingen soms kilometers door, zo ver als je kon kijken, tientallen of honderden *blocks*. Europa versus de Verenigde Staten, in een notendop. De Fransen kenden het concept van een *block* niet eens.

Bij de ingang van de Rue du Rost stond een slagboom – diagonale rood-witte strepen op een stalen balk die op schragen rustte. RUE BARRÉE stond er in keurige zwarte blokletters op de versperring. Een politieman stond er wat verveeld bij en probeerde een vrouw met een kort schortje te versieren, een dienster die buiten een sigaret kwam roken.

Kate liep langs de paleispoort. De wachtposten namen haar even op en verloren toen hun interesse. Ze keek een van hen recht aan, een man met een fris gezicht en een bril zonder montuur. Kate glimlachte, maar hij reageerde niet. Het parkeerterrein stond vol auto's. Mensen liepen heen en weer, het was er druk.

Ze stak de straat over, stapte een gebouw binnen en drukte op een bel.

'Kom boven!' riep Julia door de intercom.

De lift was klein, net als bij hen thuis. Het moest een uitdaging zijn geweest voor de architecten en aannemers om een liftschacht in dit soort oude gebouwen te integreren.

'Welkom.' Julia hield met haar ene hand de deur open en loodste Kate met de andere naar binnen. Dat beleefde gebaar had iets ouderwets, een beetje gekunsteld, maar niet ironisch. Vreemd. 'Wat leuk dat je eindelijk eens langskomt.'

Kate stapte voorzichtig naar binnen, er nog steeds niet aan gewend om midden op de dag bij mensen rond te lopen. Thuis in Washington was ze overdag nooit ergens anders geweest dan in haar eigen kantoor of op bezoek bij Buitenlandse Zaken of Capitol Hill. En als ze 's avonds mensen ontmoette, was het meestal in een restaurant of een theater. Openbare gelegenheden. Het voelde heel intiem om bij Julia thuis te zijn, alleen met haar, midden op de dag. Een beetje verboden.

'Leuk dat je me vroeg.' Kate liep door de hal naar een lange woon- en eetkamer met een hele rij ramen op het westen. Door elk raam was het *palais* te zien, met zijn rijk gedrapeerde gordijnen en smeedijzeren hekken, balkons met balustrades, zandstenen torentjes en een onbekende vlag wapperend op de nok.

Julia zag Kate naar het paleis kijken en volgde haar blik naar de vlaggenstok. 'De vlag is gehesen,' zei Julia. 'Dan is de aartshertog thuis.'

'O ja?' zei Kate. 'Echt waar?'

'Ja. De vlag wordt weer gestreken als hij vertrekt.'

'Maar dat is toch niet de Luxemburgse vlag?'

'O?' Julia kwam naast Kate voor het raam staan. 'Nee, je hebt gelijk. Volgens mij is het de Italiaanse. Dat betekent dat er een belangrijke Italiaan op bezoek is, de premier misschien, of de president? Wat hebben ze eigenlijk in Italië?'

'Allebei.' Kate waarschuwde zichzelf dat ze niet als expert moest overkomen. 'Geloof ik.'

'Nou...' Julia haalde haar schouders op. 'Een van de twee is daar nu.'

'Je hebt zeker nooit eerder tegenover een regerend vorst gewoond?'

Julia lachte.

'Waar héb je eigenlijk gewoond?'

'O, allerlei adressen in Chicago.'

'Je hele leven?'

'Bijna.' Julia draaide zich om. 'Ik zal koffiezetten. Jij een cappuccino?'

Het was typerend voor de discrete manier waarop Julia haar vragen ontweek. Ze weigerde niet rechtstreeks antwoord te geven, maar reageerde zonder iets specifieks te zeggen, stelde een wedervraag en leidde de aandacht van haar eigen geschiedenis af zonder dat het echt opviel. Maar juist dat had Kates aandacht getrokken en haar argwaan gewekt.

Soms vond Julia eenvoudigweg een excuus om de kamer uit te lopen.

'Cappuccino, lekker.'

Kate keek nog steeds naar het voorplein van het paleis, een terrein met lichtbruin grind onder een dak van coniferen en kastanjes. Er stonden tien of twaalf auto's, allemaal diepblauwe Audi-sedans. De nummerborden hadden twee strepen, blauw en oranje, zonder cijfers, letters of een andere identificatie. De enige niet-Audi, die het dichtst bij de inrijpoort stond, was een klassieke Rolls-Royce, een prachtige, glimmende wagen, in een blauwe kleur die bij de andere paste – of waarschijnlijk was het andersom. Op het nummerbord van de Rolls stond alleen een kroontje.

Een adellijk huis. Heel iets anders dan alleen maar rijk te zijn.

Op het achterplein stond een handvol Luxemburgse militairen, bij een groepje mannen in andere uniformen. Dat moesten de Italianen zijn. Een paar beveiligers in zwarte pakken hadden zich op enige afstand opgesteld; ze leken meer op hun hoede dan het personeel in uniform.

Kate hoorde het knerpen van het grind onder de harde zolen van de lakleren schoenen van een lange man die het plein overstak.

Hij droeg een scherp gesneden militair jasje met epauletten. De Luxemburgse soldaten sprongen in de houding en salueerden toen hij voorbijkwam, zonder zijn pas in te houden of iemand een blik waardig te keuren.

De Italiaanse militairen salueerden niet, maar rechtten wel hun rug en staakten hun gesprek. Ze keken de man na totdat hij de inrijpoort binnenstapte. Zijn hakken klikten over de houten tegels, die een stillere route vormden voor de paardenhoeven dan een stenen vloer.

Kate wilde zich al omdraaien, toen haar iets opviel. Op de eerste verdieping, ongeveer op gelijke hoogte met haar, opende iemand de glazen deur van een ondiep balkon. Een elegante man in een donker pak stapte naar buiten en liet zijn blik over het plein beneden glijden. Hij zocht in zijn jasje, haalde een pakje sigaretten tevoorschijn en tikte er een uit. Hij gaf zichzelf vuur met een gouden aansteker en leunde op het lage stenen muurtje.

Kate zag dat zijn das, die op het eerste gezicht marineblauw leek, een paisley-motief had in donkere blauwe en paarse tinten. Het was een prachtige das.

Hemelsbreed stond de man niet meer dan dertig meter bij haar vandaan.

Onwillekeurig dacht Kate dat het een ongelooflijk gemakkelijk schot zou zijn.

De man op het balkon van het paleis nam een flinke trek van zijn sigaret, blies een grote rookwolk uit en daarna drie volmaakte kringen. Kate zag hoe hij de grindvlakte beneden observeerde.

Het was precies dezelfde situatie waarvan Kate zelf gebruik had gemaakt in Payne's Bay: een onopvallend huurhuis met een perfect, onbelemmerd uitzicht. Maar op Barbados was het een schot van driehonderd meter geweest. Hier had je nauwelijks een vizier nodig.

'Het is bijna verslavend, vind je niet?' zei Julia. 'Wat zich daar allemaal afspeelt.'

'Hm,' zei Kate afwezig. Aanvankelijk had ze de verdenking gekoesterd dat de Macleans om een of andere reden de Verenigde Staten waren ontvlucht. Nu begon ze overtuigd te raken van het tegendeel. Ze waren naar Luxemburg gekomen met een specifieke opdracht. Was het zo onredelijk om te veronderstellen dat het om een moordaanslag ging?

Kate deed het licht uit en draaide zich om naar Dexter. De smaak van rode wijn vermengde zich met die van tandpasta. Ze werkte het vaste patroon af, greep dit en likte dat – seks volgens het bekende stramien, niet erg bevredigend, ook niet moeilijk, gewoon nummer zoveel in een eindeloze reeks.

Daarna nog even water drinken, pyjama aan, haar ademhaling weer rustig.

'Hoor eens, morgenavond ga ik weer tennissen met Bill,' zei Dexter.

Ze draaide zich niet naar hem om, in het donker. 'Je kunt goed met hem opschieten, geloof ik?'

'Ja. Hij is een aardige vent.'

Kate staarde naar het plafond. Ze wilde – nee, ze moest – hier met iemand over praten. Met Dexter. Hoeveel kritiek ze de laatste tijd ook op hem had, en op haar nieuwe leven hier, hij was nog altijd haar beste vriend. Maar ze maakte zich zorgen... nee, ze was bang... dat ze hiermee een grens zou overschrijden in hun huwelijk, een grens die ze pas zouden beseffen als ze al boven de afgrond balanceerden. Je weet dat er zulke dingen zijn waar je niet over praat: seksuele fantasieën, flirts met anderen, diepgewortelde achterdocht, twijfels, bezwaren. Maar in het dagelijks leven blijf je daar zo ver mogelijk bij vandaan en doe je alsof ze er niet zijn. Als je dan toch op een van die grenzen stuit en je voet er voorzichtig overheen zet, blijkt het niet alleen angstig en akelig, maar ook banaal. Omdat je altijd hebt geweten dat die grenzen er waren, hoewel je je ogen ervoor sloot, in het besef dat je ze ooit zou moeten confronteren.

'Hoezo?' vroeg Dexter. 'Je klinkt alsof je ergens over wilt praten.'

Als Kate nu zou zeggen: 'Dexter, ik ben bang dat Bill en Julia niet zijn wie ze beweren dat ze zijn,' zou hij kwaad worden. Defensief. Dan zou hij met allerlei mogelijke, plausibele verklaringen komen.

'Heb je iets tegen Bill?'

Uiteindelijk zou Dexter het aan Bill zelf vragen. Heel vriendelijk. En Bill zou hem iets vertellen wat Dexter zou slikken; waarschijnlijk dat ze kroongetuigen waren en een nieuwe identiteit hadden gekregen, vermoedde Kate. Ze konden niet uitweiden over de details, het verhaal kon niet worden geverifieerd of bewezen. Tenminste, zo zou zij het zélf doen als ze in Bills schoenen stond.

Kate wist niet wat ze het meest wilde ontlopen: een ruzie met Dexter over Bills mogelijke geheimen, of de noodzaak om eindelijk haar eigen geheim aan Dexter op te biechten.

Dus lag ze daar, met haar voeten gespreid, starend naar het donkere plafond, terwijl ze probeerde te bedenken wat ze tegen haar man moest zeggen.

Achteraf was dit het moment geweest – geen uniek moment, maar een specifiek ogenblik dat ze zich later herinnerde – waarop ze nog heel wat had kunnen veranderen. De gekte was nog niet begonnen; ze had zich nog niet in nieuwe geheimen gestort die het allemaal nog erger zouden maken, als een vicieuze cirkel waarover ze geen controle meer had.

Dus lag ze daar in bed, zonder de moed om het gesprek te beginnen dat ze zo graag wilde. Ten slotte zei ze niets anders dan: 'Nee, natuurlijk niet. Bill is geweldig.'

De belangrijkste nalatigheid van haar hele leven.

VANDAAG, 11:40 UUR

Aan de ene kant van de gang is de linnenkast, keurig georganiseerd in planken en schappen met pluizige witte handdoeken en beddengoed met bloemetjesmotief. Aan de andere kant is de kast waar ze hun bagage opbergen. Kate legt haar hand op de gebutste koperen kruk in de sierlijk gevormde slotplaat die op de glanzende crèmekleurige kastdeur is geschroefd.

Op de grond staat de grote hutkoffer met daarop de grootste twee koffers die ze bezitten. Die gebruiken ze voor hun zomervakanties aan de Côte d'Azur, of een paar weken in Umbria. Maar nu haalt ze twee middelgrote koffers op wieltjes en een reistas uit de kast.

Een van de koffers rijdt ze naar de kamer van de jongens. Daar pakt ze broeken en hemden voor drie dagen in, met sokken en ondergoed. In de aangrenzende badkamer haalt ze een toilettas van het schap boven de spiegel, waarin ze hun tandenborstels en tandpasta opbergt. Ze grist de verbandkoffer uit de mand onder de wastafel. Kleine jongens bloeden snel, waar ze ook komen. Europese speelplaatsen hebben veel meer harde oppervlakken dan Amerikaanse. Kate heeft allang de moed opgegeven om in België, Duitsland, Italië en Spanje naar pleisters en ontsmettende zalf te zoeken. Liever heeft ze haar eigen voorraadje bij zich.

Ze loopt via haar slaapkamer naar de inloopkast. Daar klapt ze een tafeltje uit, zet de tas erop en gooit werktuiglijk haar eigen spullen erin, terwijl er allerlei gedachten door haar hoofd gaan, die niets met kleren te maken hebben. Als ze zich niet vergist, heeft ze deze afgelopen twee jaar al drieënveertig keer haar koffers gepakt. En tijdens haar vorige leven, toen de kinderen nog niet geboren waren? Honderden keren.

Kate is klaar met pakken. Het gaat allemaal vanzelf. Voordat ze vertrekken, zal ze zich nog wel een paar dingen herinneren: de telefoonoplader, de leesboeken van de jongens, hun paspoorten. Zo gaat het altijd als ze verstrooid de koffers heeft gepakt. Daarom ritst ze de tas nog niet dicht, maar laat hem op het tafeltje staan, klaar om er nog iets in te gooien wat haar later te binnen schiet.

Ze heeft geen idee voor hoelang ze hun koffers pakt. Misschien is het zinloos, helemaal voor niets. Maar het zou ook voor één nacht kunnen zijn, voor drie, voor een paar weken, voor een maand. Of voor altijd.

Ze hebben dit besproken, zij en Dexter. Als er iemand opdook, als ze dachten dat het fout ging, zouden ze hun koffers pakken voor drie dagen. Niet te veel bagage, niet te opvallend, gewoon een uitstapje. Als ze langer wegblijven, kunnen ze altijd de dingen kopen die nodig zijn. Ze hebben immers geld genoeg. Later kunnen ze met dat geld ergens anders genoeg mogelijkheden scheppen. Mogelijkheden die ze misschien nu niet hebben, hier in Parijs.

Kate pakt de tweede koffer op wieltjes, loopt ermee naar de andere kant van de inloopkast en zet hem op Dexters tafeltje.

Bij elkaar passende bagage. Ze had niet gedacht dat ze ooit nog een vrouw zou worden met tien bij elkaar passende koffers. Ook dat is iemand die ze zomaar is geworden, zonder het echt te willen.

Kate blijft even staan in haar lange, mooie gang, waarvan de muren zijn behangen. Er hangen foto's van de kinderen, skiënd in de Franse Alpen, spelend in de branding van de Middellandse Zee, wandelend langs de grachten van Amsterdam en Brugge, bij het Vaticaan en de Eiffeltoren, in de dierentuin van Barcelona, een themapark in Denemarken en een speelplaats in Kensington Gardens. De deuren staan open naar de kamers, en licht stroomt vanuit verschillende bronnen en onder verschillende hoeken het appartement binnen.

Kate zucht. Ze wil niet weg uit Parijs. Ze wil hier blijven, zodat haar kinderen 'Parijs' kunnen antwoorden als iemand hun vraagt: 'Waar kom je vandaan?'

Het enige waaraan ze behoefte heeft is een kleine afleiding hier, om haar leven compleet te maken. Iets om haar te prikkelen. Verhuizen naar Bali, Tasmanië of Mykonos is de oplossing niet. Het probleem schuilt in haarzelf, en dat zal altijd zo blijven. Het wortelt in een ver verleden, uit de tijd dat ze de noodlottige beslissingen nam die haar maakten tot wie ze werd...

... in haar studententijd...

Er komt een gedachte bij haar op, en haastig loopt ze de gang door.

11

Kate staarde naar haar computer, voor het raam. Buiten was het nu donker en mistig, met hier en daar wat lichtpuntjes. Een donker impressionistisch doek, met elektriciteit.

Jake en Ben zaten in kleermakerszit op de grond, verdiept in hun spel. Kate nam haar handen van het toetsenbord en zuchtte.

'Mama, wat is er?'

Ze keek naar Jake, met zijn grote, bezorgde ogen onder zijn onschuldige, gladde voorhoofd. 'Ik heb niet gevonden wat ik zoek.'

'O,' zei Ben. 'Wil je dan met ons spelen?'

Kate had bijna een volledige werkweek besteed aan haar speurtocht naar criminelen die pasten bij het signalement van Bill of Julia. Tevergeefs.

'Ja.' Ze klapte haar laptop dicht, stopte met spionnetje spelen en werd weer moeder. 'Leuk.'

De zoemer van de droger ging op het moment dat Kate een tomaat doormidden sneed. Verstrooid legde ze de tomaat op een stuk keukenpapier. Toen ze tien minuten bezig was geweest met de was opvouwen was al het sap uit de tomaat gedropen. Het vormde een stralenkrans van rode lijnen op het keukenpapier, volgens het patroon van de vezels, als donkerrode slierten die zich rond Kates bewustzijn slingerden en haar meesleurden naar een hotelkamer in New York, waar een man op de grond lag met de krater van een kogelwond in zijn achterhoofd. Zijn bloed sijpelde over het lichtgekleurde tapijt, op dezelfde manier als het sap van deze tomaat over het keukenpapier liep.

En opeens had die vrouw daar gestaan, totaal onverwachts, verstijfd en met open mond.

Jaren eerder had Hayden haar alles verteld over bloed. 'Shakespeare was niet achterlijk,' zei hij tegen Kate terwijl ze de Ponte Umberto I overstaken. De training van die dag zat erop en haar mentor nam haar mee uit eten in een trattoria achter het Castel Sant'Angelo. 'Wat Lady Macbeth zo kwelde, was Duncans bloed. Dat zal jou ook blijven achtervolgen, als je het de kans geeft. Weg, vervloekte vlek!'

Kate keek eens naar Hayden. Over zijn schouder zag ze de indrukwekkende koepel van de Sint-Pieter, badend in het gouden licht van de zonsondergang. Hayden draaide zich ook om en bewonderde het uitzicht.

'Als je bepaalde dingen eenmaal hebt gezien,' zei Hayden, 'kun je ze nooit meer vergeten. Als je er niet de rest van je leven last van wilt hebben, kun je maar beter niet kijken op het moment zelf.'

Ze wendden zich weer af van het Vaticaan en liepen terug naar de oude gevangenis. 'Wie zou hebben gedacht dat de oude man zoveel bloed in zich had?' Hayden was bij de CIA gekomen via Back Bay, Groton en Harvard, net als zijn vader en grootvader vóór hem. Kate vermoedde dat ze allemaal de gewoonte hadden te citeren uit werken van minstens een paar honderd jaar oud.

'Onthoud één ding goed, Kate,' zei hij. 'Ze hebben allemáál verbazend veel bloed in zich.'

Vijftien jaar later, starend naar de vlek op haar keukenpapier, besefte Kate waarom ze een familie-uitstapje naar Duitsland had gepland.

De kinderen waren boven luidruchtig aan het spelen. Ze hadden zich verkleed en droegen gladiatorhelmen, of 'helms', zoals de jongens ze noemden. Kate had niet het hart hen te verbeteren. Als ze zulke foutjes tolereerde, bleven ze misschien wat langer jong. En zij ook.

Kate deed de deur van de logeerkamer dicht en belde het nummer.

'Wat heb je vandaag voor me?' vroeg ze.

'Eh, even kijken... Charlie Chaplin heeft ooit meegedaan aan een verkiezing van Charlie-Chaplin-dubbelgangers, en hij verloor! Hij kwam niet eens in de finale.'

'Heel goed. Daar krijg je een zeven voor. Misschien zelfs een acht.'

'Nou, dank je wel.'

'Hoor eens, we gaan binnenkort met het hele gezin naar Beieren.' Kate wist dat dit gesprek werd opgenomen. Misschien luisterde er zelfs iemand mee, met een koptelefoon, om vervolgens zijn chef te bellen, die op zijn beurt een collega belde. Mannen met koptelefoons, achter een paneel met stekkers, die zich afvroegen waar dit gesprek in vredesnaam over ging. Het was ook een ongebruikelijk contact, via deze open privélijn in Luxemburg naar een kantoor in München. 'Heb je nog tips voor me?'

'Beieren! Geweldig. O, ik heb tips genoeg.' Hayden dreunde een hele lijst van hotels, restaurants, bezienswaardigheden en routebeschrijvingen op.

Toen hij uitgesproken was, zei Kate: 'Ik zou het ook leuk vinden je weer eens te zien.'

Als Hayden dat verdacht vond, liet hij daar niets van merken. Natuurlijk niet.

'*Bonjour*?' kraakte de onzekere stem door de intercom.

'Hallo!' Kate schreeuwde bijna. 'Ik ben het. Kate!'

Stilte. 'Kate?'

'Ja!'

'O... hé. Kom boven.'

De deur ging open met een zacht zoemertje, als een slecht werkende broodrooster. Boven, in het donkere, benauwde halletje, stond Julia in een badjas tegen haar deurpost geleund. Ze lachte, maar het kostte moeite. Het was negen uur 's ochtends.

'Sorry dat ik niet even heb gebeld, maar ik heb een rampzalige ochtend.'

'Geen punt,' zei Julia ongemakkelijk. Julia zei nooit dingen als 'geen punt'.

'Toen ik vanochtend de deur uit rende,' zei Kate, 'heb ik mijn telefoon en mijn huissleutels in de keuken laten liggen. Ik heb alleen mijn autosleuteltjes. Zou ik jouw telefoon mogen gebruiken? Dan kan ik Dexter bellen.'

'Natuurlijk.'

Julia liep naar de logeerkamer, pakte een draadloze telefoon en stak die Kate toe.

'Dank je. Sorry dat ik je lastigval. En Bill. Is hij er ook?'

'Nee. Hij is net een paar minuten weg.'

Dat wist Kate. 'Nou, nogmaals bedankt.'

Kate belde Dexters kantoor. Toen ze dit plannetje uitbroedde, had ze overwogen een niet-bestaand nummer te bellen, of haar eigen mobiel, en een nepgesprek te voeren. Maar als ze gelijk had wat Bill en Julia betrof, zouden ze haar daarop betrappen, op een of andere manier. Misschien zou Bill navraag doen bij Dexter, of zou Julia de telefoonnota controleren.

Dus moest het een echt gesprek zijn. En om het nog waarachtiger te maken – tegenover Julia, Dexter en zichzelf – had ze met opzet haar sleutels en haar telefoon op het aanrecht laten liggen toen ze de deur uit ging.

'*Bonjour.* Dexter Moore.'

'Hallo,' zei Kate. 'Met mij. Ik ben mijn huissleutels vergeten. Zou jij naar huis kunnen komen?'

'Jezus, Kat.'

Ze wist dat hij kwaad zou zijn; daar rekende ze ook op. Hij was die ochtend om zeven uur vertrokken voor een drukke dag, een Grote Dag. Daarom had ze juist vandaag uitgekozen – zodat hij kwaad zou zijn. 'Dexter, doe niet zo moeilijk,' kon ze nu zeggen, terwijl ze met haar ogen rolde naar Julia en vragend een vinger opstak, voordat ze naar de logeerkamer liep voor enige privacy bij deze echtelijke ruzie.

Snel maar voorzichtig keek Kate de kamer rond en nam alles in zich op. Het bed was opgemaakt, maar niet perfect. Van de vier kussens vertoonde er een nog de duidelijke plooien en indrukken van een slapend hoofd.

'Ik heb per ongeluk mijn sleutels vergeten,' zei Kate. 'Niet om jou te treiteren.'

Op het nachtkastje bij het beslapen kussen lag een boek, een pocket met een simpel omslag van akkers en boerenland. Een vrouwelijke auteur, een roman met een lange, vage titel; chicklit. Daarnaast een waterglas, een doos tissues, lippenbalsem.

Het was Julia die hier sliep, in dit bed. Dus niet in de grote slaapkamer.

'Ik moet net weg,' zei Dexter. 'Naar een vergadering.'

Het bureau was klein en opgeruimd, de laptop dichtgeklapt. Er slingerden geen papieren rond, behalve een paar enveloppen, geadresseerd aan een straat in Limpertsberg en een bedrijf met de naam WJM S.A. Een S.A was een *société anonyme*, vergelijkbaar met een *société à responsibilité limitée* of naamloze vennootschap. En WJM stond voor William J. Maclean, veronderstelde Kate.

Er was een dossierla, maar die durfde Kate niet open te maken; dat zou ze onmogelijk kunnen verklaren als ze werd betrapt.

De laptop was aangesloten op een grote printer-scanner-copier. Op het bureau lag een stapeltje visitekaartjes. Kate haalde een zakdoek uit haar jeans en bladerde daarmee de kaartjes door, zonder ze aan te raken. Er was er eentje van een tennisclub. Julia tenniste niet. Kate pakte het met haar zakdoek op en liet het in haar zak glijden.

'Dat begrijp ik, Dex, en het spijt me ook.'

Ze liep naar het nachtkastje, veilig buiten Julia's zicht. Met de zakdoek pakte ze ook de lippenbalsem op en borg die bij het geroofde visitekaartje.

Ze vroeg zich af of dit een ongelukkig huwelijk was, of Julia gewoon aan slapeloosheid leed, of dat ze verkouden was en haar man de afgelopen nacht niet had willen storen.

Maar misschien was de reden ook veel minder alledaags.

'En Dexter is ook laat,' zei Kate. 'Hij komt altijd laat terug van die besprekingen. Op de een of andere manier duurt alles altijd langer dan hij denkt. We hoeven zeker niet voor één uur terug te zijn.'

'Oké,' riep Julia vanuit de badkamer, waar ze zich stond op te maken. Kate kende haar nu goed genoeg om te weten dat ze nooit de deur uit ging zonder er op haar best uit te zien.

Ze slenterde naar de ramen die uitkeken op het paleis. Er wapperde geen vlag aan de vlaggenstok. De groothertog was niet aanwezig, en er stonden geen auto's op het plein. Een eenzame wachtpost had zich bij de achterpoort opgesteld met een wapen tegen zijn schouder. Hij keek verveeld. Ja, dit raam was een duidelijk pluspunt van het appartement.

Maar het belangrijkste, wist Kate, was de vluchtroute. Net als bij een bankroof of een buitenechtelijke affaire was de eerste stap zo moeilijk niet. Het ging erom hoe snel je weg kon komen.

'Nou, zullen we?' Ze wilden die ochtend naar een winkelcentrum om de tijd te doden.

'Ja, we gaan.' Kate drukte op een knopje van haar horloge en verdween bij het raam aan de Rue de l'Eau. Ze stapten de deur uit, de kleine lift in, en daalden af naar de garage, zes verdiepingen lager, waar ze in Julia's Mercedes vertrokken via de Rue du St.-Esprit, een smal klinkerstraatje dat een paar verwarrende bochten bij het paleis vandaan lag. Na vijftig meter beschreef de St.-Esprit een hoek van bijna negentig graden en dook toen steil omlaag naar een al even smalle klinkerstraat, de Rue Large, die omhoog klom door een middeleeuwse poort en eindigde bij de Rue Sigefroi. Een paar seconden later voegde deze straat zich bij de Montée de Clausen, ook bekend als de nationale Route 1, een snelweg naar alle windrichtingen – Duitsland, Frankrijk, het vliegveld, het platteland, waar dan ook.

Kate keek op haar horloge: nog geen twee minuten vanaf het raam naar de onbegrensde vrijheid.

Bill en Julia waren buitenlanders met een valse identiteit en een appartement tegenover een paleis met allerlei mogelijke doelwitten – een ideaal uitzicht en een snelle ontsnappingsroute.

Natuurlijk was dit slechts indirect bewijs, zoals Kate heel goed wist. En was ze wel zo achterdochtig? Misschien had ze dat zichzelf wijsgemaakt, als excuus om de Macleans te onderzoeken – iets omhanden te hebben, wat dan ook.

Bijna alle scenario's die ronddreven in het troebele moeras van haar fantasie waren in hoge mate onwaarschijnlijk. De kans was niet groot, bijna uitgesloten, dat er een stel huurmoordenaars naar Luxemburg zou komen om een aanslag te plegen. Dat wist Kate ook wel. Toch kon ze het niet uitsluiten als een rationele verklaring waarom twee mensen met een valse identiteit een appartement zouden huren dat zo ideaal gelegen was om een hoge functionaris – wie dan ook – te elimineren.

Haar andere theorieën hadden te maken met mensen die op de vlucht waren. Maar zouden de Macleans echt vluchtelingen kunnen zijn?

En dan was er nog het somberste scenario: dat ze in Luxemburg waren vanwege Kate zelf.

Er was maar één enkele tentakel uit haar verleden die zich naar het heden zou kunnen uitstrekken, over een tijdsbestek van vijf jaar, helemaal vanaf de andere kant van de Atlantische Oceaan, om zich om haar nek te slingeren, terug te sleuren en te verwurgen.

Kate had altijd geweten dat het hoofdstuk Eduardo Torres nog niet was afgesloten. Er bleven raadsels, onbeantwoorde vragen. En er waren nog bewijzen. Bovendien was Torres' fortuin, dat tientallen miljoenen dollars moest bedragen, nooit teruggevonden. Het geld zou zijn weggesluisd naar een genummerde bankrekening in Europa.

En hier was Kate, gepensioneerd nog voor haar veertigste, verhuisd naar de hoofdstad van alle genummerde bankrekeningen, met een echtgenoot die alles wist van de beveiliging van zulke rekeningen.

Zo maakte Kate zich wel heel verdacht.

Net als Bill en Julia. Ze zou nog dieper moeten graven.

12

Het motregende, of miezerde, of hoe je het ook noemt als er zulke fijne druppeltjes vallen dat je ze nauwelijks voelt.

De ruitenwissers stonden op hun traagste stand, met drie seconden tussenpauze, waarin de voorruit langzaam te nat werd om er nog doorheen te kijken en dan, *woesj*, werd schoongeveegd.

Het sleuteltje stak in het contact, de koplampen brandden en de radio stond afgestemd op France Culture. Het viel Kate niet mee om het gesprek op de radio te volgen. Zo te horen ging het over Baudelaire. Dat was in elk geval de naam die ze steeds voorbij hoorde komen. Of misschien was het *beau de l'aire* en hadden ze het over een prachtige sfeer, eigenlijk het tegendeel van Baudelaire.

Naast haar op de passagiersstoel lag een visitekaartje van een chiropodist. Ze kon beweren dat ze te vroeg was voor haar afspraak. Ze zou zeggen dat ze last had van pijn in haar hiel, door een hielspoor, maar zonder uiterlijke kenmerken die voor iemand anders dan een arts met het blote oog zichtbaar waren. Daarom zat ze nu in haar warme, droge auto en probeerde Frans te leren via de autoradio, luisterend naar onverstoorbare academici die een obscure maar blijkbaar nooit eindigende discussie voerden over Baudelaire. Wat waren de standpunten en argumenten? Zuchtend wachtte Kate op het volgende programma van precies een halfuur. Dat was het tijdstip van haar zogenaamde afspraak.

Nee, zou ze zeggen, ze had geen idee dat Bills kantoor hier ook gevestigd was. Hoe moest ze dat weten? Ze had het adres in haar geheugen geprent van de enveloppen in zijn logeerkamer.

Langs de stoep stonden hoge stenen gebouwen met kleine tuinen ervoor, grasveldjes met hier en daar een kale struik. De gebouwen zelf waren grijs, bruin, of geelbruin. De stoep was grijs beton, het wegdek donkergrijs asfalt. De auto's waren zilver, grijs en soms zwart, de hemel vochtig leigrijs. Het was een straat waaruit alle kleur was weggespoeld door de regen of de verwachting daarvan, ontworpen en aangelegd om bij het troosteloze weer te passen.

Kate stond er al bijna een uur en had nog ruim drie uur de tijd voordat ze terug moest zijn om de kinderen op te pikken. Drie uur waarin niemand wist wat ze in haar schild voerde, of waar – of waaróm, in vredesnaam.

Tenzij iemand aan haar auto had geprutst en bijvoorbeeld een gps-zendertje met batterijen in de holte onder het soepele grijze leer van de passagiersstoel had geïnstalleerd.

Om tien over halftwaalf zag ze Bill verschijnen. Hij keek naar links en rechts voordat hij de paar treden naar de stoep afdaalde. Hij droeg nu tenniskleren, witte shorts en een warming-upjasje met roodblauwe racing-strepen over de mouwen. Die sportkleren pasten totaal niet bij deze kille regen. Hij leek meer een figuur uit een Monty-Python-sketch.

Haastig liep hij naar zijn keurige kleine BMW, een soort speelgoedauto. Hij startte de motor, schakelde agressief en scheurde weg door de stille straten, op weg naar de baan in Bel-Air die hij om twaalf uur had gehuurd. En dan lunchen. Samen met Dexter.

Het was Julia's idee geweest. Zij had het Kate voorgesteld. 'Vind je niet dat ze beter overdag kunnen gaan tennissen? Dan zijn ze tenminste 's avonds thuis.' En Kate op haar beurt had het aan Dexter voorgelegd. 'Het zou je goeddoen om wat beweging te nemen,' zei ze. In Washington was Dexter altijd 's avonds gaan sporten, maar nu werkte hij meestal tot laat. En als hij niet werkte, zag Kate hem liever thuis, bij de kinderen. Bij haar.

Daarom had ze nu twee rustige uurtjes voordat Bill terug zou zijn op kantoor, in dit gebouw. Ze wachtte nog vijf minuten voor het geval hij zijn fles water, een blik tennisballen, zijn telefoon, zijn knieband of wat dan ook was vergeten. En ze plakte er nog vijf minuten aan vast, voor alle zekerheid. En om het uit te stellen.

Ze bekeek zichzelf in het spiegeltje van de zonneklep.

Dit was een bizar moment, de stap van een hypothetisch plan naar de even bizarre uitvoering ervan. Achteraf zou het een totaal krankzinnig idee kunnen zijn, het verlies van haar laatste restje gezond verstand. Ze had er wel toe besloten, maar niet voor de volle honderd procent. Want als ze dat deed, zou het een te ingrijpende bekentenis zijn, over zichzelf en aan zichzelf. Een beslissing van 95 procent was voldoende om haar excentrieke plan in praktijk te brengen en toch genoeg twijfel over te houden dat het misschien een rare bevlieging was, in plaats van een weloverwogen besluit.

Kate trok de klep van haar nieuwe rubberen regenpetje zo diep mogelijk over haar ogen. Haar normale regenpet, die ze een maand geleden in Kopenhagen had gekocht, was vrolijk gekleurd. Je zag veel aantrekkelijke regenkleding in Scandinavië; het was er vaak slecht weer. Maar het petje dat ze nu droeg was een goedkoop ding dat ze gisteren bij een discountzaak in Gare had aangeschaft. Ze zou het later die dag weggooien.

Ze pakte de envelop van de stoel naast haar en schreef het adres van Bills gebouw erop. Er zat een speciale aanbieding in van een fietsenwinkel, twintig procent korting op alle fietsen. Gisteren had ze de folder bij de fietsenzaak meegenomen, toen ze dit krankzinnige plan nog overwoog.

Kate stapte uit, trok haar leren handschoenen aan en stak de straat over.

Van de vijf deurbellen had de vijfde geen naambordje. Bij de bovenste hoorde een Luxemburgse of Duitse naam; bij de tweede een gemakkelijk uit te spreken Franse naam, Dupuis; de derde was Underwood; de vierde *WJM, S.A.*

Ze schreef *Underwood* op de envelop.

Toen belde ze aan. Als er iemand onverwachts antwoordde, zou ze zeggen dat ze op zoek was naar Underwood. Maar de enige andere activiteit die ze bij het gebouw had gezien was een oudere dame die om elf uur naar buiten was gestapt met een opgevouwen boodschappentas. Een tijdje later was ze teruggekomen met dezelfde tas, die nu zwaarder leek dan mogelijk. De oude dame helde helemaal over, wankelend onder het gewicht. Kate had gekeken hoe ze de helling op zwoegde, een eindeloze klim, waarbij ze voortdurend haar mond bewoog, haar lippen samenkneep en kuiltjes in haar wangen zoog: karakteristiek voor een geboren Franstalige, die haar gezichtsspieren oefende voor al die nasale klinkers die alleen met sterke lippen kunnen worden uitgesproken. Het moest Mme. Dupuis zijn.

Kate belde nog eens. Ze kon geen bewakingscamera's ontdekken boven de deur, maar tegenwoordig konden die zich overal bevinden. Ze hield haar ogen verborgen onder de klep van haar pet.

Ze drukte op de bel van Dupuis.

'*Booooon-jourrrrr!*' Ja, dat was de stem van de oude dame.

'*Bonjour, madame,*' antwoordde Kate. '*J'ai une lettre pour Underwood, mais il ne répond pas. La lettre, elle est très importante.*'

'*Ouuuuuiiiii, mademoisellllle.*'

De oude vrouw drukte op de zoemer. Kate duwde de halfglazen deur open en liet hem uit zichzelf dichtvallen; met een rammelende ruit viel hij in het slot.

Kate beklom de treden, sloeg een hoek om en zag Mme. Dupuis bij haar deur staan.

'*Merci, madame,*' zei Kate.

'*De rien, mademoisellllle. Au deuxième étaggggge.*'

Kate liep door naar de eerste verdieping, schoof de envelop onder de deur van Underwood en liep haastig de trap weer af. Ze opende de voordeur en gooide hem rammelend dicht, maar zelf bleef ze binnen. Ze wachtte een minuut en sloop de trap weer op.

Op het moment dat ze de hoek om kwam naar de tweede overloop, hoorde ze stemmen; een man en een vrouw. *Verdomme.* Haastig keek ze om zich heen, maar er was nergens een plek om zich te verbergen. Ze zou naar de kelder kunnen vluchten, maar stel dat die mensen op weg waren naar de garage? Als Kate één ding niet wilde, was het betrapt te worden terwijl ze zich verborg.

Ze zou wel bluffen. Vastberaden liep ze de hoek om en de trap op. Toen ze het stel tegenkwam, keek ze op, zogenaamd verbaasd, en glimlachte. '*Bonjour,*' zei ze.

'*Bonjour,*' antwoordden de man en de vrouw. Het paar bleef boven aan de smalle trap staan om Kate te laten passeren.

'*Est-ce que je peux vous aider?*' vroeg de man.

Kate keek vragend terug, hoewel ze hem heel goed had verstaan.

'Kan ik u helpen?' probeerde hij in het Engels, met een Frans accent.

'O!' Kate glimlachte. 'Nee, dank u. Ik kom voor Bill Maclean?'

De man grijnsde wat gedwongen; de vrouw zei niets.

Kate liep langs hen heen. '*Merci!*'

Haar hart bonsde in haar keel. En het moeilijkste moest nog komen.

Bills kantoor lag op de bovenste verdieping, een van de twee deuren in een kort, goed verlicht gangetje. Kate probeerde de deur, maar die zat natuurlijk op slot. Ze liep naar het raam aan het einde van de gang en opende de kruk. Alle ramen in Luxemburg werkten op dezelfde manier, met scharnieren opzij en aan de bovenkant.

Ze zwaaide het raam open, boog zich naar buiten en inspecteerde alle ramen en richels, speurend naar mogelijkheden om binnen te komen. Bomen beschutten haar tegen nieuwsgierige blikken van het naburige gebouw.

Kate liep weer terug door de betegelde gang. Voor Bills deur lag een mat. Naast de deurpost zat een koperen plaatje met de naam van zijn bedrijf, en een bel. De deur had drie sloten, waarvan er een vrij lastig leek. Het licht kwam van twee naar boven gerichte spotjes en van het grote raam, waar geen gordijn voor hing. Niets in de gang deed aan een bewakingscamera denken.

Ze knielde bij de deur, tastte in haar achterzak en haalde een leren zakje tevoorschijn. Het versleten etui werd bijeengehouden door een elastiekje en bevatte een verzameling kleine schroevendraaiers, pennen met rubberen handvatten en heel fijne tangetjes. Geconcentreerd ging ze aan het werk met het kleine gereedschap, haar gezicht vlak bij de deur. Ze bekommerde zich niet om de twee eenvoudige sloten, die haar hooguit een minuut konden tegenhouden. Het ging om het moeilijkste slot.

Hoewel ze genoeg privacy had, hier op de bovenste verdieping, en geen haast, had ze niet eeuwig de tijd. En een slot forceren was nooit haar sterkste kant geweest. Sloten waren gewoon niet zo belangrijk in Latijns-Amerika. Alles wat de moeite waard was, werd beschermd door gewapende bewakers.

In haar werk ging het vooral om kaarten en plattegronden, die ze uitstekend kon lezen. En om wapens, die ze kon schoonmaken, repareren en afvuren. Ze had vloeiend Spaans moeten spreken, met een aantal dialecten en speciale nadruk op volkstaal en de talloze vulgaire uitdrukkingen voor geslachtsdelen. Ze was opgegroeid in een verpauperende stad aan de kust van Connecticut, die een toevloed van Latino's te verwerken had gekregen. Ze had genoeg gelegenheid gehad om plat Spaans te leren, op straat, maar ook keurig Spaans van de slecht betaalde oppassen die haar ouders zich hadden kunnen veroorloven voor de naschoolse opvang, toen Kate en haar zus nog onschuldige kleine meisjes waren die na school werden opgevangen in de armen van kleine, mollige vrouwen die Rosario of Guadelupe heetten.

Zo nu en dan had Kate een helikopter of propellervliegtuig moeten besturen. Dat had ze geleerd, in grote lijnen, naast de voorgeschreven paramilitaire training van een aantal maanden op de Farm.

Ze had kleine hoeveelheden cocaïne uit verschillende landstreken geproefd, getest en gesnoven, en allerlei varianten van marihuana gerookt. Ze wist wanneer iemand haar een roofie of een dosis lsd probeerde toe te schuiven.

Ze kon ieder getal tot tien cijfers onthouden als ze het maar één keer had gehoord.

Ze kon mensen doden.

Maar wat ze niet kon, was dit slot forceren, en ze had geen zin haar tijd te verspillen aan een zinloze onderneming.

Dus probeerde ze de andere deur, die geen bordje had; wel dezelfde koperen kruk en dezelfde bel als die van Bill. Maar geen naamplaatje, geen mat. Langzaam liet ze haar vinger langs de smalle bovenlijst van de deurpost glijden, in de hoop daar een sleutel te vinden van het onbewoonde appartement. Maar zo veel geluk had ze niet.

Ze bleef roerloos staan, luisterend of ze iets hoorde.

Niets.

Snel maar rustig begon ze aan het slot, dat niet veel problemen opleverde. Binnen dertig seconden klikte het standaardmodel zachtjes open.

Ze stapte een grote, stoffige, lege kamer binnen, met maar één raam. Kate deed het open en boog zich naar buiten. Opzij van haar zag ze de ramen van Bills kantoor. Er liep een smalle vensterbank naartoe, onder alle ramen door. Het moest te doen zijn; ze had zoiets wel eerder gedaan. Ze haalde diep adem en klom het raam uit.

Kate bleef op de ruim twintig centimeter brede vensterbank staan en klampte zich vast aan de gevel van het gebouw, drie verdiepingen boven de grond. Het regende nog steeds.

Er kon van alles fout gaan, bijvoorbeeld dat iemand haar zou zien door de dichte begroeiing tussen dit gebouw en het volgende. Ze zou dus snel moeten zijn.

Een ander gevaar was dat ze te pletter kon vallen. Dus moest ze voorzichtig blijven.

Centimeter voor centimeter schuifelde ze opzij, met haar gezicht tegen het vochtige stucwerk gedrukt.

Schuin achter haar, ergens beneden, hoorde ze een geluid. Ze draaide te snel en te wild haar hoofd om, waardoor ze haar wang openhaalde tegen de muur. Het geluid was niets anders dan een boomtak die het dak van een auto schraapte.

Haar wang leek te bloeden, maar daar kon ze nu niets aan doen. Als ze haar hand omhoog bracht, zou ze haar evenwicht verliezen.

Rustig liep ze door, weer een eindje, en verder, goed in evenwicht, kalm en beheerst... nog een paar centimeter... Eindelijk stond ze voor Bills raam.

Kate nam een paar seconden pauze voordat ze aan haar volgende taak begon.

Ze was bang, maar die angst voelde vertrouwd, alsof ze met heimelijk plezier een pijnlijke spier masseerde, zonder daar iets mee op te schieten behalve de pijn te voelen.

Dit is waar ze hoorde, hier boven op die vensterbank. Dit had al die tijd ontbroken aan haar leven.

Ze haalde een kleine platte schroevendraaier uit haar strakke achterzak en liet hem door de gleuf van het raam glijden, soepel en zorgvuldig, totdat ze de sluiting gevonden had.

Nog een seconde om zich te concentreren, en ze trok de schroevendraaier zachtjes omhoog. Het slot gaf niet mee.

Ze probeerde het opnieuw, nog voorzichtiger.

Niets.

Kate dwong zichzelf niet in paniek te raken, ondanks haar riskante situatie. Nog langzamer haalde ze de dunne, scherpe kop van de schroevendraaier tussen het raam en het kozijn door.

Ze had het geoefend bij haar eigen raam, midden in de nacht, toen niemand haar kon zien. Het had haar twintig minuten gekost op die vensterbank, twaalf meter boven het klinkerpad, maar eindelijk had ze ontdekt hoe ze een schroevendraaier tegen de sluiting moest zetten en de kop heel even draaien om het raam te openen, zodat het aan de verticale scharnieren naar buiten zwaaide, niet aan de horizontale.

Het mechaniek was hetzelfde als bij haar thuis. Al die ramen werkten zo.

Ze had het geoefend. Dit moest lukken.

Het móést.

Ze probeerde het opnieuw, langzaam en voorzichtig… *klik*.

Kate zette druk met haar knie tegen de scharnierkant van het raam, en het hele paneel zwaaide open. Ze hurkte op de vensterbank, met haar handen plat tegen de buitenmuur om haar evenwicht te bewaren. Nog een seconde, en toen dook ze voorover de kamer in, brak haar val met haar handen en rolde over een vloer van glimmende marmeren plavuizen, zoals overal in Luxemburg.

Ze bleef stil liggen om op adem te komen, wachtend tot haar hart wat minder tekeerging. Ze had wel verwacht dat de adrenaline door haar aderen zou pompen, maar dit was te veel. Zo heftig kon ze het zich lang niet meer herinneren.

Eigenlijk moest ze niet doorgaan terwijl ze nog in paniek was; ze wilde geen domme fouten maken. Dus sloot ze haar ogen, bleef roerloos liggen en dwong haar lichaam tot kalmte.

Toen pas stond ze op en keek om zich heen.

Aan de andere kant van de kamer zag ze een hometrainer, geparkeerd voor een kleine tv, naast een halterbank met een hele verzameling gewichten, halters en schijven, op een rubbermat.

Verder stond er een bureau met een laptop, een printer-scanner, een telefoon, een schrijfblok en een paar balpennen. Er waren wat blaadjes van het schrijfblok gescheurd. Kate haalde het bovenste overgebleven vel eraf, vouwde het op en stak het in haar rugzak. Ze zou het later wel onderzoeken.

De laptop stond aan, maar in slaapstand. Ze drukte op een toets om hem te activeren.

Deze computer is beveiligd. Voer uw gebruikersnaam en wachtwoord in. Geen beginnen aan.

In de laden van het bureau vond ze woordenboeken en nog meer blocnotes en pennen. In een dossierla hingen hangmappen met bankafschriften van een paar verschillende rekeningen, waartussen geld heen en weer vloeide, een paar honderdduizend in totaal. Heen en weer, op en neer, steeds opnieuw, in een cyclus van beleggingen en dividenden, opnames en overboekingen.

Alles op naam van Bill en met het adres van dit appartement.

Verder vond ze tijdschriften, kranten, nieuwsbrieven, algemeen en gespecialiseerd, technologie en nieuws. Hele stapels. Kate stak een hand uit en trok een nummer van *The Economist* uit een stapel. Glad en zonder vouwen, koffievlekken of waterkringen. Mogelijk nog ongelezen, of heel keurig gelezen, zonder morsen. Bill leek een ordelijke man.

Kate leunde naar achteren in de draaistoel en keek vaag om zich heen, terwijl ze haar gedachten de vrije loop liet, in de hoop dat ze bij toeval zou stuiten op wat ze zocht.

In de kleine slaapkamer stond een groot bed, dat slordig was opgemaakt. Zachte lakens, vier gewone kussens en een grote sprei. Daarnaast nog een bed, onopgemaakt. Wie sliep hier?

In de la van een nachtkastje lag een pakje condooms. Van de vijfentwintig was er nog een handvol over. Wie neukte hier?

Kate ging op bed naast het nachtkastje liggen, maar met haar voeten over de rand om de lakens niet vuil te maken. Ze drukte haar gezicht tegen het bovenste kussen. Het rook naar scheercrème, aftershave of bodylotion – het luchtje van Bill.

Ze stak haar hand uit en tastte achter het kastje... nee, niets. Een hand eronder, langs het hardboard van weer zo'n Ikea-meubel. Niets te vinden.

Ze boog haar arm en tastte onder het bed, onder de houten latten waar het matras op lag... en ja... daar voelde ze iets. Iets van leer. Ze bewoog haar hand wat verder...

Kate trok haar hand terug en wist precies wat ze tevoorschijn haalde en voor zich uit hield. Door de deuropening keek ze in een rechte lijn naar de voordeur, waar ze onbewust en instinctief de Glock 22 op richtte die Bill in een holster tegen de onderkant van dit bed had getapet.

Deel II

VANDAAG, 12:02 UUR

Kate blijft voor de glazen deuren van de zitkamer staan. Haar blik glijdt over de kleden, het hoge plafond, de krullijsten, de kasten met boeken en schaaltjes, de vazen met snijbloemen, de kleine olieverfschilderijen in hun lijsten, de pseudo-antieke spiegels met hun vergulde randen.

Het zit haar nog altijd dwars. Het wentelt in haar onderbewustzijn rond, botst daar tegen feiten en veronderstellingen aan, tussen de fundamenten van haar huidige mening over het leven, haar man en hun geschiedenis samen. Het komt in aanvaring met herinneringen, die ze opnieuw moet analyseren vanuit een heel nieuw gezichtspunt, een nieuwe, mogelijke verklaring voor dit alles. Iets uit hun studententijd.

Kate loopt de huiskamer door naar een rij dikke boeken op een extra hoge plank en haalt Dexters jaarboek tevoorschijn. Ze gaat op de bank zitten, met het zware boek op schoot.

In alfabetische volgorde bladert ze het boek door, bladzij voor bladzij, totdat ze een veel jongere versie van Dexter Moore tegenkomt – een bol kapsel, een smalle das, een glad voorhoofd.

Ze is er nu van overtuigd dat ze inderdaad zal vinden wat ze zoekt.

Die achterbakse klootzak.

Kate heeft de naam maar één keer gehoord, bijna twee jaar geleden, in Berlijn. Ze weet bijna zeker dat hij op 'owski' eindigt. Dat is een aanknopingspunt, als ze eindelijk het juiste gezicht zal hebben gevonden.

Ze bladert naar het begin van de fotopagina's, bij de achternamen beginnend met A. Zorgvuldig bekijkt ze al die foto's van twintig jaar oud, jongens en meisjes die nu mannen en vrouwen zijn, van haar eigen leeftijd. Bladzij voor bladzij, heel geduldig. Opeens lijkt het zo logisch, zo onontkoombaar.

Het is zo gevonden. Het kost haar niet eens veel tijd – nou ja, afgezien van de twee jaar waarin ze niet wist dat ze ernaar op zoek was.

Het hele beeld verandert. Alle puzzelstukjes komen in beweging, in een grote draaikolk. Terwijl Kate toch dacht dat ze de puzzel al een hele tijd geleden had opgelost.

Ze staart naar het bekende gezicht, dat terugkijkt met het optimisme van studenten die alles van de toekomst verwachten en vrolijk voor het nageslacht poseren.

Van alle kanten wordt Kate met mogelijkheden gebombardeerd, als een spervuur, zonder een kans om te ontsnappen. Ze kan niets anders doen dan wegduiken en wachten tot het overgaat en ze weer naar boven kan komen om lucht te scheppen.

Ze ziet een beweging aan de andere kant van de zitkamer, maar beseft meteen dat ze het zelf is: een klein lokje haar in de spiegel aan de tegenoverliggende muur, een hoekje van haarzelf dat zich beweegt, losgemaakt van het onzichtbare geheel. Ze staat op en zet het zware boek weer terug op zijn onopvallende plaats op de plank, midden in de kamer, midden in het leven van haar gezin. De beste schuilplaatsen zijn niet het meest verborgen, maar het minst doorzocht.

Nu Kate deze nieuwe informatie bezit, nu het jaarboek zijn geheim heeft prijsgegeven en ze de nieuwe realiteit onder ogen ziet, voelt ze zich onbeschrijflijk verraden. Maar er doemen ook nieuwe kansen op. Er openen zich nieuwe deuren. Ze kan nog niet zien wat erachter ligt, maar wel dat er licht doorheen komt.

Dit maakt alles anders.

13

Kate ergerde zich aan Dexter. Het had hem veel te veel tijd gekost om de cruisecontrol op 160 kilometer per uur in te stellen, in plaats van de standaardwaarde van 130 kilometer. Toch werden ze hier op de A8 nog aan alle kanten ingehaald.

Ze ergerde zich ook aan de kinderen op de achterbank, die zeurden over de middelmatige film op de draagbare dvd-speler die steeds omviel als Dexter een te scherpe bocht maakte, waardoor de jongens begonnen te gillen.

Maar Kate ergerde zich vooral aan zichzelf. Haar eigen fouten dreigden een obsessie voor haar te worden: haar schoenafdruk in de modder; haar modderige voetstappen in het stof van het leegstaande appartement naast dat van Bill; haar vochtige stappen op de schone vloer van Bills eigen kantoorflat. Haar haren en huidschilfers in zijn bed – misschien wel haren op zijn hoofdkussen, duidelijk zichtbaar, erom vragend te worden opgepakt, onderzocht, op DNA getest. En wat voor stompzinnige fouten had ze nog meer gemaakt?

Ze had zelfs haar gezicht geschaafd, een rode vlek op haar wang. Het was niet zo moeilijk een verklaring voor Dexter te bedenken – een misstap in de garage toen ze de boodschappen uitlaadde – maar het bleef verdacht. Dom en onvoorzichtig, dat ook.

Ze had zich verdomme gedragen als een amateur.

Bovendien was ze twee buren op de trap tegengekomen, en de oude Mme. Dupuis. Getuigen die gemakkelijk te vinden waren. Bijna onontkoombaar.

Kate staarde naar het onopvallende Duitse landschap dat aan hen voorbij gleed: het Saardal, met industrieterreinen van glas en staal, verspreid tussen de dichte, glooiende bossen. Groothandels en autodealers, dicht langs de *Autobahn*, schoorstenen, opslagloodsen en toegangswegen die bijeenkwamen op kruispunten met lange files.

Dit was de meest waardeloze missie van haar hele carrière. Wat? Het was haar werk toch niet meer? Ze had drie maanden geleden ontslag genomen.

Rothenburg ob der Tauber in de bijtende kou, overal vakwerkhuizen met geschilderde gevels, vitrages, bierhallen, slagerijen, een reusachtige kerstmarkt, middeleeuwse versterkingen, stenen muren met bogen en torentjes. Weer een ander sprookje, een andere prentbriefkaart. Een volgende stadhuistoren om te beklimmen, als amusement voor kleine jongetjes. Als het maar hoog of snel was. De treden – wel twee- of driehonderd, versleten, ongelijkmatig en riskant – slingerden zich omhoog door de steeds krapper wordende toren. Boven gekomen moesten ze iets betalen aan een semi-officiële functionaris met maar één oog. De kinderen bleven staren.

Even later stonden ze buiten, op een smal bordes in de snijdende wind, hoog boven het plein en de straten die zich als een windroos uitstrekten naar de stadsmuren en het platteland daarachter, met de rivier, de heuvels en de bossen van Beieren. Dexter trok de oorkleppen omlaag van zijn pet, een roodgeruite jagerspet met konijnenbont die Kate hem vijf jaar geleden voor Kerstmis had gegeven.

Kate keek neer op de marktkraampjes en de hoofden van de toeristen met hun skimutsen en groene vilthoedjes. Belachelijk eenvoudig om hen van hieraf neer te knallen.

Stel dat de Macleans huurmoordenaars waren? Was dat dan háár verantwoordelijkheid? Nee. Het was immers haar werk niet meer, en dus ook niet haar probleem. Zolang ze maar niet van plan waren haar of Dexter te elimineren. Wat had ze ermee te maken? Niets.

Maar als ze naar Luxemburg waren gekomen om iemand te vermoorden, wie dan?

En wie wáren ze eigenlijk? Geen gangsters. Julia kon in elk geval geen lid zijn van de maffia. En ze waren ook geen moslimfundamentalisten. Dus moesten ze voor een of andere Amerikaanse dienst werken. De CIA, de Special Forces, een commando-eenheid van de mariniers? Of toch een particuliere organisatie? Waren ze in

Europa om het vuile werk op te knappen voor een geheim project van de Amerikaanse buitenlandse politiek? Om iemand te vermoorden die naar Luxemburg was gekomen om crimineel geld weg te sluizen – een Oekraïense oligarch, een Somalische krijgsheer, een Servische smokkelaar?

En waarom zou Kate zich moeten bemoeien met besmet geld?

Of ging het om de uitschakeling van iemand die een directe bedreiging vormde voor de Amerikaanse belangen? Een Noord-Koreaanse diplomaat? Een Iraanse gezant? Een Latijns-Amerikaanse president met marxistische ideeën?

Of waren het doodgewone huurlingen op een civiele missie – een wraakoefening, een afrekening in opdracht van een bedrijf? Ging het om een bestuursvoorzitter, een bankdirecteur, een bankier die een fortuin had verduisterd van een nu bijzonder boze miljardair?

Het zou nog veel ingewikkelder kunnen zijn. Misschien moesten ze een Amerikaan vermoorden – de minister van Financiën of Buitenlandse Zaken – en de moord in de schoenen schuiven van een Cubaan, een Venezolaan of een Palestijn, als excuus om beschuldigingen te uiten, terug te slaan, binnen te vallen.

Er waren zo veel mensen die wel om een of andere reden konden worden vermoord.

Hier, enkele tientallen meters boven Duitse bodem, voelde ze zich als Charles Whitman op de uitkijktoren in Austin, speurend naar wie hij kon neerleggen met zijn geweer.

Hoewel ze een ontstellend aantal fouten had gemaakt, was het toch prettig en opwindend geweest op Bills vensterbank. Alsof ze daar thuishoorde, niet in de kantine van een sportschool, kletsend over de bonuskaarten van de supermarkt. Nee, daar op die hoge richel, zonder vangnet.

Kate raakte er steeds meer van overtuigd dat ze nooit een gelukkige huisvrouw zou worden. Als er zoiets bestond.

'Kom,' zei ze tegen haar man en kinderen, ongeduldig om verder te gaan en meer greep te krijgen op de situatie. Dexter maakte foto's van de bibberende jongens, dik ingepakt tegen de kou, met rode wangen en een loopneus. 'Ik sta hier te vernikkelen.'

'Ik zie jullie weer bij het hotel, om zes uur.'

'Oké,' zei Dexter. Hij kuste Kate terug, maar keek haar nauwelijks aan; het was zelfs geen plichtmatige kus, niet meer dan het tuiten van de lippen. Hij zat op een vensterbank op de benedenverdieping van het natuurkundig museum.

Eindelijk had Kate haar vier uurtjes vrijheid. Sommige moeders van haar clubje in Luxemburg noemden dat 'uitgelaten worden', als een nerveuze terriër die door de keukendeur de omheinde tuin in werd gelaten. Ze gingen samen, in kleine groepjes van drie of vier vrouwen, zonder man of kinderen, naar Londen, Parijs of Florence: achtenveertig uur om te shoppen, te drinken en te eten, misschien een onbekende tegen te komen in een bar en hem onder een valse naam en met genoeg drank op mee terug te nemen naar hun hotelkamer voor zo veel en zo gevarieerd mogelijke seks voordat hij weer de deur uit werd gezet en roomservice het ontbijt kwam brengen. Zijn taak volbracht.

Het was lunchtijd in het centrum van München, en Kate zigzagde tussen de koude, gehaaste menigte door, langs de etenskraampjes van de Viktual-markt, de Marienplatz en het Glockenspiel van het Rathaus, door de autovrije winkelstraten – was er nog wel een stad op dit hele continent zonder een H&M of een Zara? – naar de trendy Maximilianstraße, die bij de opera begon, zoals trendy straten doen. Ze zag bontjassen, bontmutsen, grote auto's die met draaiende motor langs de stoep stonden met een chauffeur in livrei achter het stuur, boetieks met veeltalige verkoopsters die je alles over zijde en leer konden vertellen in het Engels, Frans en Russisch en stevige, kleine, goed herkenbare draagtassen voor je inpakten.

Kate stapte een luxueuze hotellobby binnen, vond een telefooncel, gooide wat muntjes in het toestel en belde het nummer dat ze van Bills kantoor had meegenomen. Het begon met de landencode 352, en het zou wel een plaatselijk nummer in Luxemburg zijn. Het velletje schrijfpapier dat ze had gestolen was blanco geweest, maar droeg nog wel de indruk van wat er op het vorige vel geschreven was. Door het papier met een zacht potlood te arceren had ze het telefoonnummer weer zichtbaar gemaakt.

Het klopte. 'Hallo,' zei een vrouw in het Amerikaans, 'met Jane.' Een accent uit de Upper Midwest, en de stem klonk enigszins bekend, hoewel Kate er geen gezicht bij kon bedenken. 'Hallo?'

Kate wilde niet riskeren dat de vrouw háár stem wel zou herkennen.

'Hallo?'

Kate hing op. Bill belde dus met een Amerikaanse in Luxemburg die Jane heette. Ze had sterk het gevoel dat het om seks moest gaan, een indruk die nog werd versterkt doordat ze hier in haar eentje in dit luxehotel stond, met de mogelijkheid de lift omhoog te nemen en de deur te openen van een kamer waar...

Natuurlijk dacht ze aan Bill. Nu meer dan ooit, omdat ze wist dat hij gevaarlijk was – een crimineel, een politieman, of misschien wel allebei, zoals veel types die ze in haar leven was tegengekomen. Hij was knap, sexy, charmant en moedig, en hij verborg een pistool onder het bed waar hij seks had met andere vrouwen dan zijn echtgenote. Vrouwen zoals Kate misschien.

Ze verliet het hotel, stak de straat over naar een taxistandplaats en stapte in een van de wachtende auto's. 'Alte Pinakothek, *danke*,' zei ze. Toen keek ze uit alle raampjes, alle kanten op, totdat ze zeker wist dat ze niet werden gevolgd. Toch vroeg ze de chauffeur te stoppen in de Ludwigstraße.

'Het is nog een halve kilometer naar het museum,' zei hij.

'Dat geeft niet,' antwoordde Kate, en ze gaf hem tien euro. 'Ik wil een eindje lopen.'

Verderop wenkte het metrostation van de universiteit met de lichtjes en de drukte, de cafés, winkels en restaurants die alle metrostations omringen, in iedere stad. Maar waar Kate uitstapte, was het rustig. Ze ging op weg langs de zware, imposante stenen gebouwen. De wind waaide om de hoeken, ijzig koud aan haar oren en haar neus.

Kate was gespannen, maar ze had alles onder controle. Ze voelde zich weer goed, net als op die vensterbank. Haar hartslag versnelde toen ze vastberaden door de onbekende straten liep, heel geconcentreerd en met al haar zintuigen op scherp. Mensen hadden haar afgeschreven toen ze het Directoraat Operaties had verruild voor een post als analiste bij het Directoraat Inlichtingen – toen ze afscheid had genomen van het veldwerk, het gevaar. Sterker nog, ze had zichzelf ook afgeschreven zodra ze zich in die comfortabele stoel achter dat mooie bureau had geïnstalleerd.

Weer voelde ze een tinteling: haar libido dat tot leven kwam, net als de rest van haar zintuigen.

Opeens, op een bizarre manier, gaf ze Dexter de schuld van haar fixatie op Bill. Als Dexter vaker thuis zou zijn en wat attenter voor haar was, op welke manier dan ook – als hij vaker 'dank je' zei, haar eens belde met een ander bericht dan dat het laat zou worden, haar vaker neukte, wat hartstochtelijker en creatiever, of als hij verdomme maar één keer de was zou opvouwen –, zou ze nu niet fantaseren over een wilde nacht met een man die een pistool onder zijn bed bewaarde.

Allemaal onzin, wist ze. Het was gewoon een poging om haar eigen schuldgevoel af te schuiven op iemand die er niets aan kon doen, een excuus om kwaad te worden op een ander. Ze dwong zichzelf om zich te concentreren.

Even later stak ze het winderige plein voor de Alte Pinakothek over. Er was geen mens te zien. De paden die elkaar kruisten vormden een hoekig patroon in het grasveld, een reusachtige geometrie met verspreide metalen sculpturen, omzoomd door kale bomen. De kou leek nog vinniger te worden toen ze het indrukwekkende gebouw naderde. Achter de boogramen leek het donker. Kate had het gevoel dat ze naar een mysterieus gerechtshof liep, voorgezeten door een alwetende rechter.

Op weg naar de Wizard. Ze had die film aan de jongens laten zien, omdat Jake het zo graag wilde. Maar na de eerste tien minuten waren ze allebei gevlucht, doodsbang.

Kate kocht een kaartje, maar bedankte voor de audiotour en hield haar jas en haar handtas bij zich. Rustig beklom ze de glimmende marmeren treden van de brede, ruime trap en begon haar wandeling bij het beginpunt: de vroege Nederlandse en Duitse schilderkunst, niet bijzonder interessant. Even later kwam ze in de grote zalen met reusachtige werken van beroemde meesters als Raphael, Botticelli en Da Vinci. Er waren een paar Japanse toeristen, zoals overal, luisterend naar hun headsets, met camera's bungelend in hun hand.

Een eenzame man met een wollen jas over zijn arm stond voor een *Madonna met Kind* van Da Vinci.

De zon scheerde rakelings langs het zuidelijke silhouet van München en wierp stralenbundels door de grote ramen. Kate keek op haar horloge. Het was 15:58 uur.

Ze liep naar de zaal in het midden van het gebouw, met de grote doeken van Rubens: *De stervende Seneca*, met de filosoof verrassend genoeg half ontkleed; *De leeuwenjacht*, wreed en barbaars; en het grootste schilderij, *Het Laatste Oordeel*, een berg naakte menselijkheid, van bovenaf geoordeeld door Jezus, die op zijn beurt van nog hoger het oordeel ontving van Zijn Vader.

'Ongelooflijk, vind je niet?'

Ze keek opzij naar de man uit de andere zaal, met zijn jas over zijn arm. Hij droeg een colbertje, een das en een pochet, boven een flanellen broek en suède schoenen. Goed verzorgd grijs haar, een bril met een hoornen montuur. Hij was lang en slank en zijn leeftijd was moeilijk te schatten; ergens tussen de vijfenveertig en zestig.

'Ja.' Ze richtte haar ogen weer op het grote doek.

'Het was bedoeld voor een altaar in Neuburg an der Donau in Opper-Beieren. Maar de mensen – de priesters, moet ik zeggen – waren niet zo blij met al die naakte figuren.' Een handgebaar naar het geschilderde vlees. 'Dus hing het schilderij maar enkele tientallen jaren in die kerk, half verborgen, voordat ze het wegdeden.'

'Bedankt,' zei ze. 'Heel interessant.'

Ze keek de zaal rond. Er was niemand. In een van de aangrenzende zalen zag ze een suppoost die een familie met twee jonge kinderen, schooljongens, in de gaten hield. Ze leken een risico voor een museum, veel te wild in de ogen van een Duitse suppoost.

'Nou ja, een béétje interessant. Niet meer dan een vier. Een ruime vier.'

De man lachte. 'Ik ben blij je te zien, meid.'

'Ik jou ook. Het is te lang geleden.'

14

'Heb je het nog steeds naar je zin in München?' vroeg Kate. 'Je zit er al een eeuwigheid, niet?'

Hayden lachte weer. Hij was inderdaad al heel lang in Europa, zijn hele carrière. Eerst in Hongarije en Polen, tijdens de roerige laatste jaren van de koude oorlog. Daarna hier in Duitsland – Bonn, Berlijn, Hamburg – voor de wapenwedloop onder Reagan, de opkomst van Gorbatsjov, de val van de Sovjet-Unie, de veranderingen in het nieuwe Rusland en de Duitse eenwording. Hij had in Brussel gezeten voor de geboorte van de Europese Unie, het opheffen van de grenzen en de komst van de euro. En weer terug naar Duitsland toen het hele continent begon te reageren op de toevloed van moslims, de hernieuwde opkomst van reactionaire krachten en het nationalisme... Hayden was in Europa aangekomen in de tijd van de Berlijnse Muur, die nu al twintig jaar verdwenen was.

Kate was in dienst van de CIA getreden toen die muur al niet meer bestond. Latijns-Amerika was de toekomst – het Amerikaanse halfrond, de Amerikaanse grenzen – ook al waren de Sandinistas nu verslagen en wilde Clinton de betrekkingen met Castro normaliseren. Kate had toen niet de indruk dat ze dat boek binnenwandelde in het laatste hoofdstuk. Het verhaal leek pas halverwege, met de ellende van het Iran-Contra-debacle achter de rug en de abstracte dreiging van het communisme eindelijk opgelost. De toekomst zou veel concreter zijn, veel meer actiegericht, relevant voor de binnenlandse situatie.

Dat was ook zo. Maar toen de jaren verstreken was Kate zichzelf en haar eigen terrein binnen het Directoraat steeds nuttelozer gaan vinden, een ontmoedigend besef van zinloosheid, dat nog werd onderstreept door 11 september, toen het er echt niet meer toe deed wie burgemeester van Puebla zou worden. En hoewel de CIA op 12 september een heel nieuwe missie formuleerde, raakte Kate als officier operaties dat gevoel van nutteloosheid nooit meer kwijt.

En al die tijd had Hayden hier gezeten.

'Ik hou van München,' zei hij. 'Kom, dan zal ik je een paar kleinere schilderijen laten zien.' Kate volgde hem naar een knusse ruimte, een van de noordelijke galerijen tegenover de ingang, die nu in de volle schaduw van de avondzon lag. Hij liep langs de schilderijen naar het raam. Kate volgde zijn blik naar een man die tegen een lantaarnpaal stond geleund, aan de rand van het grote, kille plein. Hij rookte een sigaret en staarde omhoog naar de ramen. Naar hen.

'Hoe was de Romantische Straße? De kinderen zullen dat sprookjeskasteel van Neuschwanstein wel prachtig hebben gevonden. Hoe oud zijn ze nu?'

'Vijf en vier.'

'De tijd vliegt.' Hoewel Hayden zelf geen kinderen had, besefte hij dat veel mensen op een bepaald punt in hun leven de tijd gaan afmeten aan de leeftijd van hun kinderen, niet langer aan de voortgang van hun eigen bestaan.

Hayden keek nog steeds uit het raam, naar de man op het plein. Een vrouw kwam haastig de trappen af. De man maakte zich los van de lantaarnpaal. Toen de vrouw vlakbij was, gooide hij zijn sigaret weg en gaf haar een arm. Samen verdwenen ze. Kate vroeg zich af of zij en Dexter ooit nog arm in arm zouden lopen, zoals toen ze elkaar pas kenden.

Hayden draaide zich bij het raam vandaan en liep naar een keurig, donker stilleven. Het was een klein Vlaams meesterwerk van licht en schaduw. 'De langste mensen ter wereld,' zei hij, 'zijn de Nederlanders. Gemiddeld ruim een meter tweeëntachtig.'

'De mannen?'

'Het hele stel. Mannen én vrouwen.'

'Hm. Daar geef ik een vijf voor.'

'Een vijf? Is dat alles? Je bent wel streng.' Hij haalde zijn schouders op. 'Goed, wat kan ik voor je doen?'

Kate tastte in de binnenzak van haar tweedjasje en gaf hem een afdruk van de heimelijke foto uit die Parijse nachtclub, nog maar anderhalve maand geleden, hoewel het al een eeuwigheid leek.

Hayden keek er nauwelijks naar voordat hij hem in zijn zak borg. Hij wilde niet in een museum worden gezien terwijl hij naar een foto in zijn hand stond te kijken.

'Op de achterkant staat een telefoonnummer.'

'Een prepaid mobiel?'

'Ja,' antwoordde ze, blozend bij de kritiek die ze van hem verwachtte. Maar Hayden zag aan haar blos dat ze zichzelf al verweet dat ze deze afspraak via haar vaste lijn thuis had gemaakt. Dat hoefde hij niet meer op te merken.

'Weet je wie het zijn?' vroeg Kate.

'Nee. Moet dat?'

'Ik dacht dat ze misschien voor ons werkten.'

'Nee.'

Het Franse gezin met de jonge kinderen was nu tot de aangrenzende zaal gekomen. In de galerij achter de Fransen, misschien zestig meter bij hen vandaan, stond nog een eenzame man, met zijn rug naar Kate toe. Hij droeg een overjas en zelfs een bruine gleufhoed. Binnen.

'Weet je het zeker?' vroeg ze.

'Zo zeker als ik kan zijn.'

Kate was niet helemaal overtuigd, maar op dit moment kon ze er niet op doorgaan. 'De man rechts is mijn eigen man.' Ze sprak zacht, maar zonder te fluisteren. Fluisteren trekt de aandacht. 'De man links noemt zich Bill Maclean en zou een valutahandelaar uit Chicago zijn, die nu in Luxemburg woont.'

Ze liepen door een volgende goed verlichte zaal aan de zuidkant. Hun voetstappen weergalmden door de immense ruimte, waar ze werden gadegeslagen door heiligen, martelaren en engelen.

'Maar dat is hij niet?'

'Nee.'

Hayden liep langs een volgende Rubens, *De val der verdoemden*.

Kate keek op naar het tafereel van gruwelen. 'De vrouw moet zijn echtgenote zijn, Julia. Ze is wat jonger dan hij en geeft zich uit voor interieurontwerper. Ook uit Chicago.'

Hayden bleef staan en keek op naar *Het offer van Isaak*. Abraham stond op het punt zijn enige zoon te doden. Zijn hand bedekte de ogen van de jongen om hem niet te confronteren met zijn dreigende lot. Maar de engel arriveerde nog net op tijd om de oude man bij zijn pols te grijpen. Het mes viel en zweefde door de lucht, nog altijd gevaarlijk in zijn val. Een onberekenbaar mes.

'Wat denk je zelf?' vroeg Hayden.

Kate keek nog steeds naar het grote doek van Rembrandt en de emoties op het gezicht van de oude Abraham: afschuw en verdriet, maar ook opluchting. 'Deze mensen zijn niet wie ze zeggen dat ze zijn,' antwoordde ze. 'Het zijn valse namen, en hun werk is een verzinsel.'

Haar blik gleed van het schilderij naar Hayden en ze ving een glimp op van de andere man, die net langs een deuropening liep. Een suggestie van zijn profiel, maar niet genoeg om...

'Dus?' vroeg Hayden. 'Wie zijn ze dan wel? Wat is jouw theorie? Waar zoeken we naar?'

'Ik denk,' zei ze, zo zachtjes mogelijk, 'dat ze iemand willen elimineren.'

Hayden trok zijn wenkbrauwen op.

'Ik weet dat het onwaarschijnlijk klinkt.'

'Maar...?'

'Maar ze hebben een appartement tegenover het paleis van de groothertog, met een ideaal uitzicht op alle onbeschermde plekken. En de bewaking stelt niet veel voor. Het paleis beschikt over alle uiterlijke kenmerken van een goede beveiliging, behalve over de beveiliging zelf. Als je een ideale plek zou zoeken voor een aanslag, dan is het dat. Je zult niet gauw een betere gelegenheid vinden om een belangrijk doelwit – een premier of president – uit te schakelen.'

'Kan het niet gewoon toeval zijn?'

'Natuurlijk. Het is een prettig appartement om te wonen. Maar ze hebben ook wapens. Minstens één.'

'Hoe weet je dat?'

'Ik heb het pistool gezien.'

'Ik heb zelf ook een pistool. Jij ook misschien. En wij hebben geen plannen voor een aanslag.'

Kate keek hem cynisch aan.

'Toch?'

'Hoor eens. Je weet wat ik bedoel.'

'Goed,' beaamde hij. 'Het wapen is verdacht, dat geef ik toe. Maar er kunnen honderden redenen zijn waarom iemand een wapen heeft...'

'Een Amerikaan? In Europa?'

'... en maar één van die redenen is een moordaanslag.'

'Ja, maar de meeste van die andere redenen slaan nergens op.'

Hayden haalde zijn schouders op en kneep zijn lippen samen op een manier die aangaf dat hij zijn mening liever voor zich hield.

'En die valse namen dan?' zei Kate.

'Ach, toe nou. Wie gebruikt er géén valse naam?'

'Normale bankiers die naar Luxemburg verhuizen.' Kate begon haar geduld te verliezen. Hayden scheen niet eens de mogelijkheid te willen erkennen dat deze mensen potentiële moordenaars waren. 'Ik heb heel wat van die types meegemaakt in mijn tijd.'

'Ik ook.'

'Dus weet je dat ze op deze manier te werk gaan. Zo pakken ze dat aan.'

Zo was het ook gegaan toen Kate een team had ingehuurd om een Salvadoraanse generaal te liquideren. Ze hadden een huis aan het strand gehuurd, dicht bij het adres waar de generaal vroeg of laat zou opduiken: een vakantievilla in Barbados, die eigendom was van de belangrijkste wapenhandelaar van de generaal. Uiteindelijk moest het team bijna twee maanden wachten, terwijl ze steeds bruiner werden en hun golftechniek aanzienlijk verbeterden. Ze leerden zelfs surfen.

Ten slotte, op een avond rond cocktailtijd, stak de vrouw de loop van haar geweer uit het badkamerraam op de eerste verdieping en loste een eenvoudig schot vanaf driehonderd meter. Van twee of drie keer die afstand zou het haar ook zijn gelukt. Over het dak van een ander huis heen zoefde de kogel naar de perfect onderhouden tuin aan het strand, waar de generaal op een ligstoel lag met een flesje Banks-bier in zijn hand en opeens een groot gat midden in zijn voorhoofd. De andere helft van het team had de auto al klaarstaan, met draaiende motor, de koffers in de achterbak en een privéjet wachtend op het asfalt aan de oostkant van het eiland, dertig minuten rijden vanaf de plaats delict in Payne's Bay.

Kate ving weer een glimp op van de man in de andere zaal. Vanuit een ooghoek hield ze hem in de gaten. 'En er gebeurde iets in Parijs. Laat op de avond werden we besprongen, en hij verjoeg de overvallers. Maar dat ging een beetje te... ik weet het niet.'

'Te professioneel?'

'Ja.'

'Oké, ik zal je volgen. Als ze huurmoordenaars zijn, op wie hebben ze het dan gemunt?'

'Geen idee, maar er lopen genoeg belangrijke mensen dat paleis in en uit.'

'Daar komen we niet verder mee.'

Kate schudde haar hoofd.

'Hoor eens, ik geloof niet... hoe moet ik het zeggen? Het lijkt me niet waarschijnlijk dat iemand een zogenaamd getrouwd stel zou inhuren voor zo'n klus. Want hoelang duurt dit nu al?'

'Een maand of drie.'

'Een heel kwartaal. Alleen in de hoop dat ze uiteindelijk een goed gericht schot kunnen afvuren op... nou ja, wie dan ook. Jij mag dan een lage dunk hebben van de beveiliging van dat paleis, op elk moment, binnen achtenveertig uur, kan die bewaking aanzienlijk worden verscherpt.'

Ze zag de man in de aangrenzende zaal dichterbij komen.

'Het spijt me,' ging Hayden verder. 'Ik ben het met je eens dat die figuren verdacht overkomen, maar ik denk dat je de situatie verkeerd ziet. Ze hebben geen plannen voor een aanslag.'

Opeens wist Kate dat hij gelijk had. Natuurlijk. Ze kon niet geloven dat ze zo veel tijd had geïnvesteerd in zo'n onzinnige theorie; dat ze zo onnozel een scenario had ontwikkeld dat totaal niet bij de feiten paste. Ze leek wel niet goed wijs.

Waarom waren de Macleans dan wél in Luxemburg? Er dook iets op vanuit een donker hoekje van haar bewustzijn, een hoekje dat ze – meestal tevergeefs – probeerde te vergeten.

'Mag ik je wat vragen?'

'Ja.'

'Wat maakt het jou eigenlijk uit?'

Kate wist daar geen ander antwoord op dan de waarheid, die ze niet kon toegeven. Ze was bang dat ze achter háár aan zaten, vanwege het debacle met Torres.

'Laat het los,' zei Hayden.

Ze draaide zich naar hem om en zag zijn waarschuwende blik. 'Waarom?'

'Misschien zou je iets ontdekken wat je niet bevalt.'

Kate keek hem nog eens onderzoekend aan, maar daar liet hij het bij. En ze kon niet aandringen zonder uit te leggen waarom.

'Ik moet het weten.'

Hij staarde haar aan, wachtend tot ze verder zou gaan. Maar ze zei niets.

'Oké.' Hayden zocht in zijn zak, haalde de foto eruit en gaf hem haar terug. 'Sorry, dan kan ik je niet helpen. Daar zul je begrip voor hebben.'

Dat had Kate wel verwacht. Hayden was een belangrijk man geworden in Europa. Hij kon het zich niet veroorloven spoken na te jagen.

De man met de hoed was naar een andere zaal gelopen, nog steeds met zijn rug naar hen toe. Kate deed een paar stappen opzij om zijn gezicht te kunnen zien.

'Hoelang blijf je in München?'

Ze liepen naar de volgende galerij, langs het jonge gezin en hun suppoost. Hayden bleef voor een Rembrandt staan. Kate keek om zich heen, maar kon de man niet meer ontdekken. Ja toch, in de aangrenzende zaal.

'Overmorgen vertrekken we weer,' zei ze. 'Nog een dagje naar Bamberg en dan naar huis. Terug naar Lux.'

'Een prachtig stadje, Bamberg. Je zult het er naar je zin hebben. Maar...'

Ze draaide zich naar hem om. 'Ja?'

'Je zou ook naar Berlijn kunnen gaan. Om met iemand te spreken.'

De man in de volgende zaal kwam steeds dichterbij. Het leek er verdacht veel op dat hij hun gesprek probeerde af te luisteren.

Kate trok een wenkbrauw op naar Hayden en knikte even naar de aangrenzende zaal. Hayden begreep het en knikte terug. Snel sloop hij naar de muur, op zolen die geen enkel geluid maakten. Strak en beheerst kwam hij in actie. Als hij stilstond, met zijn keurige kleren en zijn warrige haar, leek Hayden een gewone, onopvallende man van middelbare leeftijd. Maar als hij liep, zag je al iets anders aan hem, en ook in de manier waarop hij een arm uitstak om naar een schilderij te wijzen. Net als Travolta in *Pulp Fiction* kreeg hij iets van een danser, met een ingehouden energie die dicht onder de oppervlakte lag. En nu hij tot daden overging, bleek hij verrassend snel en lenig. Hij verdween naar de volgende grote zaal, terwijl Kate de kleinere kamer binnenstapte.

Niets te zien. Ze keek door de lange gang, met ramen aan de ene kant en zalen aan de andere, onttrokken aan het zicht.

Niemand.

Kate liep verder. In de volgende ruimte zag ze Hayden de grotere zaal doorkruisen. Ze bewogen zich evenwijdig aan elkaar, op jacht naar de onbekende.

Maar nog altijd was er geen mens te zien.

Kate versnelde haar pas. Ze hoorde de stemmen van de Franse schooljongens en ving een glimp op van een overjas die door een deur verdween. De Japanners schrokken toen Hayden hen voorbij rende. De overjas was alweer verdwenen. Kate begon nu ook te rennen, naar het einde van de gang. Bij de trap gekomen sloeg ze de hoek om en keek omlaag...

Ja, daar was hij. De man daalde net de laatste treden van de brede trap af en verdween om de bocht, met zijn jas wapperend achter zich aan.

Kate en Hayden stormden de trap af. 'Halt!' riep een suppoost hen na, maar ze waren de hoek al om. Nog meer trappen, weer een bocht, en daar zagen ze de lobby. Als verstijfd bleven ze staan, happend naar adem.

Toen Kate het museum binnenkwam, was de hal verlaten geweest. Nu wemelde het er van de mensen – enkele busladingen toeristen, met jassen aan en mutsen op. Ze zaten op bankjes of stonden in de rij om een kaartje te kopen of hun jas af te geven.

Kate liet haar blik over de mensenmassa glijden en deed een paar stappen opzij voor een ander standpunt. Hayden nam de andere kant. Aan weerszijden van de ruimte daalden ze de laatste trap af en waadden door de menigte van gepensioneerde Duitsers uit de provincie, met hun rode wangen en dunne piekhaar. Het was een zee van geruite wollen jassen, loden broeken en schapenwollen sjaals. Ze lachten uitbundig en ze roken naar bier.

Kate zag iets aan de rand van de groep en wrong zich haastig door de meute. 'Neem me niet kwalijk, *bitte*, neem me niet kwalijk.' Eindelijk had ze de glazen deuren van de ingang bereikt en zag de man met de wapperende overjas en de bruine hoed aan het einde van het plein, waar een auto voor hem stopte. Hij stapte links achterin, met zijn gezicht nog altijd afgewend.

Toen de auto bij de stoep wegreed, draaide de bestuurder heel even haar hoofd naar het museum toe voordat ze haar ogen weer op de Theresienstraße richtte. Het was een vrouw met een grote zonnebril.

Het schemerde, en de auto was honderd meter bij hen vandaan, maar toch was Kate er vrij zeker van dat de vrouw achter het stuur niemand anders was dan Julia.

'Ik vind dat we het moeten doen,' zei Kate. 'Wanneer komen we de volgende keer zo ver naar het oosten?' Ze liepen in het avondlicht door de Englischer Garten, een landschap van bruin en grijs, een oneindig subtiel netwerk van kale takken, afgetekend tegen de zilveren hemel. 'Anders moeten we het vliegtuig nemen. En laten we eerlijk zijn: we kopen echt niet vier tickets naar Berlijn.'

'Maar waarom heb je Berlijn dan niet meteen op het programma gezet?' vroeg Dexter, niet onredelijk.

Het bevroren gras knerpte onder hun voeten. De jongens zochten naar eikeltjes, die ze in hun zakken propten. Het was een soort wedstrijdje. 'Omdat ik heel Duitsland nog niet bekeken had.'

'Maandag moet ik weer werken.'

'Dat kan toch ook vanuit Berlijn, of niet?'

Daar ging Dexter niet op in. 'En de jongens zouden twee dagen school missen. Daar hou ik niet van, dat weet je.'

Ze liepen een helling op en daalden weer af. Kate gleed half uit op de gladde bladeren. 'Natuurlijk,' zei ze, 'en dat ben ik ook met je eens. Maar ze zitten pas in groep een.'

'Ja, Ben. Maar Jake zit hoger.'

Kate keek hem woedend aan. Dacht Dexter echt dat ze niet wist in welke klas Jake zat? Met moeite negeerde ze die neerbuigende opmerking. Met ruzie schoot ze nu weinig op. 'Ik weet het,' zei ze zo rustig mogelijk. Haar adem vormde grote witte wolken in de koude, droge lucht. 'Maar daarom wilden we toch naar Europa verhuizen, voor onszelf en voor de kinderen? Om overal naartoe te gaan en alles te zien. Laten we dan naar Berlijn gaan! Dan moet Jake op woensdag maar weer verder met zijn a-b-c.'

Kate wist dat ze geen enkel goed argument had. Haar voorstel sloeg nergens op, en ze vond het vervelend om zich te moeten verdedigen, alsof het zogenaamd goed was voor de kinderen, terwijl het niets anders was dan eigenbelang. Iets wat zij zelf wilde. Dit was precies het akelige gevoel waarvan ze verlost had willen zijn toen ze ontslag nam bij de CIA, het soort leugen waarvoor ze haar werk had opgegeven.

Ze bleven staan aan de rand van een bevroren vijver, met rotsblokken langs de oevers. Lange, laaghangende takken rustten op het glasachtige oppervlak.

Dexter sloeg een arm om Kate heen terwijl ze naar het serene, ijzige landschap keken. Ze wreven hun schouders tegen elkaar voor wat warmte. 'Oké,' zei hij, 'dan gaan we naar Berlijn.'

Kate dwong de jongens te poseren bij Checkpoint Charlie, voor het bordje met YOU ARE NOW LEAVING THE AMERICAN SECTOR, in de Friedrichstraße. Kennedy was hier geweest in 1963, toen hij in Schöneberg een speech had gehouden met de beroemde woorden '*Ich bin ein Berliner*'. Later, in 1987, bij de Brandenburger Tor, had Reagan Gorbatsjov uitgedaagd de Berlijnse Muur te slechten.

Amerikanen hielden graag bombastische toespraken in Berlijn. Kate volgde die traditie met een hartstochtelijke versie van haar vaste toespraak: '*Als jullie je niet onmiddellijk gedragen...!*' Het zou wel door de chocola komen, verklaarde ze. De beste oplossing was misschien dan wel dat ze hun hele leven geen chocola meer zouden eten.

De jongens keken haar met grote, angstige ogen aan. Ben begon te huilen. Kate streek met een hand over haar hart, zoals gewoonlijk, en reageerde met een variant van haar dooddoener: 'Dat is ook niet wat ík wil, dus dwing me er niet toe.'

Ze waren er snel weer overheen, zoals altijd, en Kate stuurde hen het Holocaust-gedenkteken in, dat bestond uit golvende rijen van duizenden betonplaten naast elkaar. 'Als jullie weer bij de stoep uitkomen,' riep ze, 'dan blijf je staan!'

De jongens hadden geen idee wat voor monument dit was en Kate wist niet hoe ze het moest uitleggen.

Dexter was achtergebleven in het hotel, met wifi en koffie. Opeens dook er een andere man naast haar op. 'Je hebt iets voor mij,' zei hij in het Engels. Tot haar schrik herkende ze hem als de chauffeur met pet die hun hele gezin van het vliegveld in Frankfurt had gehaald, op hun allereerste dag in Europa. Hayden had dus een oogje in het zeil gehouden. Misschien deed hij dat wel steeds, en eigenlijk was dat niet zo'n schok.

Kate knikte, als teken dat ze de man herkende, en hij knikte terug. Ze zocht in haar zak en gaf hem het plastic zakje met een buisje lippenbalsem en het kaartje van de tennisclub, gestolen uit het appartement van de Macleans.

'Morgen, zelfde tijd, noordkant van de Kollwitzplatz, Prenzlauer-Berg.'

Vijftig meter voor haar uit riep Ben: 'Hoi mama!'

Ze keek langs de lange rij grijze stenen. Haar zoontje viel in het niet bij de immense stenen plaat die naast hem stond. Ze zwaaide, met haar hand hoog in de lucht. 'Oké,' zei ze, terwijl ze zich omdraaide naar de man. Maar hij was al verdwenen.

Het bleef een goed gevoel om op een missie te zijn in Berlijn, zelfs als er een kans was dat die hele missie alleen in haar fantasie bestond. Misschien had dat ontbroken aan haar leven, was dat de reden waarom ze zich zo had verveeld, zich zo waardeloos en ongelukkig had gevoeld.

Maar wat voor missie wilde ze eigenlijk? Misschien geen situatie met wapens, geheime identiteiten, codetelefoontjes en levensgevaar. Haar eigen gezin zou wel eens haar missie kunnen zijn. Ze zou haar kinderen, hun school en hun spel, ook kunnen benaderen als een baan, een probleem dat om oplossingen vroeg. Niets weerhield haar ervan om haar leven beter te organiseren, een prettig en normaal bestaan op te bouwen, de jongens met hun huiswerk te helpen, zich op haar Franse kookboek te storten en leren Frans te koken.

Maar eerst moest ze erachter komen wie Julia en Bill werkelijk waren.

Kate bleef staan bij de ingang van de speelplaats op de Kollwitzplatz. 'Ik ga even koffie halen,' zei ze tegen Dexter. 'Wil jij nog iets?'

'Nee, dank je.'

Ze stak de straat over, stapte een café binnen en koos een tafeltje bij het raam vandaan. Een gehaaste dienster kwam uit de keuken met een blad eten voor een grote, luidruchtige groep in de hoek. De deur ging weer open, en de man kwam binnen. Hij ging tegenover Kate zitten.

Ze nam hem scherp op. Hij was ergens in de dertig, met een rafelige baard, een cowboyhemd, jeans en gympen onder een peacoat. Niet te onderscheiden van de hippies in Austin, Brooklyn, Portland, Oregon of Maine. Dat was de globalisering; alles en iedereen was inwisselbaar, overal. Je kon zijn of doen wat je wilde, waar dan ook. Deze pillen slikkende newwavefiguur, die eruitzag als een truckchauffeur uit Williamsburg, was in werkelijkheid een spion.

'Ik heb niet veel tijd,' zei ze.

'Ja. Ik zag dat je een heel gevolg bij je had.'

De dienster rende voorbij zonder hun een blik waardig te keuren.

'En?' vroeg Kate.

'Die mensen zijn Craig Malloy en Susan Pognowski.'

'Pognowski?'

'Ja, een Poolse naam. Maar ze is opgegroeid in Buffalo, New York. En die Malloy komt uit de buurt van Philadelphia, Pennsylvania.'

De dienster bleef bij hun tafeltje staan en hield menukaarten omhoog. Kate bestelde koffie om mee te nemen, de man wilde niets.

'Zijn ze getrouwd?' vroeg Kate.

'Hm? Nee, dat zijn ze niet.'

'Maar wie zíjn ze dan?'

'Heel interessant,' zei hij, terwijl hij zich met een cynisch lachje over het tafeltje boog.

Op dat moment vertelde iemand aan de grote tafel de clou van een mop. Er steeg een bulderend gelach op. Een bierpul werd met een klap op tafel gezet. Een bestelwagen die met draaiende motor voor de deur had gestaan schakelde naar de eerste versnelling en reed weg, waardoor de andere geluiden zich extra duidelijk op de voorgrond drongen. Gespetter uit de keuken toen de dienster terugkwam met een grote schaal patat. Luid gelach vanaf het schoolplein om de hoek. Een kreet van haar eigen oudste zoon, die aan de overkant aan een klimrek hing.

Toen het weer stil was, zei de man: 'Het zijn Amerikaanse FBI-agenten.'

Kate was met stomheid geslagen. Roerloos staarde ze hem aan, met grote ogen en haar mond half open.

De FBI? Ze probeerde die informatie te verwerken. Allerlei gedachten en ideeën tolden door haar hoofd. Ze keek uit het raam naar haar spelende kinderen, naar Dexter die op een bankje zat, met zijn rug naar Kate en zijn gezicht naar het bleke zonnetje aan de zuidelijke hemel.

'En weet je wat ook interessant is?' vervolgde de man. 'Ze zijn uitgeleend.'

Kate draaide zich weer om en keek hem verbaasd aan.

'Aan een speciale taskforce.'

Ze trok haar wenkbrauwen op.

'Van Interpol.'

15

Kate liep naar de woensdagmarkt op de Place Guillaume, waar je bloemen en groente kon vinden, slagers en bakkers, vishandelaren en een truck met gebraden kip. Een pezige kleine Fransman prees in gloedvolle bewoordingen zijn alpenkaasjes aan. Een Belg had niets anders te koop dan uien en knoflook. Er was een kraam met verse pasta, een met wilde paddenstoelen en een met olijven. Een onwaarschijnlijk praatzieke vrouw verkocht specialiteiten uit Bretagne en een mollig, blozend echtpaar gerookt vlees uit Tirol. Het stel sprak geen woord Frans, laat staan Engels.

Kate wachtte in een huiverende rij op de gebraden kip, terwijl haar gedachten weer naar de laatste ontwikkelingen gingen. Het goede nieuws – het zilveren randje om de donderwolk, meer niet – was dat ze in elk geval niet gek was. De 'Macleans' werkten wel degelijk undercover. Voor de FBI. Maar wat stak hierachter? Haydens man in Berlijn kon geen nadere informatie krijgen zonder argwaan te wekken, en daar was hij eenvoudig niet toe bereid. Ze kon hem niet tegenspreken. Nou ja, dat kon ze wel, en dat had ze ook gedaan, maar tevergeefs.

Met een groot deel van haar CIA-collega's deelde Kate een levenslange minachting voor de agenten uit het Hoover Building. De animositeit tussen de spionnen en de FBI sloeg eigenlijk nergens op en sproot voort uit de politieke overwegingen van de leiders van beide diensten, die elkaar niet vertrouwden, als ruziënde kinderen in de zandbak, die om de aandacht bedelden van de achtereenvolgende papa's in het grote huis aan Pennsylvania Avenue.

Maar of Kate nu respect had voor de FBI of niet, deze twee agenten waren naar Luxemburg gekomen. En waarom?

Misschien had het helemaal niets met haar te maken en zaten ze achter een vluchteling aan, een moordenaar of terrorist, die mogelijk een genummerde bankrekening in Luxemburg had waarop miljoenen of miljarden euro's stonden die hij alleen persoonlijk kon opnemen. Vroeg of laat zou hij hier dus opduiken. Daarom waren Bill en Julia in Europa; ze wachtten op de kans om een crimineel te arresteren.

Het was best mogelijk dat ze een onderzoek instelden naar een witwasoperatie, naar drugs- of wapenhandel, waarvan de winsten werden witgewassen in het anonieme systeem van de Luxemburgse banken. Ze volgden de koeriers die in en uit liepen langs de lakse douane op het keurige kleine vliegveld van Luxemburg, met koffers vol dollars die uit Amerikaanse getto's naar hoofdkwartieren van kartels in Zuid-Amerika waren overgebracht en vervolgens met Air France of Lufthansa vanuit Rio of Buenos Aires naar Parijs of Frankfurt kwamen, waar een rechtstreekse verbinding met Luxemburg wachtte. De koeriers konden Europa weer verlaten met een schone cheque van de kassier. Daar hielden de FBI-agenten gegevens over bij; ze waren bezig hun zaak op te bouwen.

Kate bestelde haar *poulet fermier* en een *petit pot* aardappeltjes, gebakken in het vet van de gebraden kip.

Maar waarom hier in Luxemburg? Waarom zou de FBI agenten aan Interpol lenen, die hen vervolgens naar het groothertogdom stuurde?

In haar overwegingen mocht ze Dexter niet overslaan. Wat kon hij op zijn kerfstok hebben? Waarom zat hij eigenlijk in Luxemburg? Misschien had hij geld verduisterd van een van zijn cliënten. Op ditzelfde moment kon hij wel bezig zijn de database van een bedrijf te hacken om aandelen te kopen op grond van gestolen informatie.

Of...

Kate borg de warmhoudtas met kip en aardappels in haar eigen canvas boodschappentas. Het was al lang geleden dat ze een plastic draagtas had gebruikt.

En dan die andere, voor de hand liggende mogelijkheid: dat Interpol eindelijk achter háár aan zat. Zodra ze de verdieping van

Torres in het Waldorf had bereikt – nee, zodra ze het Union Station in Washington was binnengestapt en haar Amtrak-ticket naar New York contant betaalde – had ze al een voorgevoel gehad dat er ooit consequenties zouden volgen. En dat ze daarmee zou worden geconfronteerd op het meest onverwachte moment.

Kates tas puilde uit met pogingen om een normaal leven aan te schaffen: callalelies, een baguette, groente, fruit en haar kip met aardappels. Het was een heel gewicht.

Ze zou Julia ontlopen om enige privacy te houden. Dat was geen oplossing voor de lange termijn, en misschien zelfs contraproductief, maar ze had er gewoon behoefte aan, net als aan die bloemen voor de eettafel en de kans om al haar aandacht aan het eten te besteden.

Kate kwam vanaf het plein in een verkeersstraat, en opeens wemelde het op de stoep van de nonnetjes, zeker vijfentwintig in getal, en allemaal oud. Kate vroeg zich af waar ze de jonge nonnen kweekten. Misschien werden die voor de wereld verborgen gehouden, als zaailingen in een klimaatgecontroleerde kas.

Kate stapte de straat op en liet de stoep over aan de bejaarde zusters. Ze liep over de klinkers, waartussen de diepe naden zich vulden met kleine riviertjes, als een lilliputtergrachtenstelsel, een miniatuur-Holland.

De non die vooropliep, keek Kate aan door een klein brilletje met een draadmontuur. '*Merci, madame,*' zei ze zacht.

Toen Kate de andere nonnen passeerde, zeiden ze allemaal hetzelfde, een eindeloos zacht refrein van *Merci, madame*. En één voor één keken ze Kate even aan.

Zodra ze uit het zicht waren verdwenen, draaide Kate zich om en tuurde de lege straat door. Vluchtig vroeg ze zich af of die nonnen er echt waren geweest, of dat ze nu spoken zag. Restjes vroomheid zweefden nog door de lucht en smoorden Kate met schuldgevoel.

Kate zat weer in het souterrain van het sportcentrum en probeerde tevergeefs haar aandacht bij de gesprekken om haar heen te houden. Ergens ging een telefoon, in de diepten van iemands tas. Niemand nam op. Pas na een paar keer besefte Kate dat het haar eigen wegwerpmobiel moest zijn. Ze had hem nog niet eerder horen overgaan.

Haastig zette ze haar tas op schoot. 'Neem me niet kwalijk.' Ze zocht naar het toestel, stond op en liep het café uit naar het trappenhuis. 'Hallo?'

'Hallo.'

'Een seconde... ik moet een stil plekje zoeken.' Boven aan de trap kwam ze langs de herenkleedkamer. Even later stond ze in de kou, de wind en de grimmige schemering van Noord-Europa om kwart over vier op een late herfstdag.

'Dus ze zijn van de FBI,' zei ze. Om haar nieuwsgierigheid te bevredigen had Kate weer de universiteit van Chicago gebeld, en toen het kantoor van de rector, dat haar met tegenzin het adres had gegeven van de ouders van William Maclean. Na nog een paar telefoontjes had Kate hen weten op te sporen in Vermont. Louisa Maclean vertelde haar dat haar zoon Bill twintig jaar geleden – de zomer na zijn afstuderen – op een gehuurde Vespa op de verraderlijke kustweg in de Cinque Terre de macht over het stuur had verloren en tegen een muurtje was geknald. De Vespa was total loss. Bill zelf was over het lage muurtje geslingerd en zestig meter lager tegen de rotsen van de kust te pletter geslagen.

Bill Maclean was verongelukt in juli 1991.

'Ja,' antwoordde Hayden, 'dat heb ik ook gehoord.'

'Nu moet ik alleen nog weten wat ze hier doen.'

'Waarom? Nu je weet dat ze geen criminelen zijn, hoef je je geen zorgen meer te maken over je... kostbaarheden. En ze zullen ook niemand liquideren in het *palais* en een enorme verkeersopstopping veroorzaken. Dus wat maakt het je uit?'

Dat was het moment waarop Kate besefte dat ze onderzoek deed naar de Macleans om geen lastige vragen te hoeven stellen over haar eigen man. Een externe vijand verzinnen en demoniseren, zoals iedere politicus weet, is een veel betere optie dan binnenlandse problemen confronteren.

'Omdat ze nu deel uitmaken van mijn leven,' antwoordde ze.

Er viel een lange, veelzeggende stilte aan de andere kant. Ook Kate zei niets meer. Zwijgend besloten ze een gesprek te vermijden waaraan ze geen van beiden behoefte hadden. Een gesprek dat zou beginnen met een vraag van Hayden: 'Of heb je iets voor hen te verbergen?'

'Oké,' zei hij. 'Ik weet wel iemand met wie je zou kunnen praten. In Genève. Een zekere Kyle.'

Genève. Hayden legde haar uit hoe ze contact kon leggen, maar Kate bleef hangen in de vorige fase en probeerde alle smoezen te bedenken waarom ze op een vliegtuig naar Zwitserland zou kunnen stappen voor een snel gesprek.

Vroeger deed ze dat regelmatig: naar Mexico City of Santiago vliegen, terwijl ze zogenaamd naar een conferentie in Atlanta ging. Maar in die tijd had ze nog excuses genoeg gehad. In die tijd was het niet Dexters werk dat zo onvoorspelbaar en veeleisend was. In die tijd had Kate de vrijheid om te gaan en te staan waar ze wilde.

'Ik...' Ze zweeg, omdat ze haar conclusie liever niet onder woorden bracht. Het zou haar waarschijnlijk weken kosten om naar Genève te komen. Opeens verlangde ze naar alle vrijheid van haar oude bestaan. Want zo had het toen wel gevoeld.

'Ja?' vroeg Hayden.

'Eh... kan het niet in Parijs? Of Brussel? Of Bonn?' Dan kon ze binnen een dag op en neer met de kinderen. Tegen Dexter zou ze kunnen zeggen dat ze even moesten uitwaaien om hun zinnen te verzetten.

'De man die jij zoekt zit in Genève.'

'Maar,' zei Kate, 'daar kom ik niet zo makkelijk.' Ze voelde zich net zo vernederd als toen ze een tiener was en tegenover haar vriendinnen moest toegeven dat ze niet kon gaan stappen omdat ze de stoma van haar vader en de doorligwonden van haar moeder moest verzorgen. Heel pijnlijk als je niet je eigen baas was, niet je eigen beslissingen kon nemen. 'Niet meteen, tenminste.'

'Je dagindeling is je eigen zaak.'

'Kan het niet digitaal, op een of andere manier?'

'Ja, als je die man zou kénnen en hij jou zou vertrouwen en je hem een beveiligde verbinding kon garanderen. Maar zo ligt het niet. Dus, nee.'

'Oké,' zei ze. 'Dan heb ik nog een vreemde vraag. Hebben ze het soms op mij gemunt?'

'Nee.'

Kate wachtte, maar daar liet hij het bij. 'Hoe weet je dat?'

'Als iemand het op jou gemunt zou hebben, zouden wij dat zijn,' zei Hayden. 'Ikzelf.'

's Ochtends reed ze Dexter naar de luchthaven, waar hij een auto huurde voor een dag naar Brussel. Toen hij thuiskwam was hij nog net op tijd voor het avondeten; geprikkeld, afwezig en nog afstandelijker dan anders. Hij nam nauwelijks deel aan de gesprekken. Misschien was hij het zo ontwend om met zijn eigen gezin te eten dat hij was vergeten hoe dat moest.

Toen een van de kinderen voor de vierde keer vroeg: 'Papa?' en hij geen antwoord gaf, smeet Kate haar vork neer en stond op van tafel. Ze begreep dat hij moest werken en reizen. Maar hij hoefde niet afwezig te zijn als hij aanwezig was.

In de keuken probeerde ze wat te kalmeren. Ze staarde naar de deurmat, het buffet met de sleutels, de post, de mobiele telefoons, de bakjes met munten, en het kleedje waarop ze allemaal hun schoenen zetten, groot en klein.

Dexters schoenen waren modderig, heel modderig zelfs; de zolen aangekoekt, het bovenleer onder de spetters. Het had de hele dag gestaag geregend, maar het zou Kate verbazen als je in hartje Brussel grote moddervlakten kon aantreffen waar Dexter doorheen moest ploeteren om bij de banken te komen.

Ze keek nog eens naar die vuile schoenen en probeerde haar verdenkingen te onderdrukken. Ze had zichzelf beloofd dat ze alle argwaan overboord zou zetten zodra ze met hem getrouwd was.

Maar iedereen heeft geheimen. Het hoort bij de mens om geheimen te hebben en nieuwsgierig te zijn naar de geheimen van anderen. Bedenkelijke fetisjen, rare obsessies en zwakke plekken, pijnlijke nederlagen en oneerlijke triomfen, vernederende zelfzuchtigheid en walgelijke onmenselijkheid. Mensen denken en doen de verschrikkelijkste dingen, beleven de vreselijkste dieptepunten.

Zoals een hotelkamer in New York binnenlopen om een koelbloedige moord te plegen.

Kate kon haar blik niet losmaken van Dexters schoenen. Het bewijs dat de Macleans niet deugden, betekende niet dat haar man brandschoon was.

In gedachten ging ze terug naar een koude, winderige winterdag drie jaar geleden in Washington. Ze was haastig op weg geweest door I Street voor een bespreking bij het IMF, voorovergebogen tegen de wind, kwaad dat ze was gaan lopen. Een taxi zette een passagier af op de rotonde voor de Army and Navy Club Library en Kate rende erheen, maar iemand die uit de club kwam was haar vóór en stapte in. Kate bleef staan en keek om zich heen, zoekend naar nog een taxi. Deze kou had ze niet verwacht.

Haar blik viel op een bankje aan de overkant, aan een grillig pad op Farragut Square; niet het eerste bankje langs de stoep, ook niet het tweede, maar een bankje vijftig meter verderop, diep in het park. En op dat bankje, met de onmiskenbare roodgeruite jagerspet die ze bij een internetshop in Arkansas had besteld, zat Dexter. Met een onbekende man.

Toen Dexter in slaap was gevallen ging Kate voor de haard zitten om een lijstje te maken met mogelijke redenen waarom deze FBI-agenten aan Interpol konden zijn uitgeleend, hier in Luxemburg, en contact hadden gelegd met een voormalige CIA-agente. Kate gaf elk argument een cijfer. Tegen haar zin moest ze alle redenen die niets met haar of met Dexter te maken hadden een heel laag cijfer toekennen. Sommige redenen die op Dexter sloegen kregen cijfers van één tot zeven, hoewel de meeste vrij onschuldig leken.

Vooral de scenario's die om haarzelf draaiden scoorden achten en negens, ondanks Haydens verzekering dat de FBI niet achter haar aan zat. Het was best mogelijk dat de hele zaak een grote vergissing was. In het verleden hadden er allerlei verraderlijke en dubieuze kwesties gespeeld tussen het Bureau en de Agency. Misschien moesten ze haar wel beschermen, omdat ze wisten dat iemand anders jacht op haar maakte. Natuurlijk was ze nogal abrupt – misschien zelfs verdacht abrupt – bij de dienst weggegaan. Of er waren bepaalde bewijzen die de aandacht op haar hadden gevestigd, zodat ze nu verdacht werd van een misdrijf waaraan ze part noch deel had.

Voorzichtig gooide ze haar lijstje in het dovende vuur van de haard.

Die koude, winderige avond in Washington, terwijl de kleine oude ruitjes in de rottende kozijnen rammelden, had Kate geworsteld met het probleem of – en hoe – ze Dexter moest vragen waarom hij daar op Farragut Square had gezeten. Ten slotte kwam ze niet verder dan de vraag: 'En? Heb jij nog iets bijzonders gedaan vandaag?' Zijn antwoord was kort en nietszeggend: 'Nee.'

Ze had het uit haar hoofd gezet, weggeborgen in een envelop diep in haar binnenste, die alleen in het uiterste geval mocht worden geopend. Als het niet echt noodzakelijk was, wilde ze liever niets weten over de geheimen van haar man.

16

'Hé,' zei Dexter. 'Hoe gaat het?' Er klonk ruis op de lijn, zoals wel vaker als hij haar belde uit die belastingparadijzen, die criminele vluchtheuvels, plekken waar hij steeds naartoe reisde, waarschijnlijk om oplichters te helpen hun geld te verbergen of wat hij dan ook deed – en waarover hij tegen zijn vrouw moest liegen.

Kate zuchtte, moe van haar kinderen en boos op haar man. 'Best, hoor,' zei ze, terwijl ze bij de jongens vandaan liep. 'Geweldig.'

'Echt? Je klinkt...'

'Wat?'

'Ik weet het niet.'

Ze keek uit het raam naar de hemel in het oosten, waar het bleke daglicht langzaam en zonder echte zonsondergang overging in een troosteloze avond.

'Alles in orde?'

Nee, alles was niet in orde. Verre van dat. Maar wat moest ze zeggen, via deze open lijn naar Zürich? 'Ja,' antwoordde ze staccato, zo kortaf dat hij begreep dat het onderwerp daarmee was afgedaan. 'Wanneer kom je terug?'

Een stilte. 'O ja, dat moest ik je nog zeggen.'

'Verdomme!'

'Ik weet het, ik weet het. Het spijt me echt.'

'Morgen is het Thanksgiving, Dexter. Thanksgiving.'

'Ja, maar de mensen voor wie ik werk vieren geen Thanksgiving. Voor hen is het morgen gewoon donderdag.'

'Kan het echt niet wachten, waar je mee bezig bent?' vroeg ze. 'Of kan iemand anders het niet doen?'

'Hoor eens, ik vind het net zo vervelend als jij.'

'Dat zeg je, ja.'

'Wat bedoel je daarmee?'

Waarom zocht ze ruzie? 'Niets.'

Stilte.

Ze wist waarom ze ruzie zocht: omdat ze woedend was, omdat de FBI en Interpol zich om een of andere reden met haar bemoeiden, omdat ze ooit een afschuwelijke beslissing had genomen die haar voor altijd zou achtervolgen, en omdat de enige op de wereld die ze onvoorwaardelijk had vertrouwd nu tegen haar loog.

Misschien deed hij dat met goede bedoelingen. En misschien had zijn leugen wel niets te maken met haar woede. Per slot van rekening had hij haar niet gedwongen tot een baan met zulke morele problemen. Zoals hij haar ook niet had gedwongen tot al die geheimen. Hij had haar niet gedwongen kinderen te krijgen, haar ambitie op te offeren of ontslag te nemen. Hij had haar niet gedwongen naar het buitenland te verhuizen, voor de kinderen te zorgen of het huishouden, de boodschappen, het eten en de was te doen, helemaal in haar eentje. Hij had haar niet gedwongen om alleen te zijn.

'Mag ik even met ze praten?' vroeg hij.

Allerlei venijnige opmerkingen spookten door haar hoofd, maar ze hield ze voor zich. Omdat ze niet kwaad was op Dexter, maar op zichzelf. En misschien loog hij helemaal niet tegen haar en had hij dat nooit gedaan.

Ze legde de telefoon op het aanrecht en liep erbij vandaan alsof het een beschimmelde perzik was.

'Ben!' riep ze. 'Jake! Jullie vader aan de telefoon.'

Ben rende naar haar toe. 'Maar ik moet poepen!' Hij was in paniek. 'Kan ik eerst poepen?'

Ze zocht ruzie omdat het Thanksgiving was en ze zich helemaal niet dankbaar voelde.

Kate lag op de bank en zapte langs de kanalen: Italiaanse spelshows, Spaanse voetbalwedstrijden, sombere BBC-drama's en een eindeloze reeks programma's in het Frans of Duits. De kinderen waren eindelijk naar bed, na een frustrerend gesprek over Dexters afwezigheid. De jongens waren er niet blij mee, maar Kate had – heel heldhaftig, vond ze zelf – haar neiging onderdrukt om kritiek op hem te hebben. In plaats daarvan had ze een positieve uitleg gegeven. Ze probeerde haar man en kinderen te steunen en te bedenken dat ze daarmee ook zichzelf hielp.

Ze hoorde een groepje tieners lachen bij een bar verderop in de straat. Hun hoge gegier weerkaatste tegen de klinkers. Ze ving een paar woorden Engels op. Het waren kleine expats, pubers van zestien en zeventien, die Marlboro Lights rookten en Red Bull met wodka dronken totdat ze moesten kotsen in de halletjes van de kleine appartementengebouwen rond de clubs. Als de Portugese schoonmaaksters voor dag en dauw arriveerden, met grote rijdende emmers waarin een mop rechtop stond in een wringer, moesten ze eerst de kots van die pubers in de halletjes opruimen.

Haar woede was niet Dexters schuld; die gold alleen haarzelf. Het waren haar eigen beslissingen die haar tot dit punt hadden gebracht – zoals het voornemen hem nooit ergens van te verdenken.

Ze staarde naar het flakkerende scherm, een Nederlandse zender met een Amerikaanse tv-film van halverwege de jaren tachtig, niet nagesynchroniseerd. De kapsels, de kleren, de auto's, de meubels en zelfs de verlichting klopten precies met die tijd. Verbazend, hoeveel aanwijzingen je in één filmbeeld kon terugvinden.

Kate kon haar argwaan tegen Dexter niet langer negeren. Dat had ze al veel te lang gedaan, zoals ze heel goed wist.

Maar ze wilde hem ook niet confronteren door een verklaring te eisen. Hij was niet zo dom om te antwoorden met een onwaarschijnlijke, niet goed gerepeteerde leugen. Het had weinig zin hem aan een kruisverhoor te onderwerpen; daarmee zou ze alleen zijn achterdocht wekken. Nee, ze moest een andere manier bedenken om erachter te komen wat hier aan de hand was. Als hij haar de waarheid wilde vertellen, zou hij dat wel meteen hebben gedaan. En dat had hij niet.

Kate wist wat haar te doen stond. Maar eerst moest Dexter thuiskomen. En weer weggaan.

'Hallo, familie!' riep Dexter vanaf de deur. Hij had een fles champagne bij zich.

'Papa!' De jongens stormden de gang in, glijdend en slippend als stripfiguren, en wierpen zich in zijn armen voor een heftige, acrobatische omhelzing. Kate had hen aan de eettafel gezet, met een laag kranten, twee nieuwe dozen waterverf, penselen en bekertjes water. Het thema was 'Dingen Die Ik Wil Doen Bij Ons Volgende Uitstapje'. Kate had zelf het goede voorbeeld gegeven door een alpentafereel te schilderen, als eerste stap in een pr-campagne voor een nieuw plan met Kerstmis. Zo kon ze ook de jongens erbij betrekken. Twee vliegen in een klap. De jongens hadden hun eigen tekeningen gemaakt, met veel sneeuw. Kate had ze aan de deur van de koelkast gehangen. Ze vond zichzelf een smerige intrigante, dat gaf ze eerlijk toe.

'Waar is dat voor?' Kate wees met haar koksmes in de richting van Dexters wijnfles met zijn kroontje, goudfolie en condens.

'Papa, kom kijken wat ik heb getekend!'

'Zo meteen, Jakie,' zei hij, en hij keek weer naar Kate. 'We hebben wat te vieren. Ik... wij... hebben vandaag twintigduizend euro verdiend.'

'Wát? Dat is geweldig! Hoe dan?' Kate had zichzelf ervan overtuigd dat haar gemelijke achterdocht geen enkel nut had. Daarom koos ze voor opgewekte achterdocht.

'Herinner je je die derivaten nog, waar ik het over had?'

'Nee. Wat zijn dat, trouwens?'

Hij opende zijn mond, klapte zijn kaken op elkaar, deed opnieuw zijn mond open en zei: 'Dat doet er niet toe. Hoe dan ook, ik heb vandaag een heel pakket financiële producten verkocht, tegen een winst van twintigduizend.' Dexter trok kastdeurtjes open, op zoek naar iets. Hij wist niet waar de wijnglazen stonden.

'Daar.' Kate wees nog eens met haar mes. Nu hij zo dichtbij stond, leek het bijna een wapen. Ze legde het neer.

Hij opende de fles en schonk de glazen in. Het schuim kwam langzaam tot rust. 'Proost.'

'Proost,' antwoordde ze. 'Gefeliciteerd.'

'Papa! Toe nou!'

Ze nam de fles mee naar de eetkamer. Dexter ging aan tafel zitten en probeerde de opdrogende waterverftekeningen van de jongens te interpreteren. Hun stijl was nogal abstract.

Hij zag er tevreden uit. Dit leek Kate een geschikt moment. 'Ik heb lopen denken,' zei ze. 'We kunnen met Kerstmis ook gaan skiën, in plaats van naar de Midi te gaan.'

'Goh,' zei hij – zijn vaste inleiding als er een grapje volgde –, 'je geeft dit geld niet de tijd om koud te worden.'

'Nee, daar gaat het niet om. Ik dacht er al aan voordat... nou ja. We kunnen onze hotelboekingen weer afzeggen. En de wintersportplaatsen hebben nog ruimte.'

'Maar Zuid-Frankrijk?' zei hij. 'Dat staat in de top vijf, dat weet je.'

De top vijf. Die bestond nu uit Parijs, Londen, Toscane, de Costa Brava en Zuid-Frankrijk in het algemeen; de Rivièra, de Provence, misschien zelfs Monaco. Dat was wel niet Frans, maar kwam toch op hetzelfde neer, afgezien van een paar logistieke details.

Een paar weken geleden, in Londen, had Dexter haar over dit lijstje verteld. De door Britten geleide internationale school was om een of andere Britse reden een paar dagen gesloten, dus hadden ze een vroege vlucht naar City Airport genomen, om tien uur 's ochtends hun koffers bij het hotel afgeleverd en zich in het troosteloze herfstweer gestort. Niet veel later wandelden ze over besloten pleintjes, langs smeedijzeren hekken, strenge gevels en knusse koetshuizen van met klinkers bestrate hofjes. En overal hoorden ze dat prachtige Engels om zich heen.

Ze hielden halt bij de indrukwekkende rij van kalkstenen herenhuizen aan Wilton Crescent, de gebogen omloop van Belgrave Square, bewaakt door beveiligingscamera's. Dexter had beslist deze straat willen zien. Kate had geen idee waarom, op dat moment.

Ze keek de kinderen na, die over de stoep renden, alleen al enthousiast over een straat met zo'n mooie bocht erin. Een kinderhand is gauw gevuld.

Langs de stoep stonden een klassieke Rolls-Royce en een splinternieuwe Bentley met glimmend ebbenhout en spiegelend chroom. Dexter wierp een blik op het huisnummer en liep door naar de volgende deur. De huizen waren exact hetzelfde. 'Misschien gaan wij hier ooit ook wonen.'

Kate schoot in de lach. 'Zoveel geld hebben we niet.'

'Maar als geld geen probleem zou zijn? Waar zou jij dan willen wonen? Hier?'

Ze haalde onverschillig haar schouders op. Onnozele dagdromen.

Toen gaf hij haar zijn top vijf en kreeg Kate er ook plezier in. Ze stelde voor om de Costa Brava te verruilen voor New York. 'Misschien ooit,' zei hij. 'Maar ik wil niet fantaseren over Amerika. Nu nog niet. Ik denk alleen aan waar we in Europa kunnen wonen...' – hij glimlachte – '... als ik rijk ben.'

'O ja? En wanneer dacht je rijk te worden?'

'Dat weet ik niet,' zei hij met een zedig gezicht. 'Maar ik heb een plan.' Daar liet hij het bij, en het kwam geen moment bij haar op dat hij werkelijk een plan zou hebben om rijk te worden. Hoe kon dat nou?

'Skiën?' vroeg hij haar nu, omringd door de kinderen en de artistieke producten van hun fantasie. 'Hoe komen we daar? We gaan toch niet twaalf uur in de auto zitten?'

'Dat is een mogelijkheid, ja.'

Dexter keek op, alsof hij over een leesbrilletje tuurde dat hij niet bezat – iets wat hij uit een film had overgenomen.

'Toegegeven, niet de beste mogelijkheid,' zei Kate. 'We kunnen ook het vliegtuig nemen.'

'Waarheen?'

'Genève,' zei ze nonchalant, alsof dat niet de enige echte reden was voor deze hele skivakantie.

De champagne voor het eten werd gevolgd door een fles witte bourgogne bij de vleesschotel. Daarna pakte Kate de armagnac voor Dexter – twee glaasjes – terwijl zij de kinderen naar bed bracht. Later praatten ze over skiën en vakanties, terwijl ze nog een cognacje dronken, met de haard aan en een muziekje op de achtergrond, gevolgd door wat voorspel op de bank en energieke seks op de vloer. Ze bleven nog laat op en er werd veel gedronken.

De volgende morgen sliep Dexter uit, zoals altijd na de armagnac. Toen Kate de kinderen naar school had gebracht, was hij nog steeds thuis, wat maar zelden gebeurde. Hij was net bezig zijn spullen te verzamelen, op weg naar zijn werk. Ze gaven elkaar een tedere kus bij de deur, die ze achter hem dicht liet vallen. Het grote, zware slot klikte zachtjes op zijn plaats.

Kate bleef even in het halletje staan, naast de tafel. In de hoek lagen nog wat schilfers opgedroogde modder, tegen de plint, de concrete bewijzen van waar hij vorige week geweest was toen hij beweerde dat hij naar Brussel moest.

Kate had haar jas nog aan en haar sleutels in haar hand. Ze wachtte totdat ze de lift niet meer hoorde zoemen en volgde hem toen.

Kate voelde zich vernederd en verdorven dat ze haar man nu moest schaduwen om erachter te komen waar zijn kantoor precies was. Ze volgde hem door de stad, niet bijzonder behoedzaam. Niet één keer tijdens die wandeling van tien minuten naar de Boulevard Royal keek Dexter over zijn schouder om te zien of hij werd geschaduwd. Hij deed geen pogingen iemand te ontwijken, iemand in te halen, of iets te verbergen.

Even later stapte hij een onopvallend gebouw binnen met openbare ruimten op de begane grond. Het gebouw dateerde van eind jaren zestig. Het was acht verdiepingen hoog, opgetrokken uit beton, ouderwets, functioneel en lelijk. Aan de half open gangen waren allerlei bedrijven gevestigd: een stomerij, een broodjeszaak, *tabac* en *presse*, een apotheek en een Italiaans restaurant. Overal in Luxemburg, zelfs in heel Europa, vond je pizzeria's met houtovens. En verse mozzarella. De pizza's waren meestal redelijk goed.

Dexter verdween in een lobby met glazen wanden, drukte op de knop van een lift, wachtte even en stapte toen de lift in met een andere man, van ongeveer zijn eigen leeftijd. Hij moest op de tweede of vierde verdieping zijn.

Kate liep om het logge, vierkante gebouw heen, waarvan alle ingangen zichtbaar waren voor de bewaker achter de balie in de hal. Ze inspecteerde de ramen. Geen vensterbanken. Alle vier de gevels lagen aan een andere, drukke winkelstraat, een paar honderd meter van het gemeentekantoor en het centrale busstation. Overal liepen functionarissen en beveiligers, gewapend en in uniform. Er waren hier veel internationale banken gevestigd, en de mensen die er werkten stonden in de file om hun auto's – de stemmig grijze Audi's en BMW's van de huisvaders en de opvallende gele Lamborghini's en rode Ferrari's van de vrijgezellen – in privégarages te parkeren.

Een druk centrum van overheid en zakenwereld. Een streng beveiligde omgeving, veel veiliger dan die van Bill. Hier zou ze onmogelijk via een raam kunnen binnenkomen.

Hier zou ze gewoon door de voordeur moeten binnenstappen, op klaarlichte dag.

17

'Mama, kom snel!' Jake stond opeens voor hun tafel bij de speelplaats, hijgend en in paniek.

Dagen waren vergleden in een kille, dichte mist van vloeren dweilen, boodschappen doen en pannen schrobben. Cadeautjes kopen voor de leraressen van de jongens, de kinderen helpen bij het tekenen van kerstkaarten voor hun beste vrienden, kerstconcerten bijwonen. Afsluitende koffieochtendjes en moederlunches aan het einde van het jaar. Bezoekjes aan kerstmarkten.

Kate had genoeg smoezen tegenover Julia. Elke dag maakte ze de afstand tussen hen wat groter, als een stootkussen dat haar kon beschermen tegen een onbekende, dreigende explosie aan de horizon. Opzettelijk bracht ze meer tijd door met de Britse Claire, de Deense Cristina of wie dan ook.

'Wat is er, schat?' vroeg Kate aan Jake. 'Is Ben oké?'

'Ja, Ben wel.'

Kate slaakte een zucht van verlichting.

'Maar Colin niet.'

Claire sprong op. Ze renden allemaal de grashelling af naar het piratenschip, waar een groepje kleine kinderen zich had verzameld rond een jongetje dat op het grind lag. Bloed stroomde uit een snee in zijn hoofd.

'Schat...' zei Claire, terwijl ze Colins hoofd onderzocht. De jongen leek verdoofd. Ze draaide zich om naar Kate. 'Ik wil Jules liever niet meenemen naar het ziekenhuis. En Sebastian zit natuurlijk weer in Rome.' Ze maakte haar kasjmieren sjaal los, depte het bloed van Colins hoofd en drukte hem toen stevig tegen de wond om de bloeding te stelpen. Het gezicht van de kleine jongen zat onder het bloed. 'Zou jij tijd hebben,' vroeg ze opmerkelijk kalm, 'om even op Jules te passen? Ik denk dat we wel een paar uur kwijt zijn in de *clinique pédiatrique*.'

'Natuurlijk.'

Claire keek op haar horloge. 'Het is zo meteen etenstijd. Maar Jules eet alles. Ja toch, schat?'

'Ja, mam.'

'Goed zo meisje.'

Claire glimlachte naar Kate, een beetje bleek maar oprecht. Ze nam haar jongste kind in haar armen en vertrok naar haar auto en het ziekenhuis voor een beproeving die Kate het meest zou vrezen. De gezondheid van een kind liep groot gevaar hier, in een ander land met een andere taal. En Claire stond er alleen voor.

Kate had altijd geweten dat ze zelf een sterke vrouw was. Maar het was nooit bij haar opgekomen dat er overal sterke vrouwen waren, die een alledaags leven leidden en geen wapens hoefden te dragen tussen wanhopige mannen in ontwikkelingslanden op voet van oorlog, maar rustig hun gewonde kinderen naar het ziekenhuis brachten, ver van huis. Ver van hun moeders, hun vaders, hun broers en zussen, ver van hun schoolvriendinnen en vroegere collega's. Op een plek waar ze op niemand konden vertrouwen behalve op zichzelf, wat er ook gebeurde.

De volgende dag stapte Kate de smalle klinkerstraat in met weer zo'n feestelijke cadeautas, versierd met een lint, voor het zoveelste verjaarspartijtje in een kinderspeelparadijs ergens langs een winkelboulevard in een Belgische buitenwijk.

'O mijn god!' Het was Julia, die tegenover haar opdook met een oudere man. 'Hoe gáát het met je?' Ze boog zich naar voren om Kate op beide wangen te zoenen.

'Hé, Julia. Sorry dat ik niet heb teruggebeld, maar ik...'

Julia wuifde het weg. 'Kate, dit is mijn vader, Lester.'

'Zeg maar Les.'

'Pap, dit is Kate, een van mijn beste vriendinnen.'

'Een genoegen,' zei hij.

Kate nam deze onwaarschijnlijke man onderzoekend op en dacht na over deze onwaarschijnlijke ontmoeting. 'Wat leuk je te zien!'

Les, of hoe hij ook heette, droeg het standaardtenue van de gepensioneerde Amerikaan: een kakibroek, een golfhemd, wandelschoenen en een fleecetrui met een motief van de hooglanden en een geborduurde golfer op de borst – een souvenir uit de tijd dat hij nog zakenreisjes maakte, eind jaren negentig. Typisch iets wat een FBI-agent zou dragen als hij wilde lijken wat hij niet was.

'Op bezoek?' vroeg Kate. 'Waar kom je vandaan?'

'Rechtstreeks van huis! Ja, ik vond het tijd om eens te gaan kijken bij dochterlief in Luxemburg. Een mooie stad, vind je niet?'

Kate stond versteld van de brutaliteit waarmee de man haar vraag ontweek. 'De week ná Thanksgiving,' zei ze, 'is niet het moment waarop de meeste mensen op familiebezoek gaan.'

Lester glimlachte. 'Wat zal ik zeggen? Ik ben een beetje tegendraads.'

'Hoor eens, Kate.' Julia legde een hand op Kates arm. 'Heb je al plannen voor vanavond? Zouden jij en Dexter zin hebben om met ons te gaan eten?'

Kate sperde haar ogen open en zocht onwillekeurig naar een excuus om nee te zeggen, voordat ze besefte dat dat heel dom zou zijn. 'Natuurlijk.'

'Papa!'

'Hé, Jake, hoe is het?'

'Papa, kijk eens wat ik heb gemaakt!' Jake hield een paar stukken karton – gesloopte cornflakesdozen – omhoog, die met lijm, plakband en nietjes aan halve plastic waterflessen waren bevestigd. Daar had Kate het oud papier voor bewaard. Ze had ook oude lapjes uit sokken en sweatpants verzameld voor een ander project. Ze had nieuwe recepten toegevoegd aan haar repertoire van kindvriendelijk koken: appels schillen en in partjes snijden voor appelmoes, vlees platslaan voor schnitzels. Ze benaderde de bezigheden van de jongens nu als haar eigen werk, in plaats van een onderbreking van dingen die ze eigenlijk moest doen.

'Geweldig,' zei Dexter aarzelend, terwijl hij het vreemde ding bekeek. 'Maar wat is het?'

'Een robot!' Alsof iedereen dat kon zien.

'Ach, natuurlijk. Wat mooi,' zei Dexter. 'Een fantastische robot.'

Hij draaide zich om naar Kate. 'Dus Julia's vader is op bezoek? En heb je oppas voor de kinderen?'

'Ze moet hier over een paar minuten zijn. We zouden om zeven uur naar het restaurant komen. Maar het is alleen Julia met haar vader. Bill kon niet. Of wilde niet.'

'Goed, dan.' Dexter draaide abrupt zijn pols om op zijn horloge te kunnen kijken. 'En waar zijn jullie mee bezig, jongens? Wat zullen we doen? Papa is nog even thuis voordat we uit eten gaan, dus we kunnen doen wat jullie willen.'

'Lego!'

Dexter leek zenuwachtig, geprikkeld en veel te druk. Alsof hij iets geslikt had. Zou hij drugs gebruiken? Dat zou een heel nieuwe en verrassende wending zijn.

'Oké. Lego. Kom mee!' Hij opende de kastdeur en pakte de gereedschapskist. 'Een van hun bureauladen zit los,' legde hij uit, zonder dat iemand hem ernaar vroeg. Kate was geen losse la opgevallen. En wat haar nog meer verbaasde was dat Dexter opeens ging klussen. 'Beginnen jullie maar vast met lego, dan doe ik iets aan die la.'

Dexter was helemaal geen doe-het-zelver.

'En wat brengt jullie tweeën hier? Naar Luxemburg?'

Ze zaten aan een hoektafeltje in een brasserie aan de Place d'Armes. Het plein werd volgebouwd met houten kraampjes voor de kerstmarkt, met rijen lampjes en kerstkransen. De geluiden van het getimmer en het zoemen van de draagbare aggregaten zweefden het restaurant binnen als de deuren opengingen, samen met een vlaag koude lucht. In Luxemburg hoefde je in de winter nooit je trui of je jasje uit te trekken. Tocht en kou lagen altijd op de loer.

'Mijn werk,' zei Dexter. 'Ik zit in bankzaken.'

'Bankzaken? Nee! Zijn er dan bánken in Luxemburg?' Lesters blozende jovialiteit en onschuldige sarcasme pasten helemaal bij zijn rol als vader van een vriendin. Hij had zijn golfkleren verruild voor een marineblauwe blazer, een geperste kakibroek en een button-down oxfordshirt. Rechtstreeks van zijn werk; alleen de das had hij in zijn Buick laten liggen. Een karikatuur van zichzelf.

'En waar kom jij vandaan, Les?' vroeg Kate.

'O, we hebben overal gewoond, nietwaar, Julia? Maar ik woon nu in de buurt van Santa Fe. Ben je daar ooit geweest?'

'Nee.'

'En jij, Dexter?'

Hij schudde zijn hoofd. Dexters maniakale energie leek uitgedoofd; hij was nu stil en timide.

'Een prachtige omgeving,' zei Les. 'Heel mooi.'

'Maar je komt uit Chicago?' vroeg Kate.

'Daar hebben we een tijdje gewoond, ja.'

'Dat ken ik ook al niet.'

'Hm. Maar je reist wel door Europa, neem ik aan? Dat doet iedereen, zegt Julia. Is dat zo?'

'Ik geloof het wel, ja.'

'Nou, ik ga nog naar... laat eens kijken... Amsterdam, Kopenhagen en Stockholm. Heb je nog tips voor me?' Les keek van Kate naar Dexter en weer naar Kate. Hij ging er blijkbaar van uit dat zij het woord voerde.

'Tips waarover?' vroeg ze.

'Hotels, restaurants, bezienswaardigheden, noem maar op. Dit is mijn eerste keer in Europa en het zal ook wel de laatste zijn. Ik wilde dit deel van de wereld toch zien voordat ik de pijp uit ga.'

Kate glimlachte. 'Maar van die drie steden zijn wij alleen in Kopenhagen geweest.'

Het eten kwam: grote borden met bruin en beige, schouderkarbonade en lamsschenkel. Kate kreeg er beboterde *spaetzle* én beboterde aardappels bij. De garnering van peterselie was het enige groen op de hele tafel.

'Waar hebben jullie gelogeerd?' vroeg Les. 'Goed hotel?'

'Niet slecht.'

'Hoeveel sterren?'

'Vier, denk ik. Misschien drie.'

'Dan maar niet, ben ik bang. Op mijn oude dag slaap ik alleen nog in vijfsterrenhotels.'

'Dan kan ik je niet helpen, Les.' Kate keek even naar Julia, die ook niet veel zei en schaapachtig keek.

'En restaurants?' vroeg Lester. 'Het is toch een stad waar je goed kunt eten?'

Ze glimlachte. 'We zullen je weer moeten teleurstellen, Les. Met de kinderen en een beperkt budget eten we echt niet in de duurste tenten.'

'Budget? Ik dacht dat al die bankiers hier in Luxemburg stinkend rijk waren.' Hij keek nu naar Dexter.

'Dat kan zijn,' zei Dexter, 'maar ik ben geen bankier. Ik werk wel voor banken, maar ik hou me vooral bezig met IT.'

'Met IT?' Les keek geschokt. 'Krijg nou wat.'

'Is dat zo raar?'

'Nee, helemaal niet, maar ik had nooit gedacht dat een Luxemburgse bank een Amerikaan zou inhuren voor hun IT.'

'Waarom niet?' wilde Dexter weten.

'De rest van de wereld is daar nu beter in. Toch?'

Dexter keek naar zijn eten. 'Het is voornamelijk beveiliging, wat ik doe. Ik ben consulent. Ik help banken hun systeem te beveiligen.'

'En hoe doe je dat?'

'Het belangrijkste is dat ik me verplaats in de gedachten van de aanvaller. Wat zou hij doen, en hoe? Ik probeer zelf een aanval uit te voeren en de zwakke punten te vinden waarvan een hacker gebruik kan maken. Ik vraag me af waar hij naar zoekt en hoe hij dat doet.'

'De zwakke punten van computers, bedoel je?'

'Ja. Maar ook menselijke zwakheden.'

'Zoals?'

'Als mensen niet meer op hun hoede zijn en personen gaan vertrouwen die ze beter niet kunnen vertrouwen.'

'Het manipuleren van mensen, bedoel je?'

'Ja.' Dexter en Lester keken elkaar aan. 'Dat bedoel ik.'

Na de seks had Kate de grootste behoefte om met Dexter te praten. Hem te zeggen dat Bill en Julia FBI-agenten waren. Hem te vertellen dat ze wist dat hij ergens over loog en dat ze een verklaring eiste.

Tijdens haar hele carrière bij de CIA had de intimiteit van de slaapkamer nooit een rol gespeeld. Maar nu begreep ze hoe nuttig het had kunnen zijn om seks te hebben met mensen om informatie los te krijgen. Als ze dat geweten had, vroeg ze zich af, zou ze zich dan in het verleden anders hebben gedragen?

Ze staarde naar het plafond van de slaapkamer, en weer lukte het haar niet een gesprek te beginnen, zelfs niet met een openingszin als: 'Lester is niet Julia's vader.'

Over twee dagen zou Dexter naar Londen gaan. Ze kon wachten.

18

'Je hoeft me niet te brengen,' zei Dexter, terwijl hij zijn spullen verzamelde. 'Ik kan ook een taxi nemen.' Met een snelle, agressieve beweging ritste hij zijn reistas dicht. 'Kom je zo graag op ons keurige kleine vliegveld? Of kan je niet wachten om me kwijt te zijn?'

'Ik tel de seconden,' zei ze, terwijl ze opzettelijk zijn blik ontweek.

Hij pakte zijn sleutelbos van het tafeltje in de gang en borg die in zijn computertas. Het was nog dezelfde zilveren ring die de makelaar hem had gegeven toen ze hun huis in Washington hadden gekocht, met zijn initialen gegraveerd op de ovale hanger. Kate had er ook een gekregen, maar die was al lang naar haar sieradenkistje verbannen. Je tartte het noodlot door met identieke sleutelringen rond te lopen.

Nu zaten de sleutels van hun Luxemburgse appartement aan Dexters ring, met twee onbekende sleutels die wel van zijn kantoor moesten zijn, en een kleintje van zijn fietsslot, dat hij zelden of nooit gebruikte. Plus een memorystick in een stevig, beschermend hoesje, beveiligd met een codering en een zelfdestructieve functie. Het was geen gewone USB-stick die je overal kon kopen, maar een speciale uitvoering.

'Dus je gaat naar Londen?' vroeg ze, terwijl ze de deur achter hen dichttrok.

'Ja.'

Beneden in de garage legde Dexter zijn computertas en de stevige Samsonite achterin, op de pas gewassen zwarte mat, die een paar weken geleden professioneel was gereinigd in de parkeergarage van het *centre commercial* in Kirchberg. Kate had er een afspraak voor gemaakt terwijl ze zelf ging winkelen – boodschappen, dvd's, speelgoed voor Kerstmis, en een twelve-pack nieuw ondergoed voor de jongens, die te snel groeiden om hun kleren langer dan een paar maanden te kunnen dragen; hun oude broekjes werden snel te krap, een beetje obsceen en gênant.

Kate opende haar portier, maar aarzelde toen, alsof ze op het laatste moment nog haar jas wilde uittrekken. Ze liep naar achteren, wierp een nerveuze blik naar haar man, bezorgd om de spiegels, hoewel ze wist dat zowel de zijspiegels als de achteruitkijkspiegel in een hoek stonden van waaruit Dexter haar onmogelijk zou kunnen zien.

Het licht in de garage werd automatisch uitgeschakeld door de timer. Het enige schijnsel kwam nog van de kleine lampjes in de auto, lichtpuntjes van een paar watt op plaatsen waar je je hoofd zou kunnen stoten of struikelen.

Kate boog zich over Dexters tassen en legde voorzichtig haar blauwe jas neer – dikke wol, met een zijden voering en koperen knopen. Ze hoestte even om het geluid te maskeren van de rits toen ze zijn nylontas opende. Stevig klemde ze de sleutels in haar vuist om te voorkomen dat ze rinkelden. Ze kuchte nog even toen ze de tas dichtritste, en liet de sleutelbos in haar zak glijden op het moment dat ze het portier dichtsloeg. Ze wilde al...

Dexter dook naast haar op. Kate hield haar adem in en bleef doodstil staan. Betrapt.

Hij keek naar haar, en zij naar hem, een paar seconden. Het leek een eeuwigheid. 'Wat doe je?'

Kate gaf geen antwoord; ze wist niets te bedenken.

'Kate?'

In het donker kon ze de uitdrukking op zijn gezicht niet onderscheiden.

'Kat?'

'Wat?'

'Mag ik er even bij?'

Ze deed een stap terug en Dexter opende de achterklep. Hij pakte zijn computertas en wierp nog een blik naar Kate. Het lampje achterin ging aan en ze zag eindelijk hoe hij keek: verbaasd en bezorgd. Kate stond nog steeds als verlamd. Wat ging er gebeuren hier – met haar, met haar hele leven?

Dexter ritste zijn tas open en stak zijn hand erin. Weer keek hij vragend haar kant op, terwijl hij iets zocht in zijn tas. Hij fronste zijn voorhoofd.

Kate kon geen vin verroeren.

Eindelijk haalde Dexter zijn arm weer uit de tas en keek naar het ding in zijn hand: een stuk plastic met een snoer eromheen gewikkeld.

Nog altijd stond ze als verstijfd, niet in staat zich te bewegen.

'Ik dacht dat ik mijn oplader was vergeten.' Hij hield hem omhoog, als bewijs. Een geweldige opluchting voor hen allebei, maar om heel verschillende redenen.

Kate wankelde naar de voorkant van de auto en liet zich achter het stuur vallen. Met trillende handen startte ze de motor, zette de koplampen aan en gebruikte de afstandsbediening om de garagedeur te openen. Ze schakelde de versnelling in terwijl Dexter nog met zijn gordel bezig was.

Kate had in haar leven tegen heel wat mensen gelogen, heel uitvoerig. Het had soms maar weinig gescheeld of ze was betrapt. Maar het lag toch heel anders als het je eigen man was en je niet langer over jezelf loog, maar over hem. Dit was geen spelletje meer, maar het echte leven; daar kon ze haar ogen niet voor sluiten.

'Gaat het?' vroeg Dexter.

Kate vertrouwde haar stem nog niet en knikte.

Het ritje naar het vliegveld duurde tien minuten. Dexter deed een halfslachtige poging tot een gesprek, maar Kate bromde wat. Ten slotte gaf hij het op en gunde haar haar stilzwijgen.

Via een krappe rotonde bereikte ze de efficiënte kleine luchthaven. Het was maar een minuutje lopen van het terrein voor kortparkeerders naar de vertrekhal. Er stond bijna nooit een rij, en niemand hoefde te wachten bij de beveiliging. De afstanden hier werden gemeten in een paar stappen, niet in de kilometers die je op Dulles of Frankfurt nodig had. Alle gates waren bereikbaar binnen twintig minuten vanaf hun voordeur.

'Dank je,' zei Dexter. Met een snelle kus en een glimlach stapte hij uit. Om hen heen op het parkeerterrein sprongen ook andere mannen uit Duitse auto's, met tassen in hun hand, terwijl ze naar hun paspoort zochten en hetzelfde zeiden als Dexter nu: 'Tot over een paar dagen', met hun gedachten al bij andere zaken.

Kate stapte naar buiten op het moment dat haar telefoon ging. Julia Maclean, voor de zoveelste keer. Kate negeerde het telefoontje, opnieuw.

Ze ging op weg in een miezerige decemberregen, net iets te warm voor sneeuw, en nam dezelfde route als de vorige keer, toen ze Dexter naar zijn kantoor was gevolgd. Het was ook de weg naar haar Franse les, naar de kwaliteitsslager en naar het postkantoor, het begin van haar dagelijkse omzwervingen, haar honderden kleine missies als huisvrouw. Maar vandaag was ze iemand anders.

Vastberaden liep ze de lobby door, zonder een blik naar de beveiliger, drukte op de knop van de lift en steeg naar de tweede verdieping met twee Italiaanse bankiers die naar de vierde moesten. Ze wist niet waar Dexters deur moest zijn – de eerste keer was ze niet achter hem aan gegaan met de lift – maar ze vermoedde dat ze geen bordje of naamplaatje zou vinden. Algauw ontdekte ze zo'n deur, aan het einde van de tl-verlichte gang. De eerste sleutel die ze probeerde paste al op het slot, heel gemakkelijk, en ze duwde de deur open.

Kate stapte een halletje binnen, vaag verlicht, met een volgende deur een meter verderop. Er was hooguit ruimte voor twee personen, maar de hal was duidelijk bedoeld voor één.

Aan de tegenoverliggende muur zag ze een toetsenbord met rood oplichtende cijfers.

Hoeveel combinaties zou ze mogen proberen? Wanneer zou het systeem zichzelf uitschakelen, na drie verkeerde pogingen, of twee? Zou ze zich zelfs maar één keer mogen vergissen voordat het slot blokkeerde of een sms naar zijn telefoon of een mailtje naar een account stuurde?

Allerlei nummers en suggesties gingen door haar hoofd: hun trouwdag, de verjaardagen van de kinderen, zijn eigen verjaardag of de hare, of die van zijn vader of moeder, het telefoonnummer uit zijn jeugd, een van die nummers achterstevoren, of volgens een vervangende code...?

De enige kans voor Kate om de juiste combinatie te raden was als hij wel héél dom zou zijn.

Ze was alweer thuis toen haar mobiel ging. Het was een onbekend nummer, een hele reeks cijfers, waarschijnlijk uit een ander land.

'*Bonjour.*' Ze wist niet waarom ze in het Frans opnam.

'Met mij.'

'O, hallo.'

'Ik ben mijn sleutelbos vergeten,' zei Dexter. 'Of misschien wel verloren. Nog erger.'

'O?'

'En ik heb iets nodig van de flashdrive aan die sleutelbos.'

Ze keek naar zijn sleutels, in het stenen schaaltje op de tafel in de gang, de plek waar ze hoorden te liggen als hij ze – bewust of onbewust – ergens had neergelegd.

'En nu?' vroeg ze, zo neutraal mogelijk, zonder emotie, niet betrokken bij zijn persoonlijke problemen.

'Ben je thuis?' vroeg hij.

'Ja.'

'Kun jij ze zoeken?'

'Waar?'

'Waar ik ze altijd neerleg.'

'Oké.' Ze liep de gang door, bleef bij het tafeltje staan en staarde naar de sleutels in het schaaltje. 'Nee, hier liggen ze niet.'

'Kun je in de auto kijken? Misschien zijn ze uit mijn tas gevallen toen ik mijn oplader zocht.'

'Goed.' Ze daalde af naar de kelder en keek in de lege kofferbak. 'Ja, hier zijn ze.'

'Goddank.' Zijn stem kraakte; de ontvangst was niet best, hier in de garage.

Kate gaf geen antwoord en liep terug naar de lift.

'Hoor eens,' begon hij, maar hij ging niet verder.

'Ja?'

Waarschijnlijk dacht hij na. Ze gaf hem alle tijd. 'Wil je me een plezier doen?'

'Natuurlijk.'

'Loop met die sleutelbos naar de computer.'

'Momentje.' Kate liep naar de logeerkamer en ging achter de laptop zitten. 'Oké.'

'Staat de computer aan? Steek die stick erin.'

Ze stak de memorystick in de laptop. 'Is gebeurd.'

'Oké. Dubbelklik erop.'

Een dialoogvenster opende zich.

'De gebruikersnaam,' zei hij, 'is AEMSPM217, het wachtwoord MEMCWP718.'

Wat, in vredesnaam...? Haastig noteerde ze de cijfers en letters voordat ze ze intoetste, om een referentie te hebben. De combinaties waren te ingewikkeld om te onthouden. Bliksemsnel probeerde ze te bedenken waar de codes op sloegen, maar tevergeefs. Ze zeiden haar helemaal niets. 'Wat zíjn dat voor nummers?'

'Ze komen uit een *random-number generator*, zuiver willekeurig. Ik heb ze uit mijn hoofd geleerd.'

'Waarom?'

'Omdat het de enige manier is om een code te produceren die niet te kraken is. Wil je nu dubbelklikken op het bovenste icoontje? Die blauwe I.'

Er verscheen een applicatie. Een onbekend logo lichtte op, gevolgd door een klein venster, en nog een serie onbegrijpelijke letters en cijfers.

'Lees maar voor.'

'Is dit ook willekeurig gegenereerd?'

Hij gaf geen antwoord.

'Waar heb je dat voor nodig?'

'Toe nou, Kat.'

'Verdomme, Dexter, je vertelt me ook níéts.'

Hij zuchtte. 'Dit is een programma dat dynamische wachtwoorden genereert. Zo ontsluit ik mijn computer. Elke dag een nieuwe code.'

'Is dat niet een beetje belachelijk?'

'Dat is mijn wérk, Kat. Vind je dat belachelijk?'

'Nee, ik... Dat bedoelde ik niet. Sorry.'

'Oké. Wil je dan nu de code oplezen, alsjeblieft?'

'CMB011999.' Ze noteerde het terwijl ze het oplas, en hij herhaalde het.

'Waarom houd je dit programma niet op je computer?'

Hij zuchtte weer voordat hij antwoord gaf. 'Het is heel belangrijk om de componenten van een gelaagd beveiligingssysteem te verspreiden. Hoe goed je beveiliging ook is, iedere computer – ook de mijne – kan worden gehackt. Of gestolen. Door de politie in beslag worden genomen. Een computer kan exploderen of imploderen. In brand worden gestoken met een liter kerosine, met een zware golfclub in elkaar worden gemept, met een draagbare laag-voltage elektromagnetische puls worden gewist.'

'O.'

'Daarom leer ik die willekeurig gegenereerde codes uit mijn hoofd en gebruik ik dynamische wachtwoorden die uit een extern apparaat afkomstig zijn. Is je nieuwsgierigheid nu voldoende bevredigd?'

'Ja.'

'Geweldig. Kan ik dan doorgaan met mijn werk?'

Ze hingen op. Kate staarde naar de dialoogvensters en sprong uit haar stoel.

Buiten waren de klinkers nog altijd glibberig en hing er een dichte, kille mist. Ze ging op weg door de stille straten vlak bij huis en stak de sombere Place du Théâtre over, de betonnen vlakte van het openbare parkeerterrein naast het kleine theater, naar de smalle, door bomen omzoomde stoepen van de Rue Beaumont. Nerveus liep ze langs de winkels met dure kinderkleren, dure chocola en duur antiek, passeerde dure vrouwen die gingen lunchen in dure restaurants, Japans of Italiaans, en kwam ten slotte weer uit op de saaie Boulevard Royal.

Daar trok ze haar handschoenen aan.

Terug in de betonnen bunker van het kantoorgebouw. De lege lift, de lange, grijze gang, het kleine, donkere halletje. De vingers van haar rechterhand bleven boven het oplichtende toetsenbordje zweven. Ze voelde de elektriciteit van de toetsen, die naar haar vingertoppen sprong en door haar heen stroomde. Een tinteling van verwachting.

De combinatie die ze nodig had zou niet de code van vandaag kunnen zijn. Dexter zou niet op zijn flashdrive vertrouwen om zijn kantoor binnen te komen. Het zou – nee, het moest – iets zijn wat hij uit zijn hoofd kende, elke dag dezelfde code. Het kon niets anders zijn dan het wachtwoord dat hij haar zopas had genoemd, met tegenzin. Daarvan had Kate zichzelf nu al tien of twintig keer overtuigd tijdens de korte wandeling hiernaartoe. Het móést hetzelfde wachtwoord zijn.

Was het mogelijk dat ze bij het invoeren van een verkeerd wachtwoord in dit kleine halletje zou worden ingesloten totdat de politie arriveerde? Of dat ze zou worden *geëlektrocuteerd*?

Ze hoefde niet eens meer op het strookje papier in haar linkerhand te kijken. Ze toetste de M in, toen de E, en ten slotte achter elkaar de letters MCWP en het getal 718.

Ze drukte op de toets met de groene pijl en wachtte...

'Code bon.'

Ze hoorde de klik van het slot, ademde diep uit en duwde de deur open.

Weer stond ze in het privékantoor van een man, een afgesloten werkkamer, verborgen voor zijn vrouw of zogenaamde echtgenote. Papieren en ingelijste foto's van Kate en de jongens, apart en met elkaar. Zelfs een trouwfoto, zwart-wit, een onbekende afdruk waarvan Kate niet wist dat hij die bezat en al helemaal niet dat hij hem had laten inlijsten, uit Amerika had meegenomen en hier aan deze geheime muur had gehangen. Het was een opluchting voor haar, die foto, het bewijs dat er toch iets goed zat.

Een bureau, een pc, een telefoon, een ingewikkeld ogende calculator, een printer. Alle gebruikelijke dingen, pennen, een nietmachine, dossiermappen, memoblaadjes, paperclips en binders.

Boekenkasten vol archiefdozen met grote etiketten waarop teksten stonden geschreven als TECH, BIOMED, MFTG en ONR GOED DERIV. Stapels kranten, *The Financial Times* en *Institutional Investor*.

Ze begreep niets van al die dingen. Of beter gezegd, ze begreep ze wel, maar wat deden ze hier?

Kate ging in de hoge, ergonomische draaistoel zitten, met een ademend frame en instelbare hoogte. Haar blik gleed over het scherm, het toetsenbord, de muis, de speakers, de koptelefoon, de externe harde schijf en een merkwaardige trackpad.

Ze zette de computer aan, luisterde hoe hij zoemend tot leven kwam en zag het scherm oplichten. Bij de prompt voerde ze de gebruikersnaam en het wachtwoord in. Met ingehouden adem wachtte ze af of de laptop en de computer dezelfde beveiliging hadden. Dat móést zo zijn.

En dat was ook zo.

Het scherm knipperde van zwart naar wit, de harde schijf zoemde en er opende zich een dialoogvenster met een rood uitroepteken en een instructie: WACHTEND OP DUIMAFDRUK.

Kate keek naar die vreemde trackpad op het bureau en begreep de functie ervan. Opnieuw verslagen.

Ze zette de computer uit.

Kate bleef voor de boekenkast staan, opende de archiefdozen en bladerde de dikke dossiers door met professioneel geprinte rendementsverslagen, prospectussen, beleggingsbrochures, notulen van aandeelhoudersvergaderingen, schema's en aandelencurves op glanzend papier, x- en y-assen, grote snoeverige getallen in de benedenhoek, bedragen van honderden of zelfs duizenden miljoenen.

Er waren spreadsheets en grafieken bij op A4-formaat, geannoteerd en opgevouwen, met ezelsoren en correcties. Getallen omcirkeld, pijlen getrokken, opmerkingen in de marge gekrabbeld.

Dit kantoor? Dit was niet het kantoor van een beveiligingsspecialist, maar de werkkamer van een investment banker, een vermogensbeheerder of een beleggingsadviseur. Dit was de werkplek van iemand die heel andere dingen deed dan haar man, iemand die haar echtgenoot niet kon zijn.

Kate keek weer om zich heen. Haar blik ging over de keurig uitgelijnde bovenranden van de ingelijste foto's, de ramen die op het trage verkeer uitkeken, en het kantoorgebouw aan de overkant, net zo lelijk, maar naar een andere architectonische modegril. Toen zag ze haar eigen spiegelbeeld, dat haar afleidde van het werkelijke uitzicht. Opnieuw keek ze de kamer rond, dit verborgen kantoortje, deze binnenwereld met al zijn hoeken. En in een van die hoeken zag ze iets, onder het plafond, waar twee muren bij elkaar kwamen. In paniek, blinde paniek, draaide ze zich om, eerst naar de verkeerde hoek, toen pas naar de goede, waar het ding was opgehangen. Ze deed er een stap naartoe, en nog een, totdat ze het herkende en zeker wist dat ze zich niet vergiste. Met grote ogen staarde ze omhoog naar dat apparaatje in de hoek, dat terugstaarde – een cirkeltje van glas, niet groter dan een muntje, met een plastic kapje eromheen.

Een videocamera.

Veertig minuten later zat ze in haar auto en wachtte weer tot het drie uur zou worden. De motregen was een plensbui geworden, ijzig en onvermurwbaar.

Ze keek hoe andere moeders naar de school renden, met paraplu's boven hun hoofd, terwijl ze hun regenjassen nog strakker om zich heen trokken. Het water droop van het nylon en het met rubber gecoate canvas. Sommige vrouwen hadden peuters en baby's bij zich, op de arm of in buggy's die ze door de koude zondvloed duwden. Vreselijk.

Vanwege de regen was de hele kudde wat meer op tijd. Bij mooier weer arriveerden de vrouwen op willekeurige momenten vanaf halfdrie. Bij mooier weer viel het minder op dat ze een kudde waren.

Die videocamera...

Elke minuut gingen Kates gedachten wel een keer naar die camera. Wanneer zou Dexter de beelden bekijken? Gaf de camera rechtstreekse beelden door die ergens werden gevolgd – en door wie, en hoe regelmatig? Of werd alles opgeslagen? Kon Dexter op afstand meekijken, vanuit Londen? Of moest hij wachten tot hij in Luxemburg terug was, op kantoor, wat nog wel twee weken ging duren, tot na nieuwjaar?

Waren al die papieren dossiers wel van hem, of van zijn cliënt, wie dat ook mocht zijn? Misschien was de camera wel opgehangen door diezelfde cliënt. De hele, onzinnige inhoud van dat kantoor zou niet eens van Dexter hoeven zijn.

Kate stapte uit haar auto met een hele batterij raadselachtige vragen in haar hoofd en sloot zich aan bij de kudde voor de school net toen de eerste kinderen door de glas-met-stalen klapdeuren werden losgelaten. Eindelijk vrij, stampten ze door de plassen, zonder zich iets aan te trekken van het slechte weer of wat dan ook.

Wanneer zou ze worden betrapt? En door wie?

Het voordeel van de twijfel, dat was het zinnetje dat voortdurend door Kates hoofd spookte. Die twijfel moest ze Dexter gunnen, en hij haar. Dat hoorde in de eed van huwelijkse trouw te staan, veel belangrijker dan voor- en tegenspoed, ziekte en gezondheid, rijke en arme tijden, tot de dood u scheidt. Het voordeel van de twijfel.

Hoe moest ze haar gedrag verklaren? Welke reden kon ze hem

geven voor haar heimelijke tocht naar zijn kantoor, de diefstal van zijn sleutels, haar inbraak, haar gesnuffel?

Misschien kon ze de farce volhouden dat zijn sleuteltjes in de kofferbak waren gevallen en dat ze zich niet had kunnen beheersen toen hij haar de codes had gegeven over de telefoon.

Of ze zou in de aanval kunnen gaan. Als hij niet zo geheimzinnig had gedaan, zou zij nooit zijn privacy hebben geschonden. *Als jij me eindelijk iets had verteld, wat dan ook, zou ik die behoefte niet hebben gevoeld. Het is allemaal je eigen schuld!* zou ze hem kunnen toevoegen. *Je hebt me er zelf toe gedwongen.*

Maar hoe, in vredesnaam, zou ze hem kunnen uitleggen dat ze wist waar zijn kantoor was?

En als ze de hele situatie omdraaide: wat had hij zélf eigenlijk voor verklaring?

Misschien deed hij wel gewoon wat hij beweerde, was hij beveiligingsconsulent voor een bank, werkte hij uitsluitend elektronisch en stond al zijn werk, al zijn informatie, op die computer waar ze niet bij kon. Niets op papier, om beroepsmatige redenen. En al die dossiers dan in zijn kantoor? Allemaal bijzaak, liefhebberij.

Of? Of wat?

Dexter stortte iedere maand een aanzienlijke hoeveelheid geld op hun privérekening, en hij nam geen verdachte bedragen op. Iemand betaalde hem dus ergens voor. Maar wie?

En dan was er natuurlijk het vreemde 'toeval' dat Bill en Julia door de FBI aan Interpol waren uitgeleend, waarschijnlijk om een onderzoek in te stellen naar haarzelf of Dexter. Waarom?

Kate had zo lang een leven geleid waarin niemand de waarheid over haar wist, of wie ze werkelijk was. Nu waren de bordjes verhangen en stonden al die mensen aan de andere kant – onbekend en geheimzinnig. In elk geval besefte Kate dat ze alles wat ze ooit over haar man meende te weten nu heel kritisch moest onderzoeken.

Ze boog zich over de jongens en maakte hun gordels vast. Het harde metaal van de gespen voelde koud aan haar handen en groef in haar vlees.

Natuurlijk zou Dexter volkomen onschuldig kunnen zijn. Voor zijn werkplek waren allerlei verklaringen denkbaar waaraan ze zelf al had gedacht, of redenen die nooit bij haar waren opgekomen. En misschien was zij zelf wel schuld aan alles en maakte Interpol jacht op haar. Vanwege Torres.

Ze liet zich weer achter het stuur zakken.

Wat ze niet begreep was hoe dat incident uit haar verleden iets met het huidige onderzoek te maken kon hebben. Er moesten bewijzen tegen haar zijn van vijf jaar oud, of niet. Haar leven in Luxemburg stond totaal los van die gebeurtenis in New York, die ze zo diep had willen begraven – de reden waarom ze geen officier operaties meer had kunnen zijn, het moment waarop ze besefte dat ze niet langer sterk en rationeel genoeg was om objectief te blijven. Vanaf dat ogenblik kon ze haar paniek als moeder niet meer scheiden van haar werk en niet langer op haar juiste reflexen vertrouwen. Sterker nog, ze was zélf niet langer te vertrouwen. Ze had ontslag moeten nemen, en dus had ze dat gedaan.

Maar dat veranderde niets aan wat er was gebeurd – het deel van haar verleden dat ze nooit meer zou kunnen ontlopen.

19

De ambassadeur stond achter in de ontvangsthal, naast een ronde tafel met een overdreven grote vaas, gevuld met een torenhoog assortiment van bloemen, takken, stengels, bladeren en bloesems in alle kleuren, vormen en afmetingen, die grillig alle kanten op staken. Een anarchistische schikking – geen schikking eigenlijk.

'Welkom,' zei hij. 'Ik ben Joseph Williams.' En hij stak Dexter zijn hand toe. 'Dit is mijn vrouw, Lorraine. Ik stel het erg op prijs dat jullie naar ons jaarlijkse kerstfeest konden komen.'

Ze schudden elkaar de hand, twee setjes van twee, in een ongemakkelijke X, met een geforceerde glimlach.

'Ach, natuurlijk,' zei de vrouw tegen Kate. 'Wij kennen elkaar al.' Ze knipoogde, alsof ze een geheim deelden, een geschiedenis. Maar het betekende helemaal niets; deze vrouw was gewoon gewend te knipogen.

'Absoluut,' zei Kate, die zich vaag een koffieochtend herinnerde, misschien op school. Die waren er zo veel geweest. Altijd koffie, overal.

'En, Dexter?' vroeg de ambassadeur. 'Jullie wonen hier pas?'

'Bijna vier maanden.'

'Dat is al een eeuwigheid in Luxemburg, nietwaar?' De ambassadeur schudde van het lachen om zijn eigen grap, die eigenlijk geen grap was en ook niet geestig. 'Wij zijn hier nu twee jaar, maar het lijken er wel twintig. Ja toch, schat?' De ambassadeur verwachtte geen antwoord en kreeg dat ook niet. Hij legde een bezorgde hand op Dexters schouder. 'Heb je je weg al gevonden?'

Dexter knikte, zichtbaar vermoeid. Hij was net een uurtje terug uit Londen en had nog niet de tijd gehad naar zijn kantoor te gaan sinds Kate daar was geweest om te spioneren en door een beveiligingscamera was betrapt. En ook de komende anderhalve week zou hij die kans niet krijgen. De volgende morgen zouden ze naar Genève vertrekken.

'Mooi, mooi,' zei de ambassadeur. 'Nou, we zijn blij dat jullie konden komen vanavond. We hebben maar zo weinig gelegenheid om de hele Amerikaanse gemeenschap hier bijeen te krijgen. Neem iets te drinken. De *crémant* vloeit rijkelijk.' Hij lachte weer, met blozende wangen en een beetje vochtig, om zijn volgende mislukte grap. De man was dronken of onnozel, misschien wel allebei.

Kate en Dexter namen beleefd afscheid toen het volgende stel arriveerde, met een vlaag koude lucht van buiten. De dreunende, geforceerd joviale stem van de ambassadeur volgde hen naar de zitkamer, met tuttige meubels en kostbare snuisterijen, kleine bronzen beeldjes en plaquettes, gegraveerd glas en ingelegd mahonie, en een overvloed aan kussentjes op de gestreepte zijden bekleding.

'Hé, hallo daar.' Amber kwam naar hen toe met een andere vrouw, die uit een onwaarschijnlijk deel van Amerika kwam, als Kate het zich goed herinnerde. Oklahoma? Ze praatte veel over de kerk. En ze vond alles super. Ze was superblij dat ze die superschattige blouse had gekocht in dat superhippe winkeltje.

'Hallo,' zei de vrouw, wat te luid. Ze struikelde half en morste wijn. 'Oeps!'

'Jezus,' fluisterde Dexter in Kates oor. 'Wanneer is deze fuif begonnen? Gisteren?'

'Ik ben Mrrrnda,' zei de vrouw tegen Dexter. 'Hoestie?'

'Miranda?' vroeg Dexter.

'Yep.'

'Hoe gaat het? En hoe is de *crémant*?'

'Superlekker.'

Kate wierp een blik door de kamer en zag voornamelijk onbekende gezichten. De party werd gedomineerd door het aanzienlijke contingent chauvinistische Amerikanen die nooit iets anders wilden zijn en zich gedroegen alsof ze er niet zelf voor hadden gekozen naar Europa te gaan maar tegenstribbelend waren gedwongen en zich nu dapper verzetten. Echte vrijheidsstrijders.

Kate had juist besloten om vriendschap te sluiten met de niet-Amerikanen, al die mensen uit andere delen van de wereld, die ze in Europa tegenkwam. Behalve Julia dan, die zich op de een of andere manier in Kates leven had gewurmd, alsof ze een missie had.

Een ober verscheen met een zilveren blad met hamrolletjes. Iedereen schudde zijn hoofd, niet geïnteresseerd in de man en zijn gerookte vlees.

Kate ontdekte Julia in de aangrenzende kamer, waar ze de gelegenheidsfoto's aan de muur bekeek. Kate speurde naar Bill. Haar blik gleed over de pieken en dalen van enkele tientallen hoofden rond een buffettafel en een bar. Bill stond in een hoek, met een knappe vrouw die hem iets leek toe te sissen, woedend maar beheerst. Bill keek een beetje berouwvol, of eerder alsof hij vónd dat hij berouwvol moest kijken.

Jane, zo heette de knappe vrouw. Een alledaagse naam voor een weinig alledaagse dame. Ze droeg een mooie groene jurk, strak en laag uitgesneden, met blote schouders. Ze deed iets in het bestuur van de American Women's Club en haar man was eerste secretaris of iets dergelijks op de ambassade. Een elitair Amerikaans stel.

Opeens drong het tot Kate door. Jane was de vrouw die ze vanuit München had gebeld om het telefoonnummer te proberen dat ze in Bills kantoor had gevonden. Kate was ooit eens bij haar thuis geweest op een koffieochtend. Daar had ze ook de vrouw van de ambassadeur ontmoet.

Kate liep naar de woonkamer, in Julia's richting. Een gesprek was toch niet te vermijden, dus wilde Kate er liever greep op houden.

Julia voelde haar aankomen, of zag haar weerspiegeling in een fotolijstje. Toen Kate vlakbij was, draaide ze zich langzaam om. Ze kusten elkaar vluchtig op de wang, links en rechts. Kate rook gin, heel duidelijk. 'Vrolijk kerstfeest,' zei Julia.

'Jij ook.'

'Waar heb je gezeten? Ik heb je nauwelijks gezien.' Julia had een paar boodschappen ingesproken waarop Kate niet had gereageerd. Ze wist niet hoe ze met Julia moest omgaan na alle informatie die ze nu over haar bezat.

'Ach, de feestdagen, je weet hoe dat gaat.' Kate legde het niet uit en Julia vroeg niet verder. Hoewel ze vanuit een verschillende positie opereerden, wisten ze allebei dat hun relatie niet helemaal oprecht was. Dat hield ook in dat de ene vrouw de andere kon ontwijken zonder nadere uitleg – eerlijk of niet.

'Ik vond het leuk om je vader te ontmoeten.'

Julia glimlachte. 'Dank je. Hij overviel me een beetje.'

'Ah.'

'Dus jullie vertrekken naar Zuid-Frankrijk?' vroeg Julia. 'Een heerlijke vakantie, lijkt me.'

'O nee,' zei Kate. 'We zijn van gedachten veranderd.'

'Heus?' Een bepaalde klank in Julia's stem en de overdreven frons op haar voorhoofd gaven Kate het idee dat dit geen nieuws voor haar was.

'We gaan skiën.'

'Skiën? Dat meen je niet! Wij ook.'

Het laatste wat Kate had gehoord was dat Bill en Julia met de feestdagen naar huis zouden gaan, terug naar Chicago. 'Waar gaan jullie dan heen?' vroeg Kate. Opeens wist ze zeker wat het antwoord zou zijn op die vraag.

'De Franse Alpen. De Haute-Savoie.'

Ja, hoor. 'Jullie ook?' Kate probeerde enthousiast te klinken, maar dat lukte niet helemaal. Een deken van paranoia viel over haar heen.

'Niet te geloven! Laten we dan samen gaan. Dan kunnen we samen skiën. Dat zal Bill leuk vinden!'

Kate glimlachte geforceerd. 'Dexter ook.'

'Dexter ook wát?' vroeg Dexter, die naar hen toe slenterde. 'Ook knap?' Hij boog zich naar Julia en kuste haar op de wangen. 'Ook sexy?'

Julia stompte hem zachtjes tegen zijn borst. 'Dexter zal het ook leuk vinden dat we allemaal samen naar de Alpen gaan.'

Hij keek snel naar zijn vrouw, met een beschuldigende blik in zijn ogen.

'Ik weet wat je denkt,' protesteerde Kate, 'maar het is géén samenzwering. Ik wist hier helemaal niets van. Nee toch, Julia? Leg het hem uit.'

'Ze wist van niets,' beaamde Julia. 'Echt niet. Bill en ik hadden het pas op het laatste moment besloten. Twee dagen geleden.'

'Dat lieg je,' zei Dexter, half als grapje, half serieus. 'Ik word omringd door vrouwen die tegen me liegen.'

Niemand at veel. De mensen namen wat hapjes, maar niemand ging zitten; daar was niet echt een moment voor, dus bleven de vorkjes grotendeels onaangeroerd. De snacks verdwenen met de vingers naar binnen en verder werd er vooral gedronken.

Kate wist niet of ze nou vijf glazen wijn had gehad of zes. De easy-jazz piano had plaatsgemaakt voor lichte classic rock, zachtjes op de achtergrond. Iemand zette het geluid wat harder. *Hotel California: 'You can never leave'.*

Ze stond in het midden van de kleine zitkamer, een beetje tollend op haar benen. Ondanks de alcoholische nevel had ze toch heldere momenten en zag ze iets wat een alternatieve werkelijkheid leek, waarin geen van deze mensen was wie ze beweerden te zijn. Zoals Kate zich ook jarenlang voor een ander had uitgegeven.

In elk geval leek het er steeds meer op dat Dexter heel iemand anders was dan ze had gedacht. Wat waren dat voor dossiers in zijn kantoor? Waar was hij mee bezig?

Kate keek om zich heen en zag Julia in een hoek gedrongen door een van de vaders van school, die volgens iedereen gay was, maar nog niet uit de kast. Bill was nergens te bekennen, evenmin als Jane.

Kate pakte een verse, overtollige flûte uit een groepje dat als omgekeerde kegels op de bar stond opgesteld. Bewust nonchalant slenterde ze terug door de kleine zitkamer en streek met haar wijsvinger langs de bovenkant van de koude, gladde, glazen, koperen of zilveren snuisterijen die ze onderweg tegenkwam. Toen ze de hoek omsloeg naar de gang haalde ze haar telefoon uit haar tas en drukte op een toets om het schermpje te verlichten. 'Ja,' zei ze tegen een denkbeeldige gesprekspartner, 'alles goed daar?' De bewaker in het donkere pak bij de deur keek haar kant op en ze wierp hem een verontschuldigende glimlach toe. 'Nee, schat,' protesteerde ze in de telefoon, 'dat geeft niets. Vertel me nou maar wat er aan de hand is.' Ze wilde de bewaker het gevoel geven dat hij te veel was, dat hij haar privacy schond door mee te luisteren naar het persoonlijke probleem dat zij met haar 'schat' besprak. De man tuitte zijn lippen, draaide zich om en liep de gang uit naar de keuken, het kantoor of waar dan ook, om de vrouw wat ruimte te geven. Een handige vorm van manipulatie.

'Natuurlijk,' zei Kate op een toon die droop van bezorgdheid en meegevoel. Schat was ziek. Ze liep de trap op, geluidloos over het dikke rode kleed, onzichtbaar voor iedereen. Op de bovenverdieping gekomen, kon ze twee kanten op. Het ene gedeelte van de gang was vaag verlicht, het andere donker. Ze koos de donkere kant. Alle deuren stonden open, maar nergens brandde licht en er viel geen schijnsel in de gang. Langzaam en voorzichtig stapte Kate de eerste kamer binnen, een kleine, bijna lege slaapkamer. De gordijnen waren dicht, de duisternis bijna totaal. Ze vertrok weer.

Een deur aan het einde van het schemerige gedeelte ging open en een fel licht viel naar buiten. Kate zag een been, een kous en een hak. Haastig stapte ze weer terug, de slaapkamer in.

'Ach, klets toch niet,' hoorde ze de vrouw sissen. 'Dit is de kerstfuif, Lou. Daar hoor je te zijn!' Het telefoongesprek verdween de trap af.

Kate liep verder naar de volgende kamer, die groter was, een kantoor met een bureau, een bank en een koffietafel. Een studeerkamer. De gordijnen waren open, en het licht vanaf de straat viel door de kale takken van de bomen over een van de muren, waar het een motief vormde als van een houtgravure. In die halfverlichte wand zat een deur die op een kier stond.

Kate hoorde iemand hijgen.

Ze tuurde door de deur naar de vloer van de inloopkast, waar het meeste licht viel, en zag een verfrommelde broek boven een paar mannenschoenen. Een kous om een kuit, half in de lucht gestoken, een snelle glimp van de duisternis tussen twee gespreide dijen, een kromme, glinsterende, geaderde indringer die langzaam werd teruggetrokken voordat hij weer toe stootte. Daarboven de omhoog gesjorde rok, de losgeknoopte blouse, de blote tepel, de gebogen hals, de open mond, de gespreide neusvleugels en de stijf dichtgeknepen ogen.

'Unghhh,' kreunde de vrouw. De man bracht snel zijn hand omhoog en legde die over haar mond. Hij liet zijn duim tussen haar lippen glijden en de vrouw nam hem tussen haar tanden; het glazuur glinsterde.

Kate stond als verstijfd. Ze kon niets anders doen dan kijken en luisteren. Ze kon het zelfs ruiken.

De vrouw kreunde en kneep haar ogen nog stijver dicht, boog haar hoofd nog verder naar achteren.

Kate kon zich niet van het tafereel losrukken.

'O god.' De vrouw begon te kronkelen. Haar hoofd rolde de zwakke lichtcirkel in en uit. Er was nauwelijks genoeg licht om te bevestigen dat het Jane was. Met Bill, uiteraard.

Kate sloop weg, terug naar de deur, zo langzaam en geruisloos mogelijk, heel voorzichtig... bijna... nog één stap...

'Shit!' riep Bill.

Kate stapte de gang in en hoorde Jane fluisteren, zacht en hees: 'Wat?' En toen nog eens: 'Wát?'

Kate rende de donkere gang door en de goed verlichte trap af. Haar voeten gleden bijna weg over het dikke kleed. De bewaker keek op en wilde protesteren, maar hij wist niet wat hij moest zeggen. Kate glipte langs hem heen, de gang door. Ze zou zich even op het toilet verbergen. Maar toen ze haar hand op de deurkruk legde, gaf die niet mee. Op slot.

Aan het eind van de gang was een klapdeur met een koperen paneel. De keuken. Kate deed een stap die kant op, maar op hetzelfde ogenblik ging de deur al open. Ze bleef roerloos staan.

De deur opende zich verder en ze hoorde een man lachen, een vrouw giechelen. En allebei die stemmen waren haar bekend, héél bekend zelfs. De deur zwaaide nu helemaal open en de man stapte de gang in, gevolgd door de vrouw.

Dexter. Met Julia.

'Kate!' riep Julia, met de valse vrolijkheid van een vrouw die wilde voorwenden dat ze niets verkeerds had gedaan.

Dexter had een hoogrode kleur.

Kate had de behoefte haar aanwezigheid te verklaren, maar het was juist dit tweetal dat haar een uitleg schuldig was. Dus hield ze haar mond.

'Hé,' zei Dexter, kort en weinig overtuigend, maar geen bewijs van schuld.

Kate keek van de een naar de ander, haar man en haar zogenaamde vriendin. Dit kwam niet uit de lucht vallen, maar toch was het onverwacht. In elk geval had Kate het niet verwacht van Dexter.

Daar stonden ze dan, op de gang, met hun drieën. Elke seconde leek een eeuwigheid te duren. Julia zei niets meer, evenmin als Dexter. En bij elke milliseconde van stilzwijgen leken ze schuldiger.

'Wat spoken jullie uit?' vroeg Kate eindelijk.

Ze wisselden een blik, Julia en Dexter. Julia giechelde weer. Opeens leken ze broer en zus, of twee oude vrienden. Geen spoor van overspel.

'Kom mee,' zei Dexter, en hij pakte Kates hand.

De keuken was ruim en professioneel, met een groot werkeiland, een paar fornuizen, wasemkappen, open kasten, hangende pannen, lepelrekken, flessen met schenktuiten, een aftandse bar.

Julia liep naar een la, trok hem open en haalde er iets uit. 'Hier,' zei ze.

Kate begreep het niet. Ze zag wat Julia in haar hand hield en keek haar eens aan.

Dexter liep naar een grote koelkast of vriezer aan de andere kant van de keuken en haalde daar ook iets uit. Toen sloot hij de deur en kwam naar Kate terug.

Ze keek wat haar man haar voorhield, en haar vriendin. IJs, en een lepel.

Kate kon het gevoel niet van zich afzetten dat ze hen had betrapt bij iets clandestiens, iets stiekems. Niet het ijs, en ook niet de suggestie die zo voor de hand lag. Nee, iets heel anders.

VANDAAG, 12:41 UUR

Kate dwaalt door de straten van St.-Germain-des-Prés, in gedachten verzonken, en probeert de betekenis van haar ontdekking te doorgronden, een verklaring te vinden voor het onweerlegbare bewijs uit het jaarboek – het bewijs dat Dexter en de vrouw die zich nu Julia noemt elkaar niet twee jaar geleden in Luxemburg voor het eerst hebben ontmoet, maar twintig jaar geleden, aan de universiteit.

De regen van die ochtend heeft plaatsgemaakt voor hoge, vlekkerige wolken die langs de hemel jagen en felle bundels zonlicht in hun kielzog achterlaten. Een vlagerige wind speelt met de gevallen bladeren.

Ze steekt het terras van de Flore over, waar het hele gezin had zitten bijkomen na het gesprek met de school van de jongens, vlak voordat ze zo overhaast een appartement hadden gekozen, vorig jaar. Een beroemd café, met het markante wit-groene porselein. Dit is het Parijs uit de reisgidsen, het Parijs van Picasso. Kates thuis.

Dit is niet een leven dat ze ooit had verwacht.

Het afgelopen jaar in Parijs was een geweldige verbetering vergeleken bij het jaar daarvoor, in Luxemburg. En het komende jaar zal nog beter worden, weet ze. Veel beter. Ze is gesteld op de nieuwe vrienden die Dexter en zij vorig jaar hebben ontmoet en vermoedt dat de vriendschap dit jaar nog hechter zal worden. En ze zullen nog andere mensen tegenkomen. Kate beseft dat ze van nieuwe mensen houdt.

Ze slaat de Rue Apollinaire in, bij de vrolijke strepen van Le Bonaparte.

En Kate houdt van tennis. Ze is pas een jaar geleden begonnen, eerst met een uitputtende serie van drie lessen per week, om snel vooruit te gaan, zodat ze zich kon aansluiten bij de moeders van school, die in de Jardin du Luxembourg spelen. Tegen het einde van het jaar was ze een van de beste speelsters van de groep. Maar ze is niet jong, lang, of snel, dus zal ze nooit een geweldige tennisser worden, maar dat geeft niet. Als ze maar goed genoeg is. En met Dexter kan spelen.

Nu hij niet zo veel meer werkt en niet meer hoeft te reizen, hebben ze genoeg tijd – en genoeg geld – om de hele week leuke dingen te doen, samen. Ze gedragen zich als permanente toeristen in Parijs. Hun leven is nu eigenlijk een droom die is uitgekomen.

Maar Kate kan niet ontkennen dat ze toch iets meer wil, of iets anders. Ze zal nooit een van die vrouwen worden die een kinderschoenenwinkel of een interieurboetiek begint, met de import van stijlvol plastic uit Stockholm en Kopenhagen. Ze zal zich niet storten op de studie van oude meesters of de existentialisten. Ze zal niet zelf gaan schilderen of aquarelleren, of achter een laptop kruipen om een zinloze roman te schrijven. Ze kan zich niet voorstellen dat ze als gids zal optreden voor groepjes gepensioneerden, op weg van de beste bakkerijen en de lekkerste kaaswinkeltjes naar de overdekte markten, handen schuddend met de vals lachende winkeliers.

Kate weet een heleboel dingen die ze niet wil doen.

Hoewel ze naar alle maatstaven een heerlijk leven leidt, ligt de verveling op de loer. Opnieuw. Ze heeft dit al eerder meegemaakt, maar ze is zich er nu beter van bewust en weet dat er maar één oplossing is. Vanmiddag ligt die oplossing zelfs binnen haar bereik, dankzij de onthulling van dat jaarboek en de manier waarop ze die nieuwe informatie zal gebruiken.

Het verbaast haar eigenlijk niet dat de undercoveragent haar heeft voorgelogen. Het is een dubbelzinnigheid waarover ze zich niet kwaad kan maken. Maar het verraad van haar eigen man is een andere zaak. Kate heeft er nooit aan getwijfeld dat Dexter van haar houdt, en van de kinderen. Ze maakt zich geen zorgen over zijn karakter; hij is een goede vent, háár goede vent. Wat ook de reden mag zijn van Dexters en Julia's bedrog, het moet passen binnen de onomstotelijke waarheid dat Dexter deugt.

Kate heeft al vijf of zes scenario's bedacht en onmiddellijk weer verworpen. Dus begint ze opnieuw, met die boodschap van Julia, een paar uur geleden: De kolonel is dood.

Ze draait zich om bij de schuine hoek van Le Petit Zinc, met die mooie deur, die sfeer van art nouveau, terwijl het warme middaglicht de zandstenen gebouwen van de Rue St.-Benoit een bijzondere gloed verleent.

Dit is een charmante plek, een charmante hoek. Een...

Kate blijft stokstijf staan en staart voor zich uit. Opeens beschrijven haar gedachten een cirkel die weer bij het begin uitkomt – bij een zekerheid, een bevestiging, een briljant idee.

En ze weet hoe het is gegaan.

20

Kate trok haar muts diep over haar ogen als beschutting tegen de koude wind vanaf de Mont Blanc in de verte, tussen de witte toppen van de Alpen, die een eindeloze rij vormden tot aan Genève, helemaal langs de oevers van het Lac Léman.

Dat verhaal over die ijsjes was een mogelijke verklaring. Dexter en Julia hadden te veel gedronken, van het buffet was weinig over, en ze konden geen ham meer zien. Niemand had daar nog trek in. Overal waar je kwam, lagen broodjes ham: bij de bakker en de slager, de supermarkt en het café, de kiosk in het winkelcentrum, de snackautomaat op kantoor, onder een glazen stolp op de balie van de sportschool, zelfs aan boord van het vliegtuig. Overal die ellendige broodjes ham.

Dus waren ze naar de keuken gegaan, op zoek naar iets anders dan ham. Misschien geen goed idee, om zich in het privégedeelte van de ambassade te wagen, maar ze waren een beetje aangeschoten. Goed, dat klonk niet onwaarschijnlijk.

Kate liep door Paquis, bij het treinstation. Noord-Afrikanen en Arabieren, couscousrestaurants en souvenirwinkeltjes, mollige Turkse prostituees die een sigaret rookten in de portieken van betonnen gebouwen, magere mannen in wijde jeans die zich in de schaduw ophielden. Dit moest een geschikte omgeving zijn om een vuurwapen te kopen, zoals Kate wel eens gedaan had, in de loop van haar werk. Ze begon al half te denken dat ze een revolver nodig had.

Ze stak de Rhône over via de Pont du Mont Blanc en dook de Jardin Anglais in, die koud en verlaten was. De bijtende wind deed haar ogen tranen.

Kate bedacht dat ze niets in Dexters kantoor had gevonden wat niet klopte. Alles wat daar lag, kon deel uitmaken van zijn werk. Ze had nooit precies begrepen wat hij deed, dus kon ze het ook niet invullen.

Maar, jezus, die videocamera! Hoe kon ze hem ooit uitleggen waarom ze in zijn kantoor had ingebroken? En hoe?

Gelukkig – of niet; wie zou het zeggen? – leek Dexter nog niet van de inbraak op de hoogte. En áls hij het wist, was hij zeker niet de man met wie ze dacht getrouwd te zijn.

Kate passeerde een vrouw die haar bekend voorkwam, lang, met donker haar en zware wimpers. Kate kon haar niet plaatsen, maar opeens wist ze het weer: de stewardess aan boord van hun vliegtuig, die ochtend. De LuxAir-hostesses met hun vrolijke blauwe sjaaltjes hadden de passagiers bijna met broodjes ham bekogeld zodra ze waren opgestegen, ongeduldig om de snacks nog uit te serveren voor het einde van de korte vlucht. Het waren allemaal korte vluchten, van LuxAir.

Kate beklom de Rue Verdaine, in een decor van zware middeleeuwse gebouwen, smalle klinkerstraatjes, een promenade langs het park, versterkingen, bogen, stoepen langs huizenrijen. Dit deel van Genève deed haar aan Luxemburg denken, aan Arlon, of waar dan ook.

Het begon zachtjes te sneeuwen. De vlokken dwarrelden omlaag langs de gevels van de achttiende-eeuwse *hôtels particuliers*, de zware boogdeuren van de binnenplaatsen en een identiek trio van imposante gebouwen die tegen elkaar aan leunden als fotomodellen in een homo-erotische pose, *skin-on-skin-on-skin*.

Natuurlijk was het mogelijk dat Dexter en Julia een affaire hadden. Ze zouden elkaar kunnen treffen in Julia's appartement, op doordeweekse ochtenden, als Bill naar zijn vreemde kantoor was om gewichten te heffen of Jane te overweldigen – waarschijnlijk allebei, en gelijktijdig – terwijl Kate koffiedronk met een stel vrouwen die zeurden over de afwezigheid van hun echtgenoten, zonder enig vermoeden dat haar eigen man om de hoek in bed lag met haar beste vriendin.

Of waren ze dronken de keuken in geslopen om een paar minuutjes te zoenen?

Een onschuldige flirt, een afleiding, een poging om even niet dodelijk saai en oud te zijn?

Bijna alle antiekzaken in de Rue de l'Hôtel de Ville waren gesloten. Op handgeschreven kaartjes stonden de data van de kerstvakantie vermeld, *fermé* tot begin januari. Geen gelegenheid om cadeautjes te kopen. Onvoorstelbaar in Amerika, dat een winkel twee dagen voor Kerstmis zijn deuren zou sluiten.

En als ze toch een verhouding hadden? Wat moest Kate dan doen? Kon ze het begrijpen, negeren, vergeven? Hield Dexter nog van haar? Was hij verveeld, of nieuwsgierig, geil of zelfzuchtig, bang voor zijn eigen sterfelijkheid? Had hij een midlifecrisis? Had hij dit al eens eerder gedaan? Was hij een onverbeterlijke rokkenjager? Had hij haar al die jaren bedrogen? Bleek hij nu toch een ongelooflijke klootzak te zijn en had ze dat nooit gemerkt? Bijna tien jaar lang niet?

Of was zijn ontrouw door de gelegenheid ingegeven? Was hij op een oneerlijke manier verleid? Dronken gevoerd, uitgedaagd en uiteindelijk geconfronteerd met een aanbod dat hij niet kon weigeren?

Boven aan de heuvel kwam de straat uit op de Place du Bourg-de-Four, met cafés en een fontein in het midden van een grote, onregelmatig gevormde klinkervlakte. Kate keek op haar horloge; het was twee minuten voor drie. Ze ging op een rieten stoel zitten, naast een gasgestookte terrasbrander die warmte om zich heen verspreidde alsof hij spuwde in de oceaan. Kate bestelde een café-au-lait bij een knappe, zelfgenoegzame ober.

Of was het meer sinister dan seks?

Aan de andere kant van het terras zaten een moeder en een dochter met identieke bontmutsen een sigaret te roken uit lange, identieke sigarettenpijpjes. De moeder aaide een klein, wit, pluizig hondje op haar schoot. De dochter zei iets, maar Kate kon het niet verstaan; ze zaten te ver weg. Mooi zo.

Haar koffie arriveerde met een in folie verpakt koekje op het schoteltje, zoals overal, altijd.

De ober liep verder naar de moeder en dochter, die lachten om iets wat hij zei, met zijn hand op de leuning van een stoel, ontspannen, flirtend. Kate hoorde voetstappen achter zich, het geluid van stevige mannenschoenen op de stenen. Ze draaide zich niet om. De man ging aan het tafeltje naast haar zitten, van Kate gescheiden door de terrasbrander met zijn gloeiende kap als een vliegende schotel.

De ober kwam terug en de man bestelde warme chocola. Hij had een krant bij zich, *Le Monde*, die hij tot een handzaam pakketje vouwde. Hij droeg een grijze overjas, een rode sjaal, strakke jeans en puntige zwarte schoenen met groene veters. Zijn frisse, glimmend geboende gezicht was opvallend glad geschoren, veel gladder dan Dexter dat ooit lukte. Dezelfde look als de jongens uit Dupont Circle, de homobuurt in Washington, iets in hun gezicht dat hun geaardheid verried.

Kate legde haar tas op tafel, haalde er een gidsje van Zwitserland uit, met een slordig opgevouwen plattegrond van Genève, een pen en een notitieboekje.

De ober bracht de man zijn warme chocola.

Kate haalde de camera uit haar zak, hield hem omhoog en boog zich naar de man toe. '*Excusez-moi*,' zei ze. '*Parlez-vous anglais?*'

'Ja, ik spreek Engels.'

'Zou u een foto van me willen nemen?'

'Natuurlijk.' Hij schoof zijn stoel dichterbij en pakte de camera aan.

Kate keek om zich heen, speurend naar de juiste achtergrond – een fontein, aantrekkelijke gebouwen, sneeuw op het gras –, en draaide haar stoel een paar graden. Ze schoof het gidsje opzij, zodat het niet in beeld zou komen. Tussen de bladzijden stak een foto.

'Bent u in Genève op doorreis voor de wintersport?'

'Ja, we vertrekken morgen. Naar Avoriaz, voor een week.'

De man vroeg haar om wat meer naar rechts te schuiven en nam nog een foto. De ober dook weer op, vroeg Kate en de man of alles naar wens was en liep door naar de moeder en dochter. Hij was vermoedelijk de reden waarom ze hier zaten.

De man stond op, boog zich naar voren en legde de camera op Kates gidsje. Toen hij zijn hand terugtrok, pakte hij de foto mee en liet die in de zak van zijn jas glijden. Daarna pakte hij zijn kopje en nam een flinke slok chocola.

'Drie dagen,' zei hij. 'Misschien vier.' Hij legde een reusachtig muntstuk op het tafeltje. Sommige van die Zwitserse franken kon je als halters gebruiken bij het gewichtheffen. Waarvoor hadden ze een andere valuta nodig? Verrekte Zwitsers.

'Dan vind ik je wel.'

Het begon te sneeuwen toen ze halverwege de berg waren, en de sneeuw werd dichter naarmate ze hoger kwamen. Het verkeer minderde snelheid en de berm stond bezaaid met stationcars waarvan de bestuurders in de prut en de kiezels knielden om sneeuwkettingen te monteren. De ene haarspeldbocht na de andere, tussen rechte stukken van nauwelijks een paar honderd meter, langs een steile afgrond met grillige rotsen, koppige dennen en balancerende houten chalets.

Tegen maandagochtend was er bijna een meter verse sneeuw gevallen. De wolken waren in de loop van de nacht gevlucht en de dageraad viel roze en grijs het slaapkamerraam binnen dat uitkeek op het centrum van de plaats, de Village des Enfants, de cafés en de winkels. Toen Kate de zitkamer binnenschuifelde, hield ze haar adem in bij het uitzicht, dat hun eerste zesendertig uur op deze berg nog had bestaan uit wolken, nevel en dwarrelende sneeuw. Nu was alles kristalhelder, als een ansichtkaart – de ene alp na de andere, een hele reeks witbesneeuwde toppen.

Julia skiede moeiteloos naar hen toe vanaf de rand van de piste. 'Mijn god,' zei ze. 'Is dit geweldig of niet?' Ze kuste Kate op de wang. Bill kwam achter haar aan, schudde Dexter de hand en klopte hem op zijn bovenarm.

De sneeuw was verblindend wit en het zicht schijnbaar eindeloos, naar alle kanten, alsof de hele wereld onder een microscoop lag waarvan de lens net was schoongeveegd. Naar het noorden waren vier plooien van een bergrug te zien, daarna een strookje van het meer, en dan de bergen aan de andere kant, als kleine richels onder de immense blauwe hemel.

'Zullen we?' zei Bill, en hij zette zich af met zijn stokken.

'Kom op!' riep Dexter, enthousiaster dan eerst, een beetje uitgelaten zelfs. Hij was onzeker en bang geweest toen ze in de sneeuwstorm moesten skiën, een ware beproeving. De lift had de skiërs in een witte tornado afgeleverd, op drieduizend meter hoogte, boven de boomgrens, waar de bossen de elementen niet meer konden temperen. Nergens was een schuilplaats, de grenzen van de pistes waren niet meer te onderscheiden en het zicht bedroeg dertig meter, zodat je maar een seconde voor je uit kon kijken. Na één enkele reis naar boven had Dexter geweigerd nog eens naar de top te gaan en zich teruggetrokken naar de lagere routes, tussen de bomen.

'Ik wil verdomme kunnen zien waar ik heen ga!' had hij gezegd. Terwijl ze dat makkelijke spoor volgden, had Kate – onbedoeld filosofisch – bedacht dat zij verdomme ook wel wilde zien waar ze heen ging. Zou dat ooit nog mogelijk zijn?

Nu waren ze terug op de top, een totaal andere ervaring in de stralende zon. Kate trok haar bril van haar skihelm omlaag, tot voor haar ogen. Het zachte schuimrubber sloot zich comfortabel rond haar jukbeenderen en haar voorhoofd en beschermde haar ogen in een rozekleurige cocon. *La vie en rose*. Een flits uit het verleden, het bloed op het tapijt, in een stralenkrans rond Torres' hoofd, zijn levenloze, starende ogen, het geluid van de huilende baby.

Kate huiverde en verdrong het beeld. Ze skiede naar de rand van de piste voor de sprong naar de winderige helling, waar de sneeuw over de berg waaide.

'Ik ga wel eerst,' zei Bill en hij verdween over de rand. Dexter vertrouwde het niet erg, maar hij volgde gedwee. Daarna Julia.

Kate bleef boven staan en keek de drie anderen na, die wachtten tot zij zich van de rots zou storten.

Kate hield halt bij een flauwe bocht van het brede spoor. Er waren drie dagen verstreken sinds haar ontmoeting met Kyle in Genève, en het werd tijd dat hij ergens uit het niets vandaan kwam skiën om haar te vertellen... ja, wat eigenlijk?

Dat deze FBI-agenten een onderzoek instelden naar iets wat niets te maken had met Kate of Dexter. Dat hoopte Kate nu, meer dan wat ook: dat onwaarschijnlijke bericht.

Ze wachtte nog een paar seconden, een halve minuut, starend naar het pluizige witte landschap, die marshmallowvelden. Maar er kwam niemand naar haar toe.

Ze gaf het op en skiede omlaag, met geruisloze bochten door de zachte poeder. De stokken langs de route telden af naar beneden, waar vijf of zes sporen samenkwamen bij drie liften en een handvol cafés. Honderden ligstoelen stonden in de zonneschijn opgesteld, mensen hadden hun jassen uitgetrokken, rookten een sigaret en dronken een biertje, om elf uur 's ochtends. Dexter en Julia zaten al op een van de terrassen, met hun skischoenen losgegespt, om uit te rusten.

Kate sloot zich aan bij Bill. Ze zigzagden tussen de menigte door, wrongen zich door de hekjes en plantten hun stokken in de sneeuw. Toen draaiden ze zich om naar het volgende stoeltje dat rammelend de bocht om kwam. De stalen stang aan de voorkant sloeg tegen hun knieholten, waardoor ze wat sneller gingen zitten dan de bedoeling was, met pijnlijke billen.

Niemand anders ging mee. De lift draaide verder, eerst over een vlak gedeelte, dan in een steile hoek over een kale rotshelling met een spinnenweb van donkere minerale strepen. Een rots met spataderen.

'Spannend, vind je niet?' vroeg Bill.

De lift ging weer rechtuit en stak een ondiepe vallei over, een dal in de zijkant van de berg, uitgesleten door een snelstromende beek omzoomd door dennen die half begraven waren in de sneeuw. Hoge oevers, ijzig water, stenen in de bedding, duizenden en duizenden stenen, roze met grijs, zwart met wit, bruin met geel – groot, klein of gemiddeld.

'Als je naar beneden gaat, weet je nooit wat je zult tegenkomen.'

Het stoeltje liet de vallei achter zich en steeg langs een volgende rotswand, gevolgd door een lange, ruige helling met ijspegels, sneeuwhopen en reusachtige rotsblokken, die daar door reuzen leken neergesmeten. Ze zweefden nu hoog boven de grond, op een van die plaatsen in de zeshonderd meter lange beklimming waar de kabels niet de gebruikelijke zes meter, maar wel vijftien of achttien meter boven de helling hingen.

Het stoeltje minderde vaart. En stopte.

Daar zaten ze, in de wind en de kou. Het stoeltje slingerde naar achteren, in een logische reactie op hun voorwaartse beweging. De derde wet van Newton, hier hoog boven de berg. Voor- en achteruit. Voor- en achteruit.

Krakend.

Er liep een huivering over Kates rug. Dit was een vergissing. Ze hoorde hier niet te zitten, alleen met Bill.

De wind wakkerde aan en rukte huilend aan het stoeltje, dat nog heviger op en neer begon te slingeren, met steeds meer gekraak. De kou leek nog feller, nu ze hier in een stilgevallen skilift zaten, blootgesteld aan de elementen.

Kate keek omhoog langs de draagarm, die aan de kabel was bevestigd met een soort huls die aan het uiteinde van een schoenveter deed denken.

'Een beetje eng, vind je niet?'

Een malie heette dat, het kokertje om het uiteinde van een veter.

Bill boog zich naar voren en keek omlaag. 'Zou je het overleven als je hier naar beneden viel?'

Het oog van de stang was met een reusachtige klem aan de kabel vastgemaakt. Kate zag de naad zitten waar de klem kon worden geopend.

'Wat denk jij?'

Kate keek hem aan. Door haar roze-getinte skibril meende ze iets nieuws op zijn gezicht te lezen, iets wat ze nog niet eerder had gezien. Een harde trek.

'Ben jij ooit bang geweest om te sterven, Kate?'

Eduardo Torres woonde in een suite van het Waldorf Hotel, waar presidenten ook logeerden als ze in New York op bezoek waren voor een fotosessie bij de Verenigde Naties, een theater op Broadway en een wedstrijd in het Yankee Stadium. Maar Torres logeerde niet in de presidentiële suite. Hij was nooit president geweest, maar vond dat hij dat wel moest worden. En niet alleen president van Mexico. Torres had een groots visioen van een pan-Latijns-Amerikaanse superstaat – *el Consejo de las Naciones*, de Raad van Naties – waarvan hij de leider zou zijn, in feite het hoofd van het hele westelijk halfrond en de half miljard mensen ten zuiden van de Verenigde Staten.

Maar eerst zou hij triomfantelijk uit zijn officieuze ballingschap moeten terugkeren. Hij had zijn verlies bij de verkiezingen niet sportief opgevat, integendeel. Hij had luidkeels geprotesteerd en opgeroepen tot geweld, wat weer tot tegengeweld had geleid en uiteindelijk tot een onveilige situatie voor de ex-generaal. Daarom was hij zijn complex in Polanco ontvlucht naar Manhattan, waar hij niet een heel regiment nodig had, enkel en alleen om een restaurant te bewaken als hij zat te eten. In Amerika kon hij zich veilig voelen met niet meer dan een handvol lijfwachten.

Het voorafgaande jaar was Torres bezig geweest bondgenoten en geld te verzamelen voor de volgende verkiezingen, voor een coup, of op welke andere manier hij ook de macht zou kunnen grijpen.

Hij leefde in een droomwereld. Niemand bij zijn volle verstand was bereid hem hulp aan te bieden.

Torres raakte wanhopig, en zijn wanhoop maakte hem steeds minder geschikt, en daardoor nog wanhopiger. Een vicieuze cirkel.

Ondertussen was Kate naar het zuiden van Mexico afgereisd, wat achteraf haar laatste buitenlandse missie zou blijken te zijn. Ze hield een reeks niet bepaald clandestiene gesprekken met lokale politici om vriendschap te sluiten – of in elk geval op redelijke voet te geraken – met de volgende kandidaten: de generaals, ondernemers en burgemeesters die zich vroeg of laat zelf verkiesbaar zouden stellen als president. Dus zat Kate op binnenplaatsen met paarse bougainville tegen witgekalkte muren, en dronk eindeloze koppen sterke koffie in kleurig keramiek, geserveerd op handbewerkte zilveren dienblaadjes, terwijl ze hun gezwollen verhalen aanhoorde.

Ten slotte reisde ze terug naar haar man en hun eerste baby van zes maanden, thuis in Washington. Ze liep door G Street, op weg naar kantoor van de lunch, toen er een Town Car naast haar stopte. De chauffeur draaide zijn raampje omlaag.

'Señor Torres vraagt een paar minuutjes van uw tijd.'

Kate woog bliksemsnel de situatie en haar reactie. Hoe irrationeel Torres zich de laatste tijd ook gedroeg, hij kon geen gevaar vormen voor een CIA-agent in Washington.

'Hij logeert in het Ritz. En hij is beschikbaar.'

Kate stapte achter in de auto en liep vijf minuten later de lobby van het hotel binnen, waar ze werd opgevangen door een lijfwacht die haar naar Torres' suite wilde brengen.

'Vergeet het maar,' zei ze. 'Hij kan me spreken in de bar.'

Señor kwam naar de lounge, bestelde een fles water en vroeg hoe ze het maakte. De beleefdheden duurden dertig seconden, voordat hij aan het echte verhaal begon. Kate luisterde een halfuur naar zijn geweeklaag en zijn visioen voor Mexico en Latijns-Amerika. Ten slotte hield hij een gloedvol maar volstrekt belachelijk betoog waarom de CIA hem zou moeten steunen.

Kate probeerde sceptisch en pessimistisch over te komen, maar zonder zich ergens op vast te leggen en zeker zonder ruzie te zoeken. Ze kende Torres al tien jaar en wilde hem niet kwaad maken als het enigszins kon.

Torres vroeg de ober om de nota. Hij zei tegen Kate dat hij de volgende morgen naar New York terug zou gaan en dat hij zich verheugde op hun volgende gesprek, liefst zo snel mogelijk. Kate antwoordde dat ze het met haar superieuren zou bespreken.

Hij knikte langzaam en sloot zijn ogen, alsof hij haar eeuwig dankbaar was. Maar dat zei hij niet.

Kate stond op.

Dat was het moment waarop Torres iets uit de borstzak van zijn jasje haalde. Hij legde het op de glimmende kersenhouten tafel, nog steeds zonder iets te zeggen.

Ze keek. Het was een foto van acht bij twaalf centimeter, op glanzend papier. Kate boog zich over het scherpe, heldere beeld, duidelijk gemaakt met een krachtige telelens.

Toen richtte ze zich weer op, zo langzaam mogelijk, terwijl ze probeerde kalm te blijven. Haar blik ging van de foto naar de man aan de andere kant van het tafeltje.

Torres staarde in de verte, alsof dit impliciete dreigement helemaal niets met hem te maken had. Alsof hij slechts een boodschap overbracht en dit een bijzonder onaangename kwestie was tussen Kate en heel iemand anders.

21

Bill skiede voor Kate uit langs een steile, grillige route met dichte bossen aan de ene kant en een rotsachtige helling aan de andere. De afgrond was afgezet met paaltjes met een zwarte kop, de aanduiding voor een categorie die ver boven Kates capaciteiten lag. Maar Bill leek vastbesloten haar naar een hoger niveau te tillen. Ze kon natuurlijk weigeren, of haar best doen en jammerlijk mislukken. In elk geval was het een ervaring.

Kate worstelde zich de met kleine heuveltjes bezaaide helling af. Een paar onbevreesde tieners zoefden langs hen heen en waren binnen een paar seconden verdwenen. Kate en Bill bleven alleen achter in de diepe stilte van de hoge, besneeuwde berg aan de Zwitsers-Franse grens.

Kate daalde het hobbelige veld af naar het punt waar de berg abrupt eindigde bij de scheiding met de blauwe lucht. Naarmate ze de rand naderde, zag ze steeds meer van het uitzicht voorbij de berg, maar de helling zelf was niet meer te zien; de afgrond was te steil. Er stond een afschrikwekkend bord langs de route met een plaatje van een neerstortende skiër met zwaaiende armen, zijn ene ski al kwijt en een van zijn stokken in de lucht. Een zekere dood, voorspelde het bord.

Bill skiede nu vlak achter haar. 'Je doet het geweldig,' riep hij.

Kate was er niet gerust op. Ze wilde stoppen, maar toch ook niet, toen weer wel, maar uiteindelijk ging ze steeds sneller, dodelijk nerveus. Achter zich hoorde ze Bill de bochten nemen, en ze zag de afgrond links van haar, een val van tien meter naar een partij rotsblokken, en nog eens zes meter tot aan de bodem van het ravijn. Haar linkerski gleed weg naar de rand, de open ruimte...

Met een scherpe bocht bracht ze zichzelf weer in veiligheid. De randen van haar ski's beten zich in de sneeuw, ze zette kracht met haar onderste ski en kwam abrupt tot stilstand. Een wolk van sneeuw spatte op...

Te laat besefte ze dat ze Bill geen enkele waarschuwing had gegeven voor haar onverwachte manoeuvre. Op het laatste moment, in een fractie van een seconde, hoorde ze een luide kreet...

... voelde zijn skistok in haar nek...

... de punt van zijn ski die over de hare schoot...

Een zware botsing, een klap tegen haar heup, haar bovenlichaam, haar schouder en haar arm, en de volgende seconde vloog ze door de lucht, opzij van de route, de helling af, buitelend over de piste in de richting van een diepe, dodelijke val. De stokken waren uit haar handen geslagen en bungelden enkel nog aan de nylonbandjes om haar polsen, als rondtollende dirigeerstokjes. Een van haar ski's was ze al kwijt, de andere zat nog aan haar schoen vast, en in paniek probeerde ze zich te herinneren of ze ooit – bij de padvinderij, haar training op de Farm, of desnoods in een of ander tv-programma – een goed advies had gehoord over de beste houding om vijftien meter vanaf een rotspunt naar beneden te storten.

Kate probeerde haar hoofd op te tillen, maar dat lukte niet. Ze kon haar nek, haar schouders en haar armen niet meer bewegen. En ze zag niets, behalve een vage roze vlek tegen een bijna volledige duisternis. Haar gezicht lag in de dichte, korrelige sneeuw gedrukt. De kou drong in haar huid en haar spieren voelden stijfbevroren, als vers gevangen zalm op een vissersboot, met ogen die voorgoed bewegingloos één kant op staarden.

Op haar rug drukte een loden gewicht, dat haar verlamde.

Ze probeerde haar tenen te bewegen, maar wist niet of dat lukte. Die verrekte skischoenen...

Kate begon te hyperventileren.

Maar opeens leek het gewicht op haar ruggengraat te verschuiven. Ja, ze vergiste zich niet. De druk nam eerst nog toe, maar werd toen minder en verdween helemaal.

En Kate hoorde iets.

Ze dacht dat ze zich weer kon verroeren. Voorzichtig rolde ze opzij, draaide haar bovenlijf, haar schouder en haar nek, en tilde haar gezicht uit de sneeuw. Haar skibril zat nog onder de sneeuw, maar ze zag de buitenwereld weer schemeren, en opnieuw hoorde ze dat geluid, een stem. Door de sneeuw heen zag ze dat het Bill was, die over haar heen gebogen stond en vroeg of alles in orde was.

Ja, eigenlijk wel.

De duisternis rukte snel op in de bergen. Tegen drie uur scheen de zon al onder een scherpe hoek, met een blauw licht, vlak en schaduwloos.

Kate arriveerde op eigen gelegenheid aan de voet van een eenvoudige toeristenroute, een hele verademing na Bills agressie. Ze ploeterde naar het hekje van de snellift, waar niemand stond te wachten, in de hoop dat ze de enige zou zijn. Maar een andere skiër dook naast haar op.

Het was een man. Kyle. Eindelijk.

Het hekje ging open en samen schuifelden ze naar de rode lijn op de rubbermat en draaiden zich naar het naderende stoeltje. Op dat moment zagen ze nog een skiër aankomen, aan Kates andere kant. Privacy was hun dus niet gegund. Verdomme.

Met een klap liet het drietal zich op het stoeltje vallen. Kyle sloot de veiligheidsstang. '*Bonjour*,' zei hij, nauwelijks hoorbaar boven het geknars van het vertrekkende stoeltje uit.

Kate schoof haar skibril omhoog en keek eens naar Kyle, de man uit Genève. Toen draaide ze zich om naar de derde skiër, aan haar andere kant. Met een schok besefte ze dat het niemand anders was dan Dexter, die naar haar grijnsde.

'Schat!' zei ze. 'Je hebt me beslopen.' Luid genoeg dat Kyle het zou kunnen horen.

'Zo is dat,' zei Dexter, enthousiast over zijn eigen sportiviteit. 'Hoe gaat het?'

'Het is prachtig hier,' zei ze, terwijl ze zich afvroeg of hij Kyles begroeting had gehoord.

Dexter boog zich voor haar langs en keek naar Kyle. Weer vloekte Kate binnensmonds. 'Kennen jullie elkaar?'

Kate bad vurig dat Kyle geen idioot zou zijn.

'Nee hoor,' antwoordde Kyle.

'O. U zei hallo.'

'Beleefdheid, anders niets.'

Kate staarde voor zich uit terwijl de mannen met elkaar praatten, langs haar heen, en het stoeltje zich door de lucht bewoog.

'Ik ben Dexter Moore. Dit is mijn vrouw, Kate.'

'Kyle. Hallo.'

'Logeer je hier ook?' vroeg Dexter. 'Of ben je op bezoek uit een andere plaats?'

'Ik kom maar een dagje skiën. Uit Genève. Daar woon ik.'

Het stoeltje bonkte langs een van de masten.

'Wij skiën vandaag met een paar andere Amerikanen,' zei Dexter. 'Vrienden uit Luxemburg, waar we wonen.'

Kyle had geen idee hoe het verder moest met dit gesprek – of hoe hij er een einde aan kon maken. Kate ook niet. Dus hield ze haar mond, terwijl de mannen nog wat kletsten.

Bill trok zijn Muppet-want uit, en Kyle deed hetzelfde. Ze gaven elkaar een hand, en iedereen werd aan elkaar voorgesteld.

'Wij vonden deze eenzame Amerikaan op de berg,' legde Dexter uit. Ze stonden op een winderige richel, met een steile helling vol heuveltjes aan de ene kant, en een onbegaanbare rots aan de andere, afgezet met een slap geel koord dat niemand zou tegenhouden die over de rand dreigde te vallen.

Bill nam Kyle even op. 'Je meent het.'

Kyle grijnsde zijn grote witte tanden bloot. Hij had rode wangen van de kou.

Dexter keek op zijn horloge. 'We moeten gaan. Over een paar minuten moeten we de kinderen oppikken bij de skischool.' Hij draaide zich om naar Kyle. 'Ga je mee voor de après-ski?'

Kyle aarzelde, maar niet te lang; niet langer dan iemand over een onverwachte sociale uitnodiging zou nadenken. 'Natuurlijk,' zei hij. 'Graag.'

Het begon al te schemeren. De zon was achter een ruige top in het zuidwesten gezakt. De vijf Amerikanen daalden af in een slingerende lijn. De randen van hun ski's schraapten over de harde sneeuw, afgewisseld met het zoevende geluid van de rullere gedeelten en het geruis van nylon over nylon, of een klap als een skistok met een schoen in aanraking kwam. Kate hoorde Bill vlak achter zich en kon een huivering niet onderdrukken.

Niemand zei een woord.

Nog een bocht, en het *centre de la station* kwam in zicht, een groepje gebouwen rond de Village des Enfants. De paardenkoetsen bewogen zich verrassend snel, allemaal bedekt met verse sneeuw, versierd met lichtjes – een drukke voorgrond tegen het eenvoudige decor van de vallei, nog meer bergen en de weidse, donkerblauwe lucht.

'Wie is Kyle?' vroeg Bill.

Kate haalde luchtig haar schouders op. 'Iemand van de skilift.'

'Ja ja,' snoof Bill. 'Zoals ik iemand van de tennisclub ben.'

Het duizelde Kate. Wat bedoelde Bill in vredesnaam? Ze opende haar mond, sloot hem toen weer, opende hem opnieuw, maar ze wist niet wat ze moest zeggen zonder zichzelf te verraden. Maar ook haar stilzwijgen zou verdacht zijn. 'Wat wil je daarmee zeggen?' vroeg ze.

Een windvlaag blies de losse sneeuw omhoog. Het leek met de seconde donkerder te worden.

'Nou, hoor ik het nog?'

Bill keek haar een paar seconden aan en skiede toen weg zonder antwoord te geven.

Er was maar één verklaring mogelijk: hij wist het. En hij wist dat zij het wist.

Kate zette af en volgde Bill de heuvel af, een bocht om en over een plateau naar de mensenmenigte rond het centrum van de wintersportplaats. Ouders haalden hun kinderen op, met veel omhelzingen, high fives en peuters die huilden van opluchting nu ze mama eindelijk weer zagen na die lange en misschien wel heel angstige dag.

Dexter skiede het hek van de skischool binnen, terwijl Julia en Bill alvast vooruit gingen naar het dichtstbijzijnde café om een grote tafel bezet te houden. Kyle en Kate bleven samen achter, naast elkaar in het midden van de hoofdweg, omringd door duizenden mensen.

'Dit zul je niet leuk vinden,' zei hij.

Kate zag hoe Dexter zich bukte om de jongens te omhelzen, één in elke arm. Ondanks de menigte, de skikleding, de helmen en de brillen kon Kate de grote grijns van pure vreugde onderscheiden op de gezichten van haar kinderen. Een blije hereniging.

'Naar wie ze een onderzoek instellen,' vervolgde Kyle.

Kate draaide zich naar hem om. 'Ja?'

'Naar je man.'

Kate zou graag verbaasd zijn geweest, maar dat was ze niet. Tot haar schaamte was ze zelfs een beetje opgelucht. Een beetje maar. Want wat haar man ook had gedaan, het kon niet zo erg zijn als haar eigen duistere verleden.

'Waar verdenken ze hem dan van?'

Dexter trok de jongens hun heldergele vestjes uit, bedoeld als identificatie, waardoor ze op minideelnemers aan de grote slalom leken.

'Cyberdiefstal.'

'Waarvan?'

Opeens dook Julia weer op. 'Wij zitten daar!' zei ze.

Kates hart sloeg over; een paar keer.

'Die bistro met dat groene zonnescherm,' vervolgde Julia. Kate kon haar nauwelijks verstaan in al die herrie. Het leek uitgesloten dat Julia iets van hun gesprek had opgevangen. Toch?

De kinderen kwamen naar haar toe met hun ski's voor hun borst, gevolgd door een grijnzende Dexter. Kate omhelsde de jongens en probeerde zich heel even los te maken uit de golf van ellende die haar overspoelde. Tevergeefs.

Iedereen rende door de sneeuw en de mensenmassa naar Bill toe, die in zijn eentje midden aan een grote picknicktafel zat, als een in ongenade gevallen directeur aan het einde van een bestuursvergadering.

Kate had nog maar heel even tijd nodig met Kyle, nog geen minuut, misschien maar een paar seconden.

Ze installeerden zich allemaal aan de ruwhouten tafel en kregen warme chocola met slagroom, grote pullen schuimend bier en schalen met appelgebak voorgezet.

'Zo,' zei Bill. 'Kyle, was het toch?'

'Inderdaad, Bill.'

'En je woont in Genève?'

'Ja.'

'Leuke stad?'

'Niet bijzonder.'

'Je komt me bekend voor. Hebben we elkaar eerder ontmoet?'

Kate dacht dat ze zou ontploffen.

'Ik denk het niet.'

Bill knikte, maar niet als instemming. 'En wat doe je, Kyle?'

'Ik ben advocaat. Maar willen jullie me even excuseren?' zei hij terwijl hij opstond. 'Deze advocaat gaat op zoek naar het toilet.'

Kate voelde Bills blik op zich gericht. Zijn argwaan tegen Kyle droop als slijm over de tafel en bedekte haar van top tot teen. Ze deed alsof ze naar de mensen keek: wintersporters in skipakken, vrolijke jassen en helmen, kinderen die sneeuwballen gooiden, blaffende honden, diensters met bladen vol bierpullen, grootmoeders in bontmantels, tieners die een sigaretje rookten.

Kate stond op van de bank. 'Neem me niet kwalijk,' zei ze, zonder iemand aan te kijken.

Ze voelde dat Bill en Julia een blik wisselden en elkaar signalen gaven – een zwijgende discussie wie Kate naar de toiletten moest volgen, openlijk of clandestien.

'Ik ga met je mee,' riep Julia. Natuurlijk.

Kate liep tussen de tafeltjes door en wachtte tot er een paardenkoets en twee joelende meisjes waren gepasseerd. Een van hen draaide zich op het verkeerde moment om en kreeg een sneeuwbal in haar gezicht, wat een bloedneus en een luid gejammer tot gevolg had. Een grote bloeddruppel viel in de ijzige sneeuw, en nog een, en toen een wolk van spetters, aan de voeten van het meisje. Haar moeder kwam aanrennen, schold haar voldane kleine broertje uit en drukte een servetje tegen de neus van het meisje, terwijl de sneeuw het bloed opzoog. Weer datzelfde patroon, in het klein. Een bloedvlek die zich uitbreidde.

Kate had een zware nacht gehad na de onplezierige afsluiting van de onverwachte ontmoeting met Torres in het hotel. Ze was bang voor hem, dat zeker. Het was een lange, ellendige nacht geworden, met veel handenwringen, terwijl ze haar hersens pijnigde over een oplossing.

Pas tegen drie uur was Kate in slaap gevallen, toen ze eindelijk een besluit had genomen, met een zekerheid die haar de adem afsneed. Twee uur later werd ze gewekt door Jake, die de dag begon met huilen. Ze voedde hem, zat een tijdje bij hem, fluisterde lieve woordjes in zijn oor en staarde naar de oplichtende hemel boven het hekje dat haar slecht onderhouden tuin van het door onkruid overwoekerde erf van de huurflats in het oosten scheidde.

Kate wist het nog niet, maar ze was weer zwanger. Niet opzettelijk, maar ook niet onwelkom.

Vierentwintig uur later zat ze in de trein naar New York; een niet-gereserveerde plaats, contant betaald bij het loket van Union Station. Ze droeg een overdreven grote bril met heldere glazen – haar ogen hadden geen correctie nodig – en een blonde pruik. Vanaf Penn Station liep ze de stad in, een wandeling van een halfuur door de drukte van Manhattan, met een tussenstop om een Yankees-cap te kopen bij een kiosk die uitpuilde met in China geproduceerde handel. Ze trok de pet diep over haar ogen, die al bijna schuilgingen onder het blonde haar.

Ze ging het Waldorf-Astoria binnen, niet via Park Avenue, maar door de stillere ingang aan Forty-Ninth Street. Een paar minuten over negen stapte ze uit de lift. Het was nog te vroeg voor het gebruikelijke legertje schoonmakers, omdat de meeste gasten nog sliepen. Aan de andere kant was het wel zo laat dat de zakenmensen al waren vertrokken. Een stille tijd in het hotel.

Kate wist dat Torres geen uitzondering vormde op de Mexicaanse houding tegenover tijd. Hij kwam vaak te laat voor besprekingen, soms wel een uur. En hij sprak niemand en deed nooit iets voor tien uur 's ochtends. Eerlijk gezegd begreep Kate niet hoe er ooit iets van de grond kwam in dat land.

Het was acht minuten over negen, en Kate wist dat hij alleen op zijn kamer zou zijn.

Ze kwam niemand tegen in de met tapijt beklede gang, tot aan de lijfwacht voor Torres' deur – een gedrongen, agressief ogend type in een goedkoop zwart pak dat hem veel te strak zat. De ochtendploeg was niet het beste team. De echte zware jongens mochten 's avonds mee naar de restaurants en bars. Deze man was hooguit tweede keus.

Toen Kate vlakbij was, glimlachte ze bedeesd tegen de lijfwacht, zonder haar pas in te houden, alsof ze op weg was naar een andere kamer in de gang. Op hetzelfde moment haalde ze haar hand uit haar jaszak, met de stiletto al geopend in haar vuist. Haar arm schoot vooruit en het mes boorde zich soepel en geruisloos in de luchtpijp van de man, die met opengesperde ogen zijn fout besefte. Hij probeerde nog zijn armen omhoog te brengen, maar het was al te laat. Langzaam gleed hij langs de muur omlaag, terwijl Kate hem onder zijn oksels opving om te voorkomen dat het zware lichaam met een klap de vloer zou raken.

Kate wilde Julia voor zich uit houden. Ze had niet genoeg tijd en ruimte meer. Na een paar stappen begon ze te hinken. 'Sorry,' zei ze. 'Mijn sok zit dubbel. Loop jij maar door.'

Kate bukte zich en ontweek Julia's ongelovige blik. Maar als Bill alles van haar wist, dan wist Julia dat ook. En waarschijnlijk wisten Bill en Julia allebei wie Kyle was, of hadden ze een redelijk vermoeden. Dit was het moment waarop ze Kate moesten confronteren of niet.

Kate daagde hen uit met deze doorzichtige smoes, half gebukt, leunend op een stoel in een verlaten eetzaal. Treuzelend, zo langzaam mogelijk, maakte ze haar schoen los, wachtend tot Julia zou doorlopen. Ze had er niet veel hoop op, maar ten slotte liep Julia toch verder.

'Sst,' siste Kate, met een knikje naar de damestoiletten. 'Ze is daar nog.' Kate trok Kyle mee de gang door, bij de deuren vandaan. 'Snel.'

'Ze denken dat hij geld gestolen heeft.'

Kates blik ging naar de skibril om Kyles hals en ze vroeg zich af of hij een verborgen microfoontje bij zich had, hoewel ze zich niet kon voorstellen wie er baat bij had dit gesprek nu af te luisteren.

'Hoeveel?'

'Vijftig miljoen.'

'Wát?' Kate voelde haar knieën knikken. 'Hoeveel?'

'Vijftig miljoen euro.'

Ze plensde water over haar gezicht en staarde naar zichzelf in de spiegel, druipend nat.

Het leek onbegrijpelijk hoeveel er in de loop van de jaren onuitgesproken was gebleven tussen Kate en Dexter. Hun stilzwijgen was met de dag toegenomen. Dat was maanden, járen, zo doorgegaan, hun hele relatie lang. Maar het werd steeds erger – zoveel leugens en geheimen dat het niet meer in de hand te houden was.

Hoe kon ze hierover blijven zwijgen tegen haar man?

Aan de andere kant, hoe moest ze het hem vertellen? Hoe moest ze hem een verklaring geven voor haar verdenkingen, haar optreden, haar contacten? Kon ze hem opbiechten dat ze in Bills appartement had ingebroken? Kon ze hem vertellen over Hayden in München, de agent-chauffeur in Berlijn en Kyle, die hier aan hun tafeltje zat? Met de kinderen erbij? Hoe kon ze over al die dingen beginnen zonder toe te geven dat ze een CIA-agente was? Zonder die beerput open te trekken?

Ze zat in de val, een val die ze voor zichzelf had gezet, gesmoord onder een dikke deken van stilte.

'Wat je moet doen... wat ík moet doen... is je verplaatsen in de gedachten van de aanvaller, de hacker. Hoe zou ik zelf proberen het systeem binnen te komen?'

Dexter leunde naar achteren op de bank, ongeschoren, zonverbrand, met warrig haar en een wazige blik in zijn ogen, terwijl hij zijn werk probeerde uit te leggen aan Kyle. Aan Kyle, nota bene!

'Daarom moet ik op onderzoek uitgaan, de zwakke plekken vinden. Waar zitten die? In de architectuur van het systeem, de firewall, de software-update-protocollen? Of is het de fysieke situatie, de indeling van het kantoor, de toegang tot het mainframe, de onoverzichtelijke drukte tijdens de lunchpauze? Of laten mensen zich te makkelijk manipuleren? Zijn de werknemers wel getraind om op de veiligheidsrisico's te letten? Bestaan er voldoende procedures voor de keuze, de wijziging en de bescherming van hun wachtwoorden?'

Kate keek naar de kinderen, die heerlijk zaten te eten, zich nergens van bewust. Als ontsnapte gevangenen vielen ze op hun soep aan en werkten gulzig het stokbrood en de frietjes naar binnen. Jake nam even pauze voor een slok water, kwam hijgend weer boven en ging verder met zijn soep.

De kinderen hadden rode wangen en gesprongen lippen, de weelderig gevormde dienster droeg een laag uitgesneden katoenen blouse en de gastheer was een toonbeeld van joviale molligheid. De mensen leken met zorg tegen dit decor geschilderd, tussen de oude sleden, de houten skistokken aan de muren, de hoge stapel wijnflessen en het laaiende vuur in de stenen haard. Zware houten tafels, fonduepannen, schalen met aardappels.

Dexter schoof de restjes van zijn *tartiflette* – weer zo'n gerecht in verschillende tinten wit – opzij, nam een flinke slok bier uit een grote pul en ging verder met zijn uitweiding. 'De beste hacker is niet alleen een expert in de technische aspecten van het systeemontwerp en de architectuur, de kwetsbare plekken van de poorten, de codes en de software – nee, dan heb je alleen een goede programmeur. Een goede hacker is een sluwe manipulator die de zwakheden van elk systeem en iedere organisatie weet op te sporen en te gebruiken. Dus ook het menselijk falen.'

Kyle luisterde ademloos toe.

'En als ik eenmaal een manier heb gevonden voor een hacker om binnen te komen, moet ik ook bedenken hoe hij zich weer veilig kan terugtrekken zonder te worden betrapt.'

Julia en Bill wisselden een snelle blik die Kate nauwelijks opviel.

'Er zijn talloze mogelijkheden om iemand te verrassen die iets uit een systeem probeert te stelen. Vraag dat maar aan de bankrover die dertig jaar mag uitzitten in een staatsgevangenis. Binnendringen om het geld te vinden is betrekkelijk eenvoudig. Het moeilijkste is om weg te komen – vooral zonder sporen na te laten.'

Kate had diep ademgehaald en voorzichtig op de deur geklopt, als een dienster van roomservice, of een zorgzame echtgenote.

Dit was het soort operatie dat binnen een halve minuut moest worden afgewerkt, bliksemsnel in en uit, vertrouwend op het voordeel van de verrassing. Een harde klop op de deur zou dat voordeel teniet hebben gedaan.

Ze telde de seconden... zes, zeven... terwijl ze zich beheerste om niet opnieuw te kloppen en zich bloot te geven... acht, negen... totdat de kruk bewoog en de deur op een kier werd geopend. Dat was het moment waarop ze zich met al haar kracht tegen de deur wierp, haar schouder vooruit, en Torres uit de weg smeet.

Hij wankelde achteruit, de kamer in, en probeerde op de been te blijven, terwijl hij zijn fout besefte. Van alle vergissingen die hij ooit had begaan in de roerige, avontuurlijke, bevredigende zevenenvijftig jaar van zijn bestaan, en van alle mensen – honderden, nee, duizenden – die hij tot vijanden had gemaakt, was het vreemd genoeg deze *chica* die hem uiteindelijk de das om zou doen. Hier en nu. Hij had nooit die fotograaf moeten inhuren om foto's te maken door het raam van haar woonkamer in Washington. Hij had nooit afdrukken moeten maken van de moeder die met haar kleine jongen op de bank een boek zat te lezen. Hij had die foto nooit op dat tafeltje in de lounge van het hotel moeten leggen. Hij had niet langs een omweg haar eigen leven en dat van haar gezin moeten bedreigen.

Hij opende zijn mond om te smeken om zijn leven, maar hij kreeg de kans niet.

Op het moment dat Torres tegen de grond ging met twee gedempte schoten in zijn borst en één in zijn hoofd, al dood voordat hij de vloer raakte, hoorde Kate een baby huilen. Ze keek op en zag een jonge vrouw uit de slaapkamer komen.

Deel III

VANDAAG, 12:49 UUR

'Kate! Hallo!'

Carolina zwaait als ze dichterbij komt. Ook een expat, op een smalle stoep in Parijs, met een glimlach op haar gezicht. Ze is een Nederlandse moeder, van school. Weer zo'n vrouw met een uitgebreide set bij elkaar passende koffers, ergens gekocht binnen een kilometer van de plek waar ze nu staan, in de Rue de Verneuil, honderd meter van de sombere Pont Royal, die de Seine kruist naar het Louvre en de Tuilerieën.

Carolina begint een enthousiast gesprek met veel uitroepen. Ze is een drukke vrouw, sociaal ambitieus en erg vriendelijk, extravert op het pathologische af. De hele expat-gemeenschap langs de linkeroever wordt voortdurend door haar uitgenodigd. Nederlanders, heeft Kate gemerkt, zijn heel open en sociaal.

Kate kan haar aandacht niet bij het gesprek houden. Ze ziet Carolina's mond bewegen, maar begrijpt nauwelijks wat ze zegt – iets over het vernieuwde café om de hoek in de Rue du Bac, en wanneer ze hun eerste uitstapje van het schooljaar zullen plannen met de andere moeders, en dat er een nieuwe Amerikaanse uit New York is aangekomen. Heeft Kate haar al ontmoet?

Kate grijnst en knikt tegen haar vriendin, deze vrouw die ze nu al een jaar kent en bijna elke dag ziet, soms wel twee of drie keer op een dag, bij de grote groene deur van de school in het klinkerstraatje, in het café ernaast, het restaurant verderop, de *tabac* en *presse*, op de speelplaatsen en in de parken, het Musée d'Orsay, bij het tennis, de koffie en het shoppen, op zoek naar kinderkleren en rode wijn, schoenen en handtassen, gordijnen en kaarsen, kleppend over babysitters en huishoudsters, de beenruimte op transatlantische vluchten, of bijpassende sets van wel tien koffers.

Misschien zal Kate haar nooit meer zien. Dit gesprek zou zomaar hun laatste kunnen zijn. Dat is het leven van een expat: je weet nooit wanneer iemand die je dagelijks tegenkomt opeens voorgoed verdwijnt en een vage herinnering wordt. Algauw weet je niet eens haar achternaam meer, of de kleur van haar ogen, de klassen waarin haar kinderen zaten. Je kunt je nu niet voorstellen dat je haar morgen niet zou zien. Zoals je je ook niet kunt voorstellen dat je zelf een van die mensen zou zijn die zomaar in rook opgaan. Toch ben je dat.

'Zie ik je morgen?' vraagt Carolina. Ze denkt dat het een retorische vraag is.

'Ja,' antwoordt Kate. Het lijkt een gedachteloze bevestiging, maar ze beseft dat ze in werkelijkheid instemt met heel iets anders, een plan uit te voeren dat het afgelopen uur al steeds door haar hoofd speelde.

Kate weet nu dat ze de weekendtassen die voor de vierenveertigste keer zijn ingepakt niet nodig zal hebben, noch de Audi met zijn volle tank. Haar gezin gaat nergens heen, niet vandaag, niet morgen.

Er is een ander leven dat Kate hier kan leiden. En ze weet hoe ze dat kan verwezenlijken.

22

Plop!

Kate draaide zich om, geschrokken door het geluid van weer een kurk die uit de fles werd getrokken door Cristina, die te haastig of misschien te dronken was om hem eerst rustig te draaien. Ze rukte het ding er gewoon uit, liet de bruisende drank wegstromen in een handdoek, veegde de fles schoon en schonk de wijn zo snel in dat ze morste. Er moesten heel wat lege flessen in de keuken liggen.

Dit was hun eerste gezellige avondje sinds ze een week geleden met de 'Macleans' hadden gegeten en geskied. Gisteren waren ze in Luxemburg teruggekomen.

Cristina schonk Kates zware kristallen glas nog eens vol. Bezaten deze mensen echt tientallen kristallen flûtes? Misschien wel meer dan duizend dollar aan glaswerk? Voor oudejaarsavond?

Kate ontdekte Julia in de aangrenzende kamer. Ze hadden elkaar voor het laatst gesproken in de sneeuw buiten het restaurant van de wintersportplaats, toen ze met een kille nepzoen afscheid had genomen, afgeleid door de kinderen, het verrassend aangename gezelschap van Kyle en de nieuwe informatie dat deze FBI-agenten haar man ervan verdachten dat hij ongeveer vijfenzeventig miljoen dollar had verduisterd.

Kate had er nog steeds geen woord over gezegd tegen Dexter.

De meest gehoorde taal op dit feestje was Engels; dat sprak iedereen. Maar omdat de gastheer en gastvrouw Deens waren, klonk dat ook overal – voor Kate niet te onderscheiden van Zweeds en Noors, en nauwelijks van Nederlands en Duits. Romaanse talen beheerste ze wel. Al die zuidelijke talen sprak ze goed, zelfs redelijk Portugees, hoewel dat toch ook vreemde klanken had. Maar deze noordelijke talen? Koeterwaals.

Julia maakte oogcontact. Kate haalde diep adem om kalm te worden.

Dexter droeg jeans en een zwart shirt, net als een paar andere mannen hier. Maar Dexter was de enige die het over zijn broek droeg, terwijl de anderen brede riemen hadden, met een gesp als statussymbool, een zilveren of gouden logo, een grote *H* met schreef, of een *G* in een vierkantje. Die gespen, daar ging het om. Het zou nooit bij Dexter zijn opgekomen om een riem met zo'n gesp te kopen en zijn shirt in zijn broek te dragen alleen om dat symbool te laten zien. Zo was haar man niet; ze kende hem, en zo was hij niet. Maar natuurlijk kende ze hem niet echt.

Kate keek eens naar de mannen, allemaal uit de bankwereld, met hun platina horloges en krokodillenleren brogues, hun stretchdenim en silk-cotton shirts met glanzende parelmoeren knopen en handgestikte knoopsgaten. De gesprekken gingen over hun ski's, hun Zwitserse chalets met volledige catering, hun villa's in Spanje, eersteklasvluchten naar Singapore, de nieuwe Audi van volgend jaar, de Jaguar van de vorige generatie, de dollar versus de euro, winstprognoses, *short positions* – kortom, over geld, hoe je het verdiende en weer uitgaf. Hoe je het at, hoe je het dronk, hoe je het droeg.

Dexter had Kate een horloge gegeven voor Kerstmis, een gouden klokje met een leren bandje, eenvoudig en elegant. De prijs had ze gezien in de vitrine in de Rue de la Boucherie. De hele stad wist wat het kostte: 2100 euro. Alle echtgenoten kwamen twee keer per jaar shoppen in het centrum, met Kerstmis en voor de verjaardag van hun vrouw. Ze tuurden allemaal in dezelfde etalages in dezelfde straten, en zagen dezelfde prijzen die hun vrouwen ook zagen, zodat iedereen die het iets kon schelen precies wist wat elk tasje kostte – het standaardmodel 990 euro, die met de grotere vakken 1390.

Al deze vrouwen, al deze moeders, al deze ex-advocaten, ex-docenten, ex-psychiaters, ex-journalisten. Expat-exen. Nu mochten ze koken en schoonmaken. Nu gingen ze winkelen en lunchen. Ze droegen hun prijskaartje aan hun arm, een duidelijke verwijzing naar het inkomen van hun man en zijn bereidheid geld aan onzin uit te geven. Nou ja, aan pais en vree binnen zijn huwelijk.

Was Dexter ook een van die mannen geworden, achter haar rug om? Als dat zo was, wist hij het goed te verbergen. En Kate gaf hem nog steeds de kans. Want ze geloofde niet dat het veel zin had hem te confronteren, terwijl ze niets anders wist dan dat de FBI hem ergens van verdacht. Ze zou zelf de waarheid moeten ontdekken. En ze had net zo veel kans als iedereen – meer kans zelfs, want zij had toegang tot zijn computer, zijn bezittingen, zijn dagrooster. Zijn achtergrond. Zijn gedachten.

'Hallo, Kate,' zei Julia.

Kate kon de uitdrukking op haar gezicht niet duiden. Het was moeilijk vast te stellen over welke mate van waarheid of bedrog ze het samen eens waren, hier op dit drukke feestje. Eerlijkheid is een wisselwerking, een afspraak.

Wist Julia dat Kate wist dat zij een agente was? En wat haar missie inhield?

Kate slikte haar trots – of haar afkeer – in. Ze stapte over haar beschermende en vijandige gevoelens heen. 'Hé, Julia.'

Wat totale eenzaamheid is? Omringd te worden door een hele groep mensen, terwijl je gevangenzit in een leugen en niemand de waarheid kunt vertellen. Kate kon bij geen mens terecht – niet bij haar oppervlakkige kennissen, haar vage vrienden, haar eigen familie, zelfs niet bij haar beste maatje, de enige in de wereld, haar partner voor het leven. Ze zag hoe hij zorgeloos lachend zijn hoofd in zijn nek gooide, met zijn bril half op zijn neus, zijn haar in de war, een scheve grijns om zijn mond. Ze hield zo veel van hem, zelfs als ze hem haatte.

Kate dacht na over haar man, en de geheimen tussen hen, die zo veel afstand schiepen. Haar eigen geheimen, haar verborgen leven. De manier waarop ze hem had bespied en zou blijven bespieden, de onoverkomelijke muur van onwaarheden, die met de dag hoger werd, bij elk gesprek dat ze uit de weg ging, elke bekentenis die ze ontweek.

Kate liep de trap op, stilletjes en alleen, langs de verdieping van de ouders naar de etage van de kinderen, met een badkamer in een afgelegen hoek. Plastic rommel in primaire kleuren op de rand van het bad: shampooflessen met onbekende stripfiguren uit Franse, Duitse, misschien wel Deense televisieseries. Een paar tubes tandpasta in verschillende stadia van uitgeknepen prut, de bekende wanorde in een kinderbadkamer.

Kate ging zitten. Aan de muur tegenover haar hing een hoge spiegel, een uitnodiging – nee, uitdaging – om je eigen naaktheid te bestuderen. Kate staarde naar zichzelf, geheel aangekleed, in een zwarte rok met nylons, een zwarte sweater, een uitbundig halssnoer, opvallende oorbellen, haar splinternieuwe dure horloge. Stomme sieraden.

Het leek zo logisch, achteraf. Natuurlijk had ze zich aangetrokken gevoeld tot een man met een geheim leven. Natuurlijk was ze gevallen op iemand met duistere diepten, ergens onder de oppervlakte.

Ze had zichzelf wijsgemaakt dat ze al die dingen achter zich had gelaten toen ze voor Dexter koos, dat ze definitief afscheid had genomen van een wereld waarin mensen zich onderscheidden door list en bedrog. Maar in haar eigen verraderlijke leven was juist dit haar grootste zelfbedrog geweest.

Dexter zei dat de beste hackers gebruikmaakten van menselijke zwakheden. Natuurlijk had Kate altijd geweten dat ze zwakke punten bezat, zoals iedereen. Maar nooit eerder was ze zich er zo scherp van bewust geweest wat die zwakke punten waren. Nu wel.

Kende ze haar eigen man eigenlijk wel?

En weer kwamen de tranen.

De deur viel met een klik in het slot, en voor het eerst sinds de kerstdagen was Dexter weer vertrokken, terug naar kantoor. Terug naar die kamer waar Kate had ingebroken. Terug naar de computer waartoe ze geen toegang had kunnen krijgen, de dossiers die ze had doorgebladerd. Terug naar de beveiligingscamera in de hoek.

Het was de dag na Nieuwjaar, en zo begon het gewone leven weer, voor het eerst sinds Kate te horen had gekregen dat haar man waarschijnlijk een crimineel was. De dagelijkse sleur van boodschappen doen, sjouwen, uitpakken, opbergen, de vaatwasser inladen en uitruimen, de was sorteren en opvouwen, steeds opnieuw. De witte en de lichte was, de donkere en de gekleurde was.

Vroeg in de ochtend lag er zwart ijs, een dun laagje onzichtbaar gevaar op straten en stoepen. Auto's raakten in een slip en knalden overal tegen elkaar op, in smalle straatjes, op snelwegen en steile op- en afritten. Kate was blij dat ze in het centrum woonden, waar de werknemers van de banken, voor dag en dauw op weg naar kantoor, het ijs al hadden weggereden voordat zij zich om klokslag acht in de verwarmde kussens van haar auto liet zakken. Onderweg zigzagde ze langs de ongevallen: een Porsche tegen een stenen muur, een Ferrari die van een boom werd losgetrokken. Zwaailichten sneden door de donkere, grijze nevel.

Dexter moest nu op zijn werk zijn. Als hij meteen de video van de beveiligingscamera controleerde, wist hij hoe het zat.

Kate moest al wel honderd keer op haar mobiel hebben gekeken of ze geen oproep van Dexter had gemist. Bij elke blik verwachtte ze een nieuw voicemailbericht: '*Wat had jij in mijn kantoor te zoeken, godverdomme?*' Maar dat bericht kwam niet. De enige die belde was Julia. Kate nam niet op en Julia sprak niets in.

Dexter was later dan gewoonlijk naar kantoor gegaan en kwam ook eerder thuis dan verwacht. 'Morgenochtend moet ik naar Londen,' zei hij. 'Dat is voorlopig mijn laatste reis – voor mijn werk, tenminste. Maar je bent toch niet vergeten dat we dit weekend naar Amsterdam gaan?'

'Natuurlijk niet,' zei Kate.

Dexter had hun uitstapje naar Amsterdam zelf geregeld, omdat een van zijn oude zakenvrienden daar op doorreis was, iemand uit zijn tijd als eenvoudig werknemer van een internetprovider. Via de sociale media hadden ze contact gehouden, en het leek hun leuk elkaar weer eens te zien, na al die jaren, in Europa.

Dus was dit het eerste gezinsuitstapje dat Kate niet had geregeld vanuit huis – vanaf de laptop die Julia ooit tien minuten had gebruikt om haar mail te checken, toen bij haar het internet eruit lag.

Dexter was voor dag en dauw wakker. Kate bleef liggen en staarde roerloos naar de donkere muur terwijl hij zich haastig douchte en aankleedde. Ze stond pas op toen ze beneden de deur hoorde dichtvallen.

In de ochtendschemer ging ze achter de computer zitten en controleerde eerst hun officiële bankrekeningen, in Luxemburg en Washington. De Amerikaanse rekening had een minimale beveiliging online, niets anders dan een gebruikersnaam en een wachtwoord. Maar de rekening in Luxemburg vereiste een lange, abstracte gebruikersnaam, een hele serie zinloze cijfers en letters. Daarna een soortgelijk wachtwoord en dan een complexe toegangscode, waarvoor Kate de juiste cijfers en letters moest invoeren vanaf een sleutel die aan een legpuzzel deed denken.

Als die hele toestand al nodig was voor een rekening van 11.810 euro, durfde ze er niet aan te denken hoe een rekening van vijftig miljoen euro – vijftig miljoen gestolen euro's – beveiligd zou zijn. Zulke codes waren te gecompliceerd voor Dexter of wie dan ook om uit het hoofd te leren. Ergens moesten de rekeningnummers en het beveiligingsprotocol dus opgeslagen zijn. Vermoedelijk niet op zijn kantoor in dat grote, officiële gebouw in het centrum, met al die bewaking eromheen. Zo'n gebouw kon worden overvallen of afgesloten. Alles wat zich erin bevond, kon in beslag worden genomen.

Nee, hij moest die informatie in het appartement hebben verborgen.

Haastig opende en sloot Kate alle bestanden op de harde schijf, de gemeenschappelijke schijven of in de cloud, alle bestanden die niet van haar waren, op zoek naar soortgelijke gegevens voor een onbekende rekening.

Toen de jongens een uurtje later hongerig wakker werden, had Kate nog altijd niets gevonden op de computer. Dat had ze ook niet verwacht. Zoals Dexter zelf al zei, kon iedere computer worden gehackt. Maar Kate wist dat ze grondig en geduldig te werk moest gaan.

Het moest hier ergens te vinden zijn.

Het kostte haar twee uur om de hele dossierla van het bureau op zijn werkkamer door te werken; ieder velletje papier, iedere envelop en map, op zoek naar handgeschreven notities, prints van hun computer, aantekeningen op telefoonnota's, alles waarop Dexter een code kon hebben geschreven.

Niets.

Kate verlegde haar aandacht naar de boeken die hij had meegenomen naar Europa: een handvol romans, woordenboeken, reisgidsen, technische handboeken. Het enige wat ze ontdekte was dat hij erg onder de indruk was van een paar regels uit *A Confederacy of Dunces*.

Ze doorzocht alle schriften en aantekenboekjes in het huis, zelfs die van de jongens, klein of groot. Bij het doorbladeren van hun schetsboeken kostte het haar moeite zich niet te laten afleiden door hun tekeningen. Vooral Ben zat in een fase van poppetjes tekenen met een komische nadruk op sokken.

Amerikaanse chequeboekjes, stortingsbewijzen, controlestrookjes. Fotoalbums. De paspoorten van de kinderen. De la van zijn nachtkastje. Het medicijnkastje. Jaszakken. Keukenladen.

Niets.

Om halfelf kwam Dexter doodmoe uit Londen terug. Het leek alsof hij jaren was weggeweest in plaats van nauwelijks een dag. Ze spraken niet veel – de vlucht viel mee, de bespreking ook – voordat hij zich op bed liet vallen met een dik boek over de financiële markten.

Hij had nog geen woord gezegd over de videocamera op zijn kantoor, of over wat dan ook.

Kate kwam naast hem liggen, pakte haar tijdschrift dat open lag bij de inhoudsopgave, sloeg de pagina's om en probeerde te lezen. Dat lukte niet erg. Haar blik gleed vaag over de woorden en plaatjes.

Niet veel later viel Dexter in slaap. Kate keek nog even in haar blad, om tijd te winnen. Zachtjes bladerde ze verder, starend naar de foto's, die ze ontleedde tot afzonderlijke pixels, abstracte vormen en kleuren. Het was een twee maanden oude glossy uit Amerika, met achterhaalde roddels over beroemdheden, irrelevante culturele commentaren en een lang politiek stuk dat niet alleen uit een ander land en een ander werelddeel afkomstig leek, maar van een andere planeet – een planeet waar ze vroeger had gewoond, maar die ze nu nauwelijks nog herkende.

Kate wachtte tot Dexter vijf minuten lag te snurken voordat ze uit bed glipte.

Op haar tenen sloop ze in het donker de trap af. Ze nam zijn portefeuille mee naar de badkamer en deed de deur op slot. Daar haalde ze alles uit zijn portefeuille wat erin zat: creditcards, legitimatiebewijzen, kwitanties en bankbiljetten in verschillende valuta's.

Ze onderzocht alles, maar vond helemaal niets.

In de keuken pakte ze een theedoek van het haakje, liep ermee naar het bureau waar Dexters mobiel lag, sloot hem aan op de oplader en zag het rode lampje oplichten. Ze wikkelde de telefoon in de theedoek om het geluid te smoren toen ze hem weer uit de oplader haalde. Terug in de badkamer ging ze op de wc zitten, scrolde door alle contacten, memo's en recente telefoontjes, alle apps waarmee je kon typen en een serie cijfers of letters kon opslaan.

Ze ontdekte dat hij deze hele dag in Londen niet één keer had gebeld. Toen ze zijn lijst van inkomende en uitgaande gesprekken over de afgelopen zestig dagen doornam, zag ze dat Dexter tijdens al zijn zakenreizen niet één keer internationaal had gebeld, behalve naar haar.

Kate klapte de telefoon dicht en dacht na over het merkwaardige feit dat iemand een hele serie zakenreizen maakte zonder ooit te hoeven bellen. Geen secretaressen om een afspraak te bevestigen, geen organisatie, geen taxi's te bestellen, geen tafeltjes te reserveren. Geen telefoontjes om een vergadering voor te bereiden of erop terug te komen. Geen details te bespreken, niet één enkele keer, met helemaal niemand?

Dat leek niet erg waarschijnlijk.

Dat kon eenvoudig niet.

Dexter was helemaal nooit op reis geweest, of hij had nog een telefoon.

Als Kate zich voorstelde dat ze Dexters gangen naging – wat ze helemaal niet wilde – was dit precies het beeld dat bij haar opkwam: dat ze in het holst van de nacht door haar eigen huis sloop om de privézaken van haar man te onderzoeken terwijl hij sliep.

Daarom had ze zichzelf bij hun trouwen heilig voorgenomen om nooit meer een onderzoek naar hem in te stellen. Ze wilde dit niet, dit afschuwelijke gevoel.

En toch liep ze nu met zijn nylonkoffertje naar de badkamer en deed de deur weer op slot. Ze ritste de vakken open en maakte het klittenband los, hoewel ze eigenlijk niet verwachtte nog iets te zullen vinden. En toen... Wat?... een zijden lus helemaal onder in zijn tas.

Haar hart bonsde in haar keel. Opeens kreeg ze weer hoop toen ze aan het lusje trok. Er kwam een stevig nylonpaneel omhoog, en daar was het: een geheim vak. Met een telefoon erin, een onbekend stukje plastic en metaal.

Kate staarde naar dit eerste concrete bewijs, de ingang van de doolhof waaruit ze misschien nooit meer zou kunnen ontsnappen. Ze overwoog de mobiel in zijn vakje terug te leggen en de tas weer in de gang te zetten. Of ze zou naar boven kunnen gaan om haar man wakker te schudden: wat is er godverdomme aan de hand, Dexter?

Maar ze deed geen van beide.

Ze zette de telefoon aan, en het schermpje kwam tot leven met een koel blauw schijnsel, icoontjes voor de apps en balkjes voor het bereik. Ze drukte op het telefoonsymbooltje, toen op het icoon van de laatste gesprekken en scrolde door het lijstje, met een gevoel alsof de wanden van de doolhof op haar af kwamen.

Marlena, gisteren, 09:18 uur.

Marlena, eergisteren, 19:04 uur.

Een nummer in Londen, netnummer 44-20, niet opgeslagen bij de contacten, om 16:32 uur.

Marlena, nog een dag eerder, en opnieuw op maandagavond.

Kate opende de lijst met contacten. Het waren er maar twee: Marlena, met een nummer in Londen, en Niko, met een prefix dat ze niet herkende. Kate prentte ze allebei in haar geheugen.

Marlena en Niko. Wie waren dat in vredesnaam?

Dexter werd pas laat wakker. Hij ontbeet met Jake en Ben en verdween pas weer naar boven om te douchen en zich te scheren toen iedereen naar school vertrokken was. Opeens een lui varken, na vier maanden onafgebroken werken.

Maar toen Kate thuiskwam, was hij verdwenen. Terug naar de videocamera die haar had opgenomen. Terug naar zijn mysterieuze kantoor. Terug naar zijn geheime telefoon, zijn onbekende contacten, zijn vijftig miljoen gestolen euro's. Terug naar zijn andere leven.

Kate kreeg nauwelijks lucht meer.

Ze ging weer aan het werk, doorzocht de opslag in de kelder en de Amerikaanse elektronica die hier niet werkten. Ze keek achter in de oude televisie, in de lampenkappen, de broodrooster, het filter van het koffiezetapparaat. Een kist met oude Tupperware, een bonte verzameling glaswerk, impulsief gekochte, veel te dure Chinese schalen. De zomerbanden voor de auto. De fietspomp. De koffers. De labels van de koffers.

Tussen al die ongebruikte en onbruikbare rommel stond ook een kledingkist met het opschrift KATES WERKKLEDING, vol donkere, wollen pakjes en gesteven witte blouses met kraagjes die nog net niet gerafeld waren – haar oude leven, in een vergeten kist in een kelder.

Ze ging naar de bakker en bestelde een broodje ham. Terwijl ze stond te wachten, probeerde ze te bedenken hoe ze een onderzoek zou kunnen instellen naar Marlena en Niko, zonder rechtstreeks hun nummers te bellen. Want dan was ze te traceren; dan viel ze op.

Als Dexter de beelden van die videocamera niet controleerde, wie dan wel? Wat deed die camera daar?

Ze keek in zijn sokkenla, zijn ondergoedla, zijn T-shirtla; de zakken van zijn jeans, zijn jasjes en zijn overjassen; de binnenkant van zijn broekriemen en stropdassen; de zolen en hakken van zijn schoenen, de binnenzolen.

Ze haalde de kinderen uit school, kocht gebak en zette hen voor de televisie met Franse tekenfilms. Het leek wel of *Bob l'Eponge* permanent op het scherm was.

En terwijl ze met de kinderen op de bank zat, inspecteerde ze de boekjes bij de cd's, de grote vakken van de fotoalbums, de achterkanten van de foto's.

'Mama?' zei Jake. 'Ik heb honger.'

Ze was helemaal vergeten haar kinderen te eten te geven.

Kate hoorde Dexter niet binnenkomen. Ze stond vlees te braden met de afzuigkap aan.

'Hé.'

Ze maakte een sprongetje. De pan met kip vloog omhoog uit haar rechterhand, raakte haar linker onderarm en brandde een streep in haar vlees. Kate liet de pan met een klap op de keramische kookplaat vallen en slaakte een korte, harde kreet van pijn.

'O!' zei Dexter. Hij rende de keuken in, maar bleef toen hulpeloos staan, aarzelend wat hij moest doen.

Kate liep naar de gootsteen, draaide de kraan open en hield haar arm onder het koude water.

'Het spijt me,' zei hij. 'Het spijt me zo.'

De afgelopen paar seconden was ze de videocamera, het geld, Marlena en Niko totaal vergeten, maar nu kwam alles weer boven.

Hij legde een hand op haar schouder. 'Sorry,' zei hij nog eens. Toen knielde hij, raapte wat stukjes kip op en gooide ze weg. De rest wipte hij vanaf de kookplaat weer in de pan. 'Dit kunnen we toch nog eten?'

Ze knikte.

'Zal ik de verbandtrommel pakken?'

Er liep een vage rode streep van vijf centimeter breed over de bleke huid aan de binnenkant van haar onderarm. Ze hield hem nog steeds onder het koude water. 'Ja, graag.'

Kate keek naar haar man, die haar bezorgd aanstaarde, met een frons op zijn voorhoofd. Hij had zich nog nooit gebrand bij het koken. Hij stond niet vaak genoeg in de keuken om dat soort fouten te maken. Hij had zich nog nooit met het aardappelmesje in zijn duim gesneden, of in zijn vinger als hij een peer schilde, of zijn arm verbrand in kokend water, of spetterend vet op de rug van zijn hand gekregen, met blaren als gevolg.

Nee. Hij had vijftig miljoen euro gestolen.

Ze gingen aan tafel. Na het eten lazen ze de kinderen voor, en daarna lazen ze zelf een boek, totdat Dexter in slaap viel, zonder dat hij iets over een beveiligingscamera had gezegd.

Kate lag naast hem en kon de slaap niet vatten.

Marlena en Niko.

'En Dexter?' vroeg Claire. Het was bijna drie uur en ze stonden te wachten bij de school.

'Wat?' Kate was volledig verdiept in haar eigen obsessies. Nog altijd had ze geen andere bewijzen kunnen vinden: geen rekeningnummers, geen sporen naar Marlena en Niko, geen informatie over iemand die vijftig miljoen euro zou hebben gestolen, van wie dan ook, waar dan ook. Bovendien zouden ze die avond met het hele gezin naar Amsterdam rijden, en Kate had nog niet gepakt. Dexter zou om halfvijf thuis zijn. Hij stond te popelen. Kate was in tijdnood.

'Ik zei net dat Sebastian waardeloos is in het huishouden. Is Dexter een beetje handig?'

'Nee,' moest Kate toegeven. 'Je hebt niet veel aan hem. Ik doe alles zelf.'

'Heb je zelfs die Ikea-rommel in elkaar gezet?' vroeg Claire.

Kate had ooit een ladekast met 388 verschillende onderdelen gemonteerd. 'Ja,' bekende ze. Die kast had haar vier uur gekost. 'Sebastian wil het wel proberen,' zei Claire, 'maar alleen als ik het hem op mijn knieën smeek.'

'Ja, net als Paolo,' beaamde Sophia.

'Als ik wil dat Henrik een lamp vervangt,' zei Cristina, terwijl ze haar stem liet dalen, 'zal ik hem eerst moeten pijpen.'

Kate wist dat Cristina een grapje maakte, maar misschien was het niet zo'n gek idee, omdat Dexter echt nooit...

Jawel, bedacht Kate opeens. Ooit had hij iets gerepareerd in huis. Zomaar. Ongevraagd. Eén keer.

Ze gooide de sokken en het ondergoed op bed, legde de shirts en broeken op een stapel en liet de sweatshirts en truien maar vallen. Het was onmogelijk om die netjes opgevouwen te laten.

Toen ging ze aan de slag met de accuschroevendraaier, bzzz-bzzz, de ene schroef na de andere. Ze maakte het ene paneel na het andere los, hardboard of vezelplaat, hout of kunststof. Systematisch demonteerde ze het bureau op de kamer van de jongens, het enige Ikea-meubel waarom Dexter zich had bekommerd, lang nadat Kate het zelf in elkaar had gezet. Hoelang was het geleden, die zogenaamde reparatie? Een maand, twee maanden? Terwijl het haar nooit was opgevallen dat er iets loszat.

Ze keerde het frame van het bureau ondersteboven en boog zich over de onderkant, een rechthoek van balkjes die het ding zijn vorm gaven. Eén voor één schroefde Kate ze los.

Niets. Ze kon het niet geloven. Ze was er zo zeker van geweest dat ze de oplossing had gevonden!

Ze onderzocht de kopse kanten van de balkjes, tuurde in de schroefgaten van de ene balk, de volgende...

Kate zuchtte.

Onder aan de poot zag ze... ja, wat?... een gleuf in het hout die haar niet was opgevallen toen het bureau nog overeind stond. Ze probeerde haar wijsvinger erin te krijgen, maar dat lukte niet. Zelfs haar pink was te dik. Ze pakte de schroevendraaier, drukte hem in de gleuf, wrikte hem opzij... zette kracht en trok hem weer terug... toen nog eens...

Een stukje papier viel op het kleed, strak opgevouwen tot een kleine rechthoek.

Daar lag het.

Ze raapte het op, dat kleine papiertje, vouwde het open tot het formaat van een kauwgomwikkel en staarde naar de onbegrijpelijke, handgeschreven reeks cijfers en letters.

23

Op haar horloge, het dure kerstcadeau, was het negen minuten voor vier. Kate wierp een blik op de ravage in de jongenskamer, met stapeltjes kleren, gereedschap en de onderdelen van een gedemonteerd bureau verspreid over de vloer.

Dexter zou over veertig… nee, negenendertig minuten thuis zijn voor hun lange rit naar Nederland.

Kate legde het strookje papier plat op de grond, haalde haar telefoon uit haar zak, maakte een foto en keek of alles leesbaar was op de opname. Toen vouwde ze het papiertje op en stak het weer keurig in de gleuf van het bureau.

Ze pakte de schroevendraaier, probeerde zich de gebruiksaanwijzingen van de andere Ikea-meubels te herinneren, draaide de schroeven vast, sloeg de deuvels op hun plaats en bevestigde de bouten.

Om twee minuten over vier verscheen Jake in de deuropening. 'Mama? Wat doe je?'

'Niks, schat.'

'Mama? *Bob l'Eponge* is afgelopen.'

Bzzz-bzzz. 'Is er niets anders?'

'Jawel, maar daar vind ik niks aan.'

Bzzz-bzzz. 'Dat kan ik ook niet helpen, schat.'

'Kun je wat anders opzetten?'

'Verdomme, Jake!' viel ze uit, zonder enige waarschuwing. De jongen deinsde geschrokken terug. 'Ik ben even bezig! Laat me met rust!'

Hij begon te huilen en sloop mokkend weg. Kate had meteen spijt, maar raakte ook in paniek.

Om dertien minuten over vier zat het frame weer in elkaar.

Kate zuchtte, half opgelucht. Hoeveel tijd konden de laden kosten? Ze begon aan de eerste, en nam de tijd op. Het was lastiger dan ze had gedacht en ze deed er vier minuten over. Het bureau had zes laden.

Ze maakte haast. De tweede la ging gemakkelijker – ze wist nu hoe het moest – maar er bleven nog steeds veel schroeven om vast te draaien. Het kostte haar iets minder dan drie minuten. Dit ging ze niet redden.

'Mama?' Nu was het Ben.

'Ja?' Ze draaide zich niet naar hem om.

'Dat is van papa.'

'Ja,' zei ze. 'Daar heb je gelijk in. Hij heeft het de vorige keer gerepareerd.'

'Was dat niet goed, dan? Moet het overnieuw?'

O, hoe kon ze dit uitleggen? Een totaal onverwacht probleem. Ze stond op en liep naar haar zoontje toe. 'Zeg het maar niet tegen papa, goed?'

'Waarom niet?'

'Dan zou hij maar verdrietig zijn.'

'Omdat hij het verkeerd heeft gedaan?'

Ja, dacht ze. Hij had het helemaal verkeerd gedaan! 'Precies.'

'O.'

'Dat blijft ons geheimpje, oké?' Nu vroeg ze haar kind al om tegen zijn eigen vader te liegen. Verschrikkelijk.

'Oké.' Ben glimlachte. Hij hield van geheimpjes. Toen draaide hij zich om en verdween.

De derde la kostte haar twee minuten, maar die tijd was ze ook kwijt geweest aan haar gesprekje met Ben. Het was drie minuten voor halfvijf.

Wanhopig keek ze om zich heen. Dexter zou wel te laat zijn, zoals altijd. Hij kwam nooit wanneer hij had beloofd.

Behalve als ze een uitstapje maakten.

Ze kon het bureau niet op tijd in elkaar krijgen, dus pakte ze het frontje van de volgende la en ramde de bodem en de zijkanten ertegenaan, zonder achterkant, zonder schroeven of geleiders. Maar het hield. Voorzichtig schoof ze de la in het frame, heel langzaam... Het frontje liet los en kletterde tegen de vloer.

'Papa!' klonk het beneden.

Ze raapte de voorkant op en sloeg hem met de muis van haar hand op zijn plaats. Hij bleef zitten.

'Hallo!' riep hij langs de trap omhoog.

'Hallo!' riep Kate terug, en ze herhaalde de exercitie met de volgende la. Beneden hoorde ze haar man met haar zoontjes praten, maar ze kon hen niet verstaan. Het klonk een beetje als de volwassenen in *Peanuts*.

Weer een la. Een paar klappen, en hij zat.

Ze hoorde zijn leren zolen de stenen trap op komen.

Nog één la te gaan, en ze had zelfs geen tijd meer om de onderdelen bijeen te graaien. Met haar rechterhand pakte ze het frontje van de onderste la, terwijl ze met haar andere hand een grote plastic emmer met lego naar zich toe trok. Ze drukte het frontje waar het moest zitten en zette de emmer ertegenaan om het op zijn plaats te houden.

'Zijn we al klaar?' vroeg Dexter boven aan de trap. Hij kwam de hoek om.

Kates blik gleed over de verspreide kleren en – verdomme! – de gereedschapskist. Ze griste de oranje deken van Jakes bed en gooide die over de kist op het moment dat Dexter de kamer binnenkwam.

'Kunnen we vertrekken?' Hij keek om zich heen. 'Wat is hier aan de hand?'

Kate streek haar haar van haar voorhoofd en speldde het achter haar oor. 'Ik was hun kleren aan het uitzoeken. De meeste zijn alweer te klein. Die moeten we wegdoen.'

Zijn blik bleef rusten op het bureau, dat niet helemaal recht tegen de muur stond. 'Hm.'

'Sorry. Mijn aandacht werd een beetje afgeleid.'

Kate liep de kamer door, bij het bureau vandaan, uit de buurt van haar pogingen om haar knutselwerk verborgen te houden. Ze pakte de weekendtas die ze 's ochtends had klaargezet – waarom had ze alles vanochtend al niet ingepakt? – en bracht hem naar het bed.

'Ik ben zo klaar,' zei ze. 'Heb jij je koffer al gepakt?'

'Ja,' zei hij. 'Vanochtend. En jij?'

Ze schudde haar hoofd.

'Laat mij maar,' zei hij, en hij nam de tas van haar over. 'Dan pak ik de spullen van de jongens in.'

Kate wist zo snel geen antwoord te bedenken.

'Welke kleren zijn te klein?' vroeg hij.

'Ik eh... die zijn al weg.'

'O?' Hij trok zijn wenkbrauwen op. 'Wat heb je er dan mee gedaan?' Achterdochtig? Of gewoon nieuwsgierig?

'Ze zitten in de kringloopcontainer, beneden in de kelder.'

'Mogen daar ook kleren in? Die is toch alleen bedoeld voor oude handdoeken, lakens, dat soort dingen?'

'Ook voor kleren,' zei ze. 'Die worden uitgezocht op het inzamelpunt.' Geen idee of dat echt zo was.

'Hm. Oké.' Hij legde zijn hand op haar schouder. 'Ga jij je koffer maar pakken.'

Wat moest ze verzinnen? Kon ze hem naar beneden sturen om de kinderen gezelschap te houden? Wist ze een leugen te bedenken om hem uit deze kamer weg te krijgen? Nee.

Wilde hij alleen zijn in deze kamer? Had hij in de gaten wat hier gebeurde?

'Dank je,' zei ze. 'Sorry dat ik niet eerder heb gepakt.' Ze draaide zich om, liep de gang op en bleef daar staan, terwijl ze haar oren spitste om te horen wat hij deed. Maar de geluiden waren te vaag – wat geritsel, zijn ademhaling. Niets wat erop wees dat hij de plastic emmer met lego verplaatste, geen gekletter van onderdelen die op de grond vielen.

Zo snel mogelijk zocht ze haar spullen bij elkaar. Het zou een tweedaagse trip zijn, net als naar Straatsburg, Brugge en Keulen. Daar had ze genoeg ervaring mee, zodat ze er niet over hoefde na te denken. Dit uitstapje was niets anders dan een dagje van huis, maar dan twee keer zo lang.

Ze liep met haar stapeltje naar de kamer van de jongens, de gang door, nerveus...

Dexter stond midden in de kamer, bezig om Jakes oranje deken op te vouwen.

De gereedschapskist stond open op de grond. De accuschroevendraaier lag op het kleed naast de zware, oranje-zwarte plastic kist.

Dexter keek haar aan terwijl hij de deken opvouwde. Hij zei geen woord.

Kate liep de kamer door naar Bens bed, waar ze de weekendtas had achtergelaten, half gevuld met de kleren van de kinderen. Ze deed haar eigen dingen erbij en ritste de tas dicht.

Ze zag hoe Dexter de opgevouwen deken op het bed legde en de kamer uit liep, nog steeds zonder iets te zeggen. Haastig wierp ze een blik op het bureau. Het frontje van de onderste la, los van de rest, was een beetje naar voren gezakt. Het leunde nog tegen de plastic emmer en was niet op de grond gevallen, maar iedereen die goed keek, kon zien dat het loszat en dat er iets niet klopte.

Was het Dexter opgevallen?

De grachten van Amsterdam glinsterden in de kille avond. Het water vormde een golvende deken van lichtpuntjes, de weerspiegeling van straatlantaarns, restaurants, cafés en huizen. De gordijnen waren open en je zag mensen in hun huiskamer of eetkamer zitten, terwijl ze de krant lazen of een glas wijn dronken. Gezinnen verzamelden zich rond de eettafel en kinderen keken televisie, allemaal goed zichtbaar voor de buren, voor onbekenden, voor de buitenwereld.

Dexter vond een parkeerplaats bij het hotel, aan een gracht. Voorzichtig manoeuvreerde hij de auto naar de rand; er zat geen enkele afscheiding tussen de klinkerstraat en het water, drie meter lager. Bij een automaat kocht hij voor vijfenveertig euro een parkeerkaart voor vierentwintig uur en legde die achter de voorruit. Een paar maanden geleden zou hij nog niet eens hebben geweten hoe dat moest, maar nu was het zijn tweede natuur om instructies te lezen in talen die hij niet sprak, op toetsen te drukken, creditcards te gebruiken, stugge kaartjes in zijn portefeuille te bergen die bij het uitrijden in een apparaat moesten worden gestoken, of dunne tickets op zijn dashboard achter te laten, die naar de vloer wapperden als je op een winderige dag het portier open- en dichtdeed.

Dexter was tegenwoordig heel wat efficiënter dan vroeger. Hij wist hoe je moest parkeren.

Ze staken een brug over. Langs de gracht stonden hoge bakstenen huizen met grote verlichte ramen en glanzende deuren die allemaal in dezelfde donkergroene kleur waren geschilderd, bijna zwart. Kate voerde in gedachten weer haar denkbeeldige gesprek. Dexter, zou ze zeggen, Julia en Bill zijn FBI-agenten, uitgeleend aan Interpol.

Ze denken dat jij vijftig miljoen euro hebt gestolen. Ik weet dat je een geheime bankrekening hebt, en ik ben geneigd die beschuldiging te geloven. Maar het belangrijkste is nu hoe je hiermee weg kunt komen zonder te worden gepakt.

Hoe weet je dat, van die bankrekening? zou Dexter vragen.

En Kate zou hem vertellen dat ze het bureautje had gedemonteerd en het strookje papier had gevonden.

En je bent zomaar op onderzoek uitgegaan? Zonder reden?

Op dat punt van het gesprek liet haar verbeelding haar in de steek. Op die vraag had ze nog steeds geen antwoord. Geen verklaring. Niet helemaal, zou ze zeggen. Maar hoe moest het dan verder? Hoe kon ze hem een verhaal vertellen dat maar tot één bekentenis kon leiden? Ik heb vijftien jaar voor de CIA gewerkt.

'Wat dacht je hiervan?' Dexter stond voor een bruin café met houtbetimmerde wanden, kale tafeltjes, grote rokerige spiegels, rijen flessen op stevige planken, en al het hout onversierd en bruin. Vandaar de naam.

Ze kregen het laatste vrije tafeltje in het midden. De rest werd in beslag genomen door stellen en groepen. Het was vrijdagavond. Alles op het menu zag er goed uit, en de specialiteiten die de dienster beschreef klonken heerlijk. Ze waren uitgehongerd. Eigenlijk hadden ze onderweg al moeten eten, maar die beslissing namen ze pas te laat, toen er nergens langs de weg meer een restaurant te vinden was.

De kinderen hadden een paar snoeprepen gekregen; in het handschoenenkastje lag altijd een voorraadje.

De dienster bracht bier en fris, bruin en oranje in zware glazen, die met een prettige klap op de donkere tafel werden neergezet. De jongens zaten platen te kleuren in hun kleurboek, zoals gewoonlijk. De volwassenen wisten hoe ze moesten parkeren in buitenlandse steden; de kinderen hoe ze zich moesten vermaken buiten de deur. Ver weg en toch thuis.

'Wat moest je met die gereedschapskist?'

Zomaar, uit het niets. Een verraderlijke aanval, vijf uur na het incident.

Kate gaf geen antwoord. Ze dacht bliksemsnel na.

Dexter herhaalde zijn vraag niet, en gaf ook geen verduidelijking. Ze had geen excuus om nog langer te zwijgen.

Kate kon zich de leugen die ze in een denkbeeldig gesprek had gerepeteerd niet meer herinneren. 'Ik... eh, het raam...'

Kate zag dat Ben scherp luisterde. Ze wist niet of hij dit grappig of ernstig vond, of hij haar zou verraden of niet. Een glimlach verscheen om zijn lippen.

'Ik moest iets aan de zonwering doen.' En toen, heel snel: 'Jongens? Handen wassen!'

'Ik neem ze wel mee,' zei Dexter. 'Kom, Ben. Jake.'

Dexter stond op, pakte de jongens bij hun handjes en loodste hen mee. Halverwege het café draaide Ben zich om en grijnsde ondeugend naar zijn moeder.

Omdat Amsterdam zijn uitstapje was – hij wilde zijn vriend zien, helemaal zijn eigen idee – had Dexter het hotel gekozen en de kamer gereserveerd. Het hotel leek haar duurder dan waar ze normaal logeerden. Vier sterren, maar dichter bij de vijf dan bij de drie.

Terwijl Dexter hen inschreef, wachtten Kate en de jongens in de lobby op een met fluweel beklede loveseat van mooi bewerkt hout. Het behang was dik en duur, het vijf meter hoge plafond afgewerkt met sierlijke stuclijsten.

'Ben,' fluisterde ze, 'heb je papa verteld wat ik deed?'

'Wanneer?'

'Boven? Op je kamer?'

'Nee, ik bedoel, wanneer moet ik hem dat hebben verteld?'

'Op de wc van het café? Of wanneer dan ook? Héb je het hem verteld?'

Ben keek even naar zijn oudere broertje, alsof hij een verklaring zocht, of steun. Maar Jake had zich tegen zijn teddybeer genesteld en zoog op zijn duim. Hij sliep al bijna. Van hem was geen hulp te verwachten.

'Dat hij het niet goed had gerepareerd?' vroeg Ben.

'Ja,' zei Kate. 'Heb je dat tegen hem gezegd?'

Dexter keek om, lachte naar Ben en wendde zich weer tot de man achter de balie.

'Nee,' zei Ben. Hij lachte ook.

'Ben? Vertel je me de waarheid?'

'Ja, mama.' Nog altijd met die grijns.

'Waarom zit je dan zo te lachen, lieverd?'
'Weet ik niet.'

De kinderen vielen onmiddellijk in slaap op de uitklapbank, tegen elkaar aan geleund, alleen gescheiden door de vrolijk kijkende teddybeer, rafelig en versleten, die steeds magerder en groezeliger werd.

Kate besefte hoe absurd het van haar was geweest om Dexter in alles te vertrouwen. Maar in elk geval wist ze waaróm ze zo absurd had gereageerd: omdat een leugenaar andere mensen liever niet van leugens verdenkt. Dan zouden die anderen haar immers ook kunnen verdenken, en terecht, met de kans dat ze betrapt zou worden.

Dexter kwam uit de badkamer in een witte boxer en een wit T-shirt. Plukjes haar op zijn bleke armen en benen staken alle kanten op. Een bleke man in een winter zonder zon.

Hij ging op bed liggen, met zijn handen in zijn schoot gevouwen, zonder iets te zeggen of iets te pakken om te lezen.

Jake snoof als een grommend dier en begon toen te snurken. Dexter bleef roerloos liggen. Kate keek opzettelijk niet zijn kant op, bang voor de uitdrukking op zijn gezicht of wat hij dacht. Ze wilde geen discussie uitlokken.

En toch ook wel. Wanhopig zelfs. Dit moest eindelijk worden uitgepraat, wat het ook was. Ze kon niet het ene geheim op het andere blijven stapelen, met al die vragen blijven zitten.

Ze sloot de reisgids op haar schoot en nam een besluit. Het geluid van haar eigen gedachten was oorverdovend toen ze zich naar hem omdraaide en haar mond opende. Het bloed bonsde in haar hoofd, nu ze eindelijk de moed opbracht om haar hart te luchten – voor een deel, tenminste, ze wist het niet. 'Dexter,' begon ze, terwijl ze zich naar hem toe boog, 'ik...'

Halverwege haar zin, halverwege haar gedachte, halverwege alles, bestierven de woorden haar op de lippen. Hij was diep in slaap.

Ze gingen naar het Van Gogh Museum en de bloemenmarkt, waar niet veel te zien was, hartje winter. Bloembollen te koop, pakjes zaad en tuingereedschap. Ze waren het erover eens dat het Anne Frank Museum te veel akelige onderwerpen en onbeantwoordbare vragen zou oproepen, dus sloegen ze dat maar over.

Toen het tijd werd om de kinderen om te kopen, stapten ze een speelgoedwinkel binnen, waar de jongens carte blanche kregen voor welke doos lego dan ook – een kleine doos, welteverstaan. 'Ik regel het wel,' zei Dexter, zich maar vaag bewust van de discussies, overwegingen en onderhandelingen die hem wachtten.

Kate stapte even naar buiten, de Hartenstraat in. Het was zaterdagmiddag, en druk in de stad. Mensen hadden zich dik ingepakt en mutsen opgezet. Ze lachten en rookten, te voet of op de fiets. Opeens, uit haar ooghoek, zag ze een bekende gedaante aan het einde van het intieme straatje. Kate herkende de houding, de gestalte, de lengte en het gewicht van de vrouw onder haar grote zwarte muts en haar wollen jas. Ze stond voor een etalage, een grote onberispelijke spiegelruit.

De vrouw had duidelijk niet verwacht dat Kate weer zo snel uit de speelgoedwinkel naar buiten zou komen, al na tien seconden. Daar had ze niet op gerekend. Dus had ze zich even ontspannen, te goed zichtbaar, te weinig op haar hoede. En ze was betrapt.

VANDAAG, 13:01 UUR

Kate opent de la en het kluisje. Ze haalt de Beretta eruit, die veel lichter is zonder zijn magazijn. Het gladde, zwarte metaal voelt koel in haar hand.

Ze kijkt even naar een foto op het bureau, een kiekje in een antiek leren lijstje, van de jongens lachend in de branding bij St.-Tropez. Meer dan een jaar geleden nu, gebronsd en met gebleekte haren na een warme, zonnige zomer. Hun tanden glinsteren wit en een gouden schijnsel kaatst terug vanaf de Middellandse Zee. Het is een late middag, eind juli.

Ten slotte had Dexter het aan Kate overgelaten waarheen ze zouden verhuizen. Zelf had hij een voorkeur voor het platteland of een klein stadje, ergens in Toscane, Umbrië, de Provence, aan de Côte d'Azur of zelfs de Costa Brava. Maar Kate vermoedde dat Dexter helemaal geen zin had in het platteland, maar gewoon een discussie wilde verliezen, om haar het gevoel te geven dat ze iets had gewonnen – dat het háár beslissing zou zijn, tegen zijn zin.

Kate verdacht hem ervan dat hij haar in alle opzichten had gemanipuleerd, al tijden lang. Dat was een hele ommekeer, na al die jaren waarin ze had geloofd dat hij wel de laatste zou zijn om iemand te manipuleren.

Haar belangrijkste – vermoedelijk overbodige – argument voor Parijs was dat het beter zou zijn voor de kinderen. Dan zouden ze opgroeien en naar school gaan in een wereldstad, niet in een beschermde, verwende omgeving. Het leek haar geen goed idee dat ze alleen maar zouden uitblinken in tennis en zeilen. En zelf konden Dexter en zij altijd nog buiten gaan wonen als de kinderen gingen studeren.

Kate leunt naar achteren op de stoel, met het pistool in haar hand, en denkt nog eens aan dat andere stel, die vreemden van wie ze dacht dat het vrienden waren die zich voordeden als vijanden. En ze denkt na over haar man, met zijn onverwachte duivelse trekjes. Over haar eigen gedrag, bedenkelijk maar toch te billijken. En over wat ze nu moet doen.

Ze klikt de clip van de Beretta op zijn plaats, tilt de dubbele bodem van haar tas op – net zoiets als het geheime vak in Dexters oude koffertje, waar hij zijn geheime telefoon bewaarde. Ze bergt het pistool op en sluit de dubbele bodem.

Dan buigt ze zich naar een rommelige boekenkast om een mobiel van zijn oplader te halen. Ze heeft deze telefoon al meer dan anderhalf jaar niet meer gebruikt, maar hij is altijd opgeladen. Ze zet hem aan en toetst het lange nummer in. Dit soort nummers slaat ze niet in een adresboek op.

'*Bonjour*,' klinkt het aan de andere kant. Het is een vrouwenstem die ze niet herkent, maar dat had ze ook niet verwacht.

'*Je suis 602553*,' zegt Kate.

'Een moment, *madame*.'

Kate kijkt uit het raam, over de schuine daken van St.-Germain, de Seine en het Louvre rechts van haar, de glazen koepels van het Grand Palais recht vooruit en de Eiffeltoren links. De zon komt net door de wolken achter haar, ongezien, en legt een gouden waas over de stad, alsof haar uitzicht wordt verguld, bijna té volmaakt.

'Jawel, *madame*. De dameslounge van de Bon Marché. Over een kwartier.'

Kate kijkt op haar horloge. '*Merci*.' Haastig stapt ze weer naar buiten, de lift in en door de lobby en de galerij de straat op. Via de Rue du Bac naar de Boulevard Raspail, in zuidelijke richting door de mensenmassa van het lunchuur, het warenhuis in, de roltrap op, zigzaggend tussen slenterende vrouwen door, naar het halletje voor de toiletten, waar een betaaltelefoon begint te rinkelen.

'Hallo,' neemt ze op, terwijl ze de deur achter zich dichttrekt.

'Blij je stem te horen,' zegt Hayden. 'Het is al te lang geleden.'

'Vind ik ook,' zegt Kate. 'We moeten praten.'

'Problemen?'

'Niet echt. Eerder een oplossing.'

Hij zegt niets.

'Kunnen we elkaar om vier uur treffen?' vraagt ze.

'In Parijs? Dat zal helaas niet gaan. Ik zit niet echt in de buurt.'

'Zo ver is het ook weer niet. En als ik me niet vergis, heb je de beschikking over een vliegtuig.' Hayden heeft vorig jaar promotie gemaakt – en dat voor iemand die in zijn lange carrière in het veld nooit deel heeft uitgemaakt van het management. Verrassend genoeg is hij nu de op één na hoogste baas in Europa. En bij die functie hoort het gebruik van een jet en het gezag over al het personeel, van de laagste rangen in Lissabon en Catania tot de sectiehoofden in Londen en Madrid. En Parijs.

Hij geeft geen antwoord.

'Herinner je je die vijftig miljoen euro nog, gestolen van een Serviër?' vraagt Kate.

Een stilte. 'Aha.'

'Vier uur?'

'Een uurtje later, als het kan.'

24

Kate verwonderde zich erover hoe diep ze haar hoofd in het zand had begraven en alles genegeerd wat haar al lang geleden duidelijk had moeten zijn: dat de Macleans al maandenlang elke beweging van de Moores volgden.

Jake zwaaide naar haar vanaf de andere kant van de etalageruit. Kate zwaaide terug. Dexter en de jongens stonden nu in een andere winkel, een chocolaterie, terwijl zij buiten wachtte. Ze zag hun grote ogen en hun wijzende vingers; ze smeekten met heel hun lijf. Kinderen in een snoepwinkel.

Kate deed alsof ze Julia niet had gezien. Ze was de andere kant op gelopen in de Hartenstraat en had haar hoofd afgewend, zodat de FBI-agente de kans kreeg weg te sluipen, zonder te weten of Kate haar had opgemerkt of niet.

Nu stond Kate in een andere straat en dacht terug aan het begin van de surveillance, want dat moest het zijn geweest: die dag tegen het einde van september, nu ruim drie maanden geleden, toen de regen met bakken naar beneden kwam. Ze had geparkeerd bij de Belle Etoile in Strassen, en Julia beweerde dat ze haar telefoon in Kates auto had laten liggen. Nee, Kate hoefde niet met haar mee te lopen in de stromende regen. In haar eentje was Julia naar de auto teruggerend en had daar ongetwijfeld een handig verborgen zendertje geïnstalleerd voordat ze zich weer bij Kate had aangesloten met de serene glimlach van de Mona Lisa.

Vanaf dat moment hadden Bill en Julia voortdurend geweten waar Kate was.

Dus waren de Macleans op de hoogte toen Kate en Dexter de volgende vrijdagmiddag naar het zuiden vertrokken over de A3, de Franse grens over, langs de kernreactoren bij Thionville, en via de afslag bij Metz naar de A4 in de richting Reims. Op dat moment waren Julia en Bill waarschijnlijk in zijn kleine BMW gesprongen om hen te achterhalen. Tijdens de drie uur lange rit naar Parijs hadden ze de kloof gedicht, om pas vaart te minderen tot 140 kilometer per uur toen hun gps hen waarschuwde voor de flitspalen. Of misschien hadden ze helemaal geen vaart geminderd. Wat kon de FBI een Europese verkeersboete schelen?

En terwijl de Moores nog een parkeerplek zochten in Parijs, stoven de Macleans de snelweg af, door de wijngaarden van de Champagne, waar trucks al geparkeerd stonden voor de nacht, in oogsttijd. Ze lokaliseerden Kates stationcar in een smoezelige garage en belden de hotels in de buurt, totdat ze het adres hadden gevonden waar een kleine suite was gereserveerd door Monsieur et Madame Moore. De Macleans namen zelf een kamer vlakbij en gingen verder met hun surveillance.

De Moores waren gemakkelijk te volgen. Ze bewogen zich in een grote, trage groep, namen nooit een taxi maar altijd de metro, en wandelden door drukke straten. Al die tijd bleven ze in de publieke ruimte.

Waarschijnlijk wisselden de Macleans elkaar om de tien minuten af – elkaar volgend, terwijl ze het gezin volgden – wachtend op een goede gelegenheid, een natuurlijke situatie, een toeristische plek in de late middag, waar een ontmoeting spontaan zou kunnen lijken. Ze hadden het hotel van de Moores al gebeld om vast te stellen dat er een kinderoppas was. Dexter en Kate zouden de uitnodiging voor een avondje stappen niet afslaan. Te veel wijn, een dure club, een extra stapje in hun vriendschap, een nieuwe intimiteit.

Die hele spontane zaterdagavond was zorgvuldig geregisseerd, en ook de zogenaamde overval was in scène gezet; een toneelstukje.

Dit alles was dus al drie maanden aan de gang.

Dexter hield iets verborgen – vijftig miljoen gestolen euro's? – en deze FBI-agenten zaten hem op de hielen. Ze gingen al zijn gangen na, in Luxemburg, België, en nu ook in Amsterdam. Ze waren iets op het spoor en durfden Dexter zelfs geen weekend uit het oog te verliezen. Waarom niet?

De jongens stormden triomfantelijk de snoepwinkel uit met hun buit in de hand: 'Mama, kijk!' Onschuldig en naïef lieten ze hun moeder zien wat ze van hun vader hadden mogen kopen.

Kate glimlachte tegen haar kinderen, maar huiverde tegelijk van angst en kou. 'Geweldig, schat.'

Wat zich hier ook afspeelde, ze had het gevoel dat het einde begon te naderen. Kate hoopte vurig dat het geen gewelddadig einde zou zijn, maar ze zou haar maatregelen treffen.

Kate was alleen. Ze bleef staan op een van de bruggen en keek omhoog naar de spectaculaire lucht: het warme diepblauw van de avondschemer, de voortjagende schapenwolken, de lagen wit, zilver en grijs, allemaal op elkaar gestapeld. Achter de ramen brandde licht en ook de fietsen hadden verlichting, die weerspiegelde in het water.

Dexter had de jongens mee terug genomen naar het hotel voor een tv-film tot aan het eten. Pas om acht uur hadden ze een afspraak met zijn vermoeiende vriend Brad.

Aan de andere kant van de brug eindigde de rij winkels als aan het einde van een Amerikaanse buitenwijk, de laatste Sizzler en Meineke onder de straatlantaarns, voordat het donkere platteland begon. Een paar tieners met dreadlocks verspreidden de geur van marihuana.

Kate vond een bank en stapte het gangetje met geldautomaten binnen. Ze hield haar alledaagse cards in haar portemonnee en zocht in een binnenzak tussen vijf of zes andere plastic kaartjes, die ze in Europa eigenlijk niet nodig had maar toch altijd bij zich droeg: een gelamineerde Amerikaanse *socialsecurity card*, een oude legitimatie van haar werk, een lidmaatschapskaart van de sportschool. En een pasje van een bankrekening op haar oude naam, de rekening waar Dexter niets van wist.

Ze nam de limiet op: duizend euro.

Daarna haalde ze ook het maximum van hun gezamenlijke Luxemburgse rekening, nog eens duizend euro. En ze nam een contant voorschot op twee creditcards, elk duizend euro.

Terug op straat slenterde ze naar de rosse buurt. De vrouwen waren groot en onaantrekkelijk, Zuidoost-Aziatisch, met jarretelles, hoge hakken en zwaar hangende borsten die uit kanten beha's puilden.

Bij een kruidenier kocht Kate een pakje plastic zakken, een rol tape en een fles water. Ze had dorst en ze was zenuwachtig.

De straten werden smaller, de ramen dichter op elkaar, zes vrouwen in een snelle opeenvolging, knappe, donkerharige Europese meisjes. Toen, om de hoek, een paar Afrikaanse vrouwen, met volle lippen en dikke billen. Het leek wel of er afdelingen bestonden, net als in een warenhuis.

Kate stapte een goedverlicht café binnen, dat er vanbuiten schoon en veilig uitzag, maar binnen wat ruiger leek. Ze bestelde een cola, legde wat muntjes op de bar en dronk snel. Achterin zag ze het bordje naar de toiletten, ergens onder aan een griezelige wenteltrap. Beneden stonden een paar mannen die een groezelige deal deden, met een clandestien luchtje.

'Neem me niet kwalijk,' zei ze toen ze langs hen heen liep. Ze deed de deur achter zich op slot, haalde de plastic zakjes uit haar jaszak, scheurde er een langs de perforatie af en gooide de rest in de afvalemmer. Toen pakte ze haar stapeltje bankbiljetten, stak een paar honderdjes in haar rechterzak, wat briefjes van twintig in haar linker. De rest van de vierduizend euro verdween in het plastic zakje. Ze perste de lucht eruit, vouwde het strak op en wikkelde de tape eromheen.

Ze ging op de wc zitten en trok haar linkerlaars uit. Als ze haar benen over elkaar sloeg, deed ze dat altijd rechts over links. Ze wist niet óf ze haar benen over elkaar zou slaan, omdat ze geen idee had hoe dit zou aflopen, maar ze wilde geen risico's nemen.

De laars had een lage hak, maar het was voldoende. Aan de achterkant van de zool, achter de boog, waar de leren zool omhoogkwam naar de met rubber afgewerkte hak, zat ruimte genoeg. Dat was de plek waar ze haar zakje met geld vastplakte.

Toen ze weer buiten stond, zag ze mannen langs elkaar heen schuifelen. Ze maakten vluchtig oogcontact in het rode licht tussen het glinsterende, met fluweel omzoomde glas. Er waren luidruchtige pubers bij, groepjes van drie of vier, die heel stoer hun gebrek aan ervaring probeerden te compenseren. Maar ook mannen van middelbare leeftijd, in pak, sommigen schichtig, anderen heel openlijk – de vaste klanten, of mensen die het niets kon schelen wat iemand anders ervan vond, in de overtuiging dat iedereen hier zijn eigen zaken najoeg, zoals overal.

De coffeeshops puilden uit. Veel herrie en muffe stank, met de scherpe geur van wiet die naar buiten walmde en op straat bleef hangen.

Een jongeman keek haar aan, met een uitnodiging in zijn blik om… wat? Ze dacht even na, maar liep hem toen voorbij.

Langs een andere gracht, heel anders dan de betere buurten van Amsterdam, met seksshops, nachtclubs en roodverlichte ramen. Uit een bar klonk dronken gelach, Engels met een Australisch accent, het gegiechel van verlegen vrouwen.

Een andere man, wat ouder, maakte oogcontact, meer rechtstreeks. Hij knikte en ze knikte terug. Hij zei iets in het Nederlands en Kate vertraagde haar pas, maar gaf geen antwoord.

'Zoek je iets?' Een West-Indisch accent, ver van huis. Zij ook.

'Ja.'

Een gouden kies glinsterde. 'Wat?'

'Iets speciaals,' zei ze. 'Van staal. Met lood.'

Zijn glimlach verdween. 'Daar kan ik je niet aan helpen.'

Ze haalde een briefje van twintig uit haar zak. 'Wie wel?'

'Vraag het Dieter. Daar.' Hij knikte een kant op, met dansende dreadlocks.

Kate liep verder langs de smalle gracht, tussen de geluiden en de geuren. Voor een live-sex club bleef ze staan. De posters lieten geen twijfel bestaan over de voorstelling. Een man in een glimmend zwart pak, schoenen met spitse neuzen en een smalle leren das hield iedereen in de gaten die kwam en ging. Hij keek Kate aan. '*Guten Tag.*'

'Hallo. Ben jij Dieter?'

Hij knikte.

'Ik zoek iets. Een vriend zei dat jij me kon helpen. Iets van ijzer.'

Dieter keek verbaasd. 'Een geiser?'

'Nee,' zei ze. 'Iets van ijzer. Metaal.' Ze tilde haar hand op en wees naar hem, met haar duim omhoog. Toen bewoog ze de duim. Béng.

Dieter begreep het en schudde zijn hoofd. 'Dat zal niet gaan.'

Ze haalde twee blauwe briefjes van twintig uit haar zak en stak ze hem toe. Hij maakte een grimas, maar pakte het geld niet aan en schudde opnieuw zijn hoofd.

Kate deed er een honderdje bij.

Dieter keek naar het groene briefje en registreerde het bedrag. 'Kom mee,' zei hij, terwijl hij het geld van haar aanpakte. Haastig liep hij voor haar uit, terwijl hij voortdurend om zich heen keek, slecht op zijn gemak met deze missie, die niets met seks te maken had. Een brug over, een druk, smal straatje door, met aantrekkelijke hoertjes achter alle ramen. Een populair gebied, de *Billboard Top 40*-sectie van de rosse buurt, zonder speciale voorkeuren. Een hoek om naar een donker, nog kleiner straatje, eigenlijk een steeg, met maar twee rode lichtjes en lange blinde muren.

Dieter bleef staan voor een roodverlicht raam, en ook Kate hield haar pas in. De knappe blondine keek van hem naar Kate en opende toen haar deur. Een lucht van wierook, sigarettenrook en ontsmettingsmiddelen. Dieter liep langs haar heen, het groezelige kamertje door, langs het bed, dat werd omlijst door spiegels. Het meisje ontweek Kates blik.

Ze volgde hem door een smalle gang, betimmerd met kale houtplaten. Aan het eind kwamen ze bij een wrakke trap. Een laag plafond, weinig licht.

Kate werd nerveus. Ze bleef staan.

'Kom.' Een snel gebaar, niet echt geruststellend. 'Kom mee.'

Ze beklommen de trap, via een verraderlijke overloop, nog hoger, naar een pas verbouwd halletje. De goedkope vloerbedekking trilde onder haar voeten en Kate hoorde een dreunende bas, een grommende zangstem en synthesizers. De muziek zwol aan. De Engelse teksten waren duidelijk te verstaan, grof en vulgair.

Kate stapte van het kleed op de tegelvloer van een bredere gang met een hoger plafond, alsof ze van een afbraakpand in een herenhuis terecht waren gekomen dat ergens in deze hoek verborgen stond. Twee grote, geschilderde paneeldeuren. Dieter keek even achterom en duwde toen de deuren open...

Met één blik nam Kate de chaos in de reusachtige ruimte in zich op. Banken, divans, sofa's, salontafeltjes, Perzische kleden, lampenkappen met kwastjes op een albasten voet, marmeren haarden en grote ramen met uitzicht op de gracht. Vijf of zes meisjes in diverse stadia van ontkleding, een van hen met haar hoofd in de schoot van een woest ogende man met piercings en tatoeages. Hij trok haar hoofd aan de oren op en neer. Een ander hoofd, met oranje haar, zat in het midden van de zaal over een spiegelende salontafel gebogen.

De man snoof het witte poeder op, gooide zijn hoofd in zijn nek en schudde zich uit, waardoor zijn lange, piekerige haar in zijn gezicht sloeg.

'Ahhhhhh!' brulde hij. '*Fucking beautiful!*' Hij veegde zijn neus af en keek van Kate naar Dieter. 'Wie is dat wijf?'

Dieter haalde zijn schouders op. 'Ze zoekt iets.'

'Ken je haar?'

'Helemaal niet.'

'Goed.'

Dieter haalde zijn schouders op en verdween, blij dat hij verlost was van Kate en haar verontrustende verzoek. De deuren vielen achter hem dicht.

'Angelique? Fouilleer haar even.'

Het meisje kwam loom overeind. Ze was een meter tachtig, topless en droeg niets anders dan een broekje en naaldhakken. De man met het rode haar volgde haar met een wellustige blik in zijn ogen. Angelique was inderdaad een prachtige meid, niet ouder dan zeventien. Ze fouilleerde Kate en slenterde weer terug naar haar luie stoel en haar tijdschrift. *Vogue*. Een naakt meisje dat een modeblad las.

'Wat zoek je?'

'Een wapen.'

De man met de tatoeages was bijna klaar. Hij pompte het hoofd van het meisje op en neer, terwijl ze kokhalsde en probeerde niet te jammeren.

De man met het rode haar grijnsde. 'Een wapen? In ruil waarvoor? Laat je je broekje zakken? Dat vind ik nou aardig van je.'

Kate lachte breed. 'Ik zoek een pistool. En zonder vieze praatjes, achterlijke Schotse lul die je bent.'

'Ahhhh,' kreunde de andere man.

'Wat? Hoor je dat, Colin?'

'Ahhhhhhhhh.' Colin greep met zijn vuisten in het haar van het meisje. 'Nu even niet, Red.'

'Een pistool, zei je?'

Kate gaf geen antwoord.

'Wie ben je dan? Politie? Waar is je zendertje?'

'Geen zendertje.'

'Laat maar zien.'

Kate keek hem strak aan; hij knipperde niet met zijn ogen.

'Of sodemieter op.'

Ze wachtte nog een tel, toen twee, nog altijd met haar ogen strak op hem gericht, voordat ze langzaam haar jasje uittrok en op de grond liet vallen.

Met een snelle beweging trok ze haar sweater over haar hoofd. Haar haar knetterde statisch. Ze tastte op haar rug, ritste haar rok los en liet hem vallen. Met haar handen in haar zij bleef ze voor hem staan.

'Amerikaans?' vroeg hij.

Kate droeg nu alleen nog haar laarzen en haar ondergoed. Ze gaf geen antwoord.

'De rest.' Hij maakte een gebaar met zijn vingers. 'Trek de rest ook uit.'

'Val dood.'

'Waar heb je dat pistool voor nodig?'

Wanhopig wilde ze zich weer aankleden, maar ze voelde het ook als een kleine triomf om zo voor hem te staan en kracht te putten uit haar vernedering.

'Colin? Wat hebben we voor haar?'

Colin ritste zijn zwarte jeans weer dicht en kwam met ontbloot bovenlijf naar hen toe. Zijn hele torso was bedekt met een onontcijferbare wirwar van verbleekte inkt. Hij boog zich over de spiegeltafel om wat te snuiven. Toen richtte hij zich op, liep naar een bureau aan de andere kant en keek in een la.

'Een Beretta,' meldde hij.

'O.' Red glimlachte. 'Dat is een leuk speeltje. We hebben het vorige week op straat gevonden.'

Kate was niet geïnteresseerd in zijn kletsverhaal over de herkomst van het wapen.

'Laat zien.'

Met een vloeiende beweging haalde Colin de clip uit de Beretta en gooide het glimmende staal vijf meter de kamer door. Een perfecte worp, en Kate ving het makkelijk op. Ze nam de tijd om het pistool te inspecteren, ook om Red duidelijk te maken dat ze zich niet liet dollen. Een 92FS, de Toyota Corolla onder de handvuurwapens. En het ding leek in goede staat.

'Tweeduizend,' zei ze. Ze wilde niet naar zijn prijs vragen, hem niet de overhand gunnen in de onderhandelingen. Het was een koehandel die niets met de objectieve waarde van het pistool te maken had. Het kon vijftig euro kosten of twintigduizend; het ging om de afweging tussen wat hij van haar kon vragen en waar zij hem toe kon krijgen.

'Lazer toch op. Tienduizend.'

Ze bukte zich, pakte haar rok en trok hem aan.

'Acht,' zei hij, en Kate wist dat ze dit ging winnen. Ze trok haar trui over haar hoofd.

'Vijfentwintighonderd.' Ze schudde haar haren los van de kraag.

'Krijg de klere, stomme teef.'

Ze pakte haar jasje en deed het aan.

'Geen cent minder dan vijfduizend.'

'Ik geef je er drie.'

'Takkewijf.'

Ze haalde haar schouders op en draaide zich om.

'Vier,' zei hij.

'Vijfendertighonderd. Graag of niet,' grijnsde ze.

Hij probeerde haar te intimideren, maar zag dat het zinloos was.

'Vijfendertighonderd,' zei hij. 'En je pijpt me.'

Onwillekeurig schoot ze in de lach. 'Lik m'n reet.'

Hij grijnsde breed. 'Ga ik mee akkoord,' zei hij.

Kate wilde naar het wetenschapsmuseum op een pier in de haven, en na de lunch naar een vlooienmarkt in een kerk, waar ze afdong op een paar aankopen: een porseleinen bord en wat zilverwerk. Daarna wilde ze koffiedrinken, met gebak voor de kinderen.

Onder de tafel voelde de Beretta zwaar op de bodem van haar handtas, en hij drukte nog zwaarder op haar geweten.

Dexter gaf toe dat Brad een irritante eikel was geworden sinds ze tien jaar geleden collega's waren geweest. Hij was naar New York verhuisd voor een technisch baantje waarover hij dikke verhalen hield. Inmiddels had hij een titel, een optie op een verbouwde zolderverdieping, een zomerhuis in de Hamptons en wat al niet. Kate had de man nooit gemogen en was blij dat Dexter het eindelijk met haar eens was, nu Brad zich had ontwikkeld tot de praatjesmaker die hij in aanleg altijd was geweest. New York had zijn talent in die richting sterk bevorderd.

Als Dexter echt vijftig miljoen euro ergens had weggesluisd, was hij in elk geval geen zelfvoldane zak geworden.

Kate bestelde nog een koffie. Ze probeerde de dag te rekken, het ene uur na het andere, zodat ze pas laat in Luxemburg zouden terugkomen en de kinderen meteen naar bed zouden gaan, zonder dat het licht in hun kamertje nog hoefde te branden. Ze wilde Dexter niet de kans geven in zijn eentje door de kinderkamer te dwalen en het gedemonteerde bureau te zien, het bewijs van haar ontdekking.

Ze vertrokken over de snelweg door het vlakke Nederland, met om de paar kilometer een afslag en bij elke afslag wel een stad. Tegen zonsondergang sukkelden ze in de file op de rondweg van Brussel, voordat ze weer snelheid konden maken door Wallonië, dunbevolkt, donker en heuvelachtig, met ravijnen, bossen en grote leegten.

Kate staarde uit het raampje naar de duisternis van de Ardennen, waar de wereldoorlogen waren uitgevochten – het bloedige man-tegen-man-gevecht van de Battle of the Bulge, de grootste en dodelijkste veldslag uit de Tweede Wereldoorlog, zo'n zestig jaar geleden. En nu? Nu zag je niet eens grenzen meer tussen Duitsland, Frankrijk, België en Luxemburg. Al dat bloedvergieten om de eigen soevereiniteit en de integriteit van de eigen grenzen, terwijl je tegenwoordig niet eens een paspoort hoefde te tonen om van de geallieerde landen naar de As-mogendheden te reizen.

George Patton was begraven in Luxemburg, op loopafstand van de school van de kinderen, samen met vijfduizend andere Amerikaanse soldaten.

De Duitse auto zoefde met 150 kilometer per uur over de snelweg, door de dansende nevel boven het asfalt. Heuvel op en heuvel af, in doodse stilte, met slechts hier en daar wat verkeer. Een verlaten plek in het donker van de nacht.

De ideale plaats om te verdwijnen.

25

Acht uur 's ochtends. Vijf over acht, zeven over acht. Het werd tijd om de kinderen naar school te brengen... ze moest nu weg, ze was al te laat... maar Dexter was nog altijd niet vertrokken. Hij was net uit bed, nauwelijks wakker, en stond onder de douche.

Als Kate nu wegging, had Dexter het rijk alleen. Dan kon hij overal rondlopen, doen wat hij wilde. Hij zou het bureau kunnen inspecteren en ontdekken dat ze het had gedemonteerd. En als hij in de emmer achter in de provisiekast keek, zou hij zelfs de Beretta kunnen vinden.

'Oké, jongens,' zei ze vanuit de keuken. Ze haalde het pistool uit de emmer en borg het in haar tas. 'Mama is klaar.'

Zo kon ze niet leven.

'Hallo?'

Zachtjes deed ze de voordeur achter zich dicht. Klik. 'Hallo?'

Kate keek naar de stenen schaal op het tafeltje in de hal, waar hij zijn sleutels altijd legde. Leeg. 'Dexter?'

Voor alle zekerheid liep ze de trap op, de gang door naar de ouderslaapkamer en hun badkamer. Toen ze langs de kamer van de jongens kwam, wierp ze een blik op het bureau. Nog niets veranderd, de voorkant van de la zat nog altijd los. Daar zou ze snel iets aan doen.

De trap af en de gang door naar de huiskamer. Ze stak haar hoofd om de hoek van de keukendeur. Haar zenuwen werden met de seconde erger. Ze stond bijna te trillen.

Ten slotte ging ze achter het bureau zitten en klapte de laptop open. Eerst checkte ze haar mail, om het nog uit te stellen. Ze antwoordde op iets onnozels en las iets onbelangrijks. Ze leegde zelfs de map met spam.

Totdat ze niets anders meer te doen had dan de reden waarom ze achter de computer was gaan zitten.

Ze opende het fotomapje van haar telefoon en koos de foto van Dexters strookje papier, met de rekeningnummers en de wachtwoorden. Er stonden geen namen van banken op, maar hoeveel banken konden er zijn? Hoeveel tijd zou dit haar kunnen kosten? Een halfuur, een uur?

Kate stond op, liep naar de keuken en schonk zichzelf een kop koffie in. Alsof cafeïne haar zou kunnen helpen...

Ze ging weer zitten, met haar handen boven het toetsenbord, en dacht na. Een logisch begin leek de bank waar ze hun gezamenlijke rekening hadden.

Ze ging naar de favorieten en kwam op de welkomstpagina van de bank, waar om het rekeningnummer en het wachtwoord werd gevraagd.

Kate keek weer naar haar telefoon, de foto met de nummers...

Ze toetste het eerste cijfer in, een acht. Haar middelvinger bleef rusten op de asterisk boven het cijfer, en opeens bedacht ze iets. Deze computer...

Het beeld van Julia dook voor haar ogen op. De dag dat Julia bij haar langs was gekomen omdat ze geen internetverbinding had en haar mail wilde bekijken. Julia had op deze zelfde stoel gezeten, achter deze computer, met haar handen op de toetsen.

Nu pas drong het tot Kate door. Het was Julia niet te doen geweest om haar e-mail. Ze had spyware op de computer geïnstalleerd om Kates schermen en haar toetsaanslagen te registreren. Alles wat ze typte werd daardoor doorgemaild aan Julia en Bill, die over haar schouder konden meelezen om de rekeningnummers en wachtwoorden van de Moores te stelen, hun banktransacties en beleggingen te volgen – en de reserveringen van hun vliegtickets en hotelkamers.

De Macleans hadden toegang tot deze computer. Maar het uitstapje naar Amsterdam was niet via deze laptop geregeld.

Natuurlijk! De Macleans hadden niet geweten waar de Moores naartoe gingen, voor hoelang, of waarom. Omdat Dexter alles had geboekt vanuit kantoor, zijn ultrabeveiligde kantoor met zijn superbeveiligde computer. Daarom had de FBI niet geweten of Kate en Dexter misschien op de vlucht waren geslagen, op weg naar het eiland Man, naar Hamburg of Stockholm. Misschien zouden ze wel onderweg blijven en onderduiken, met valse paspoorten en tassen vol geld.

Dus had de FBI hen geschaduwd, bang dat de verdachte hen door de vingers zou glippen.

Kate haalde haar handen weer van dit besmette toetsenbord, deze gekraakte computer.

'Hallo, Claire? Met Kate. Kate Moore.'

'Kate! Hoe is het?'

'Goed.' Kate zag een vertrouwd gezicht langs haar telefooncel lopen in de P&T. 'Claire, ik heb een rare vraag.'

'Zeg het maar, schat. Maakt niet uit.'

'Zou ik even bij je langs kunnen komen om je computer te gebruiken?'

Claires kantoor aan huis was een hoekje achter de trap, met uitzicht op de oprit, de minst aantrekkelijke kamer in het grote nieuwbouwhuis. Kate zag een auto voorbijrijden en vroeg zich af of Julia of Bill hier ook zou opduiken, langzaam rijdend door de straat, om haar in het oog te houden.

Ze ging naar het internet en begon bij de grootste banken, waarvan je de namen overal zag, boven op gebouwen, op sponsorvlaggen bij festivals, op de truien van wielerploegen.

Op dat strookje papier van Dexter stonden twee rekeningnummers. Het eerste nummer was gekoppeld aan een gebruikersnaam, een wachtwoord en andere informatie. Het tweede nummer had geen gegevens. Kate was niet van plan het tweede nummer te proberen; dat had geen zin.

Maar het eerste nummer wel. Dat ging bijna te gemakkelijk, te snel. Tien minuten nadat ze was begonnen, bij de vijfde bank die ze probeerde, vond ze het eerste rekeningnummer.

Ze hield haar adem in toen ze het wachtwoord invoerde... Ja, het werd geaccepteerd.

Daarna moest ze de juiste afbeelding kiezen uit een selectie van ongeveer dertig, wat de opmerking 'hond' op het strookje papier verklaarde. Vervolgens moest ze een puzzel oplossen met een serie letters op Dexters papiertje. En eindelijk opende zich een venster op het scherm:

Uw rekening wordt opgevraagd.
Een moment, alstublieft.

Uw rekening wordt opgevraagd.
Een moment...

Het scherm ging op zwart.

Kate verstijfde, in paniek, en keek haastig om zich heen. Wat zou dit...

Het scherm lichtte weer op, met de rekening. Het was maar een overzicht met globale gegevens. Kates blik vloog over het scherm om alles te lezen.

Rekeninghouder: LuxTrade S.A.
Adres: Rue des Pins 141, Bigonville, Luxembourg

Er stonden geen bedragen op de pagina, alleen deze algemene informatie, die geen enkel bewijs vormde. Er was niets uit af te leiden. Kates hoop vervloog.

Toen pas zag ze een pijltje voor het financiële overzicht. Ze greep de muis, bewoog de cursor, klikte op de pijl en wachtte een frustrerende milliseconde terwijl er absoluut niets gebeurde. Vervolgens de beangstigende microseconde waarin het scherm op zwart ging, om ten slotte plaats te maken voor een blauw-witte pagina met twee regels in het midden:

Saldo spaarrekening
409.108,00 EUR

Dat was onverwacht veel geld, maar nog lang geen vijftig miljoen euro. Kate slaakte een diepe zucht van opluchting en leunde naar achteren in haar stoel, bij de computer vandaan. Wat Dexter ook had misdaan, hij had geen vijftig miljoen euro gestolen.

Ze staarde naar het scherm en dacht na. Allerlei gissingen spookten door haar hoofd. Wat zou dit kunnen betekenen, dat verschil tussen vierhonderdduizend en vijftig miljoen euro...?

Toen pas ontdekte ze het pijltje voor de andere rekening.

In hoog tempo reed ze door Luxemburg in de sportwagen van Claires man, eerst over tweebaanswegen, een kort stukje over een echte snelweg, een paar rotondes... Ze voegde in, gaf gas, remde af, passeerde. Niets op de radio, geen muziek, geen Franse cultuur. Kate was overgeleverd aan haar eigen labyrint van mogelijke verklaringen, die allemaal nergens toe leidden.

Met open mond had ze een volle minuut naar het computerscherm zitten staren.

Huidig saldo
25.000.000,00 EUR

Daarna had ze uitgelogd bij de bank, de browsergeschiedenis en de cookies van de computer gewist en het programma verlaten. Vervolgens had ze de harde schijf weer opgestart en over haar volgende stappen nagedacht.

Met een geforceerde glimlach was ze teruggelopen naar de keuken. Claire keek wel een beetje verbaasd toen Kate haar vroeg of ze Sebastians BMW kon lenen. 'Mijn auto maakt van die vreemde geluiden,' beweerde Kate, 'en de omstandigheden daar zijn erg beroerd. Ik zou niet graag pech krijgen op een dag als vandaag. Morgen breng ik mijn auto wel naar de garage.'

Ze reed nu naar het westen en daalde af naar het dal van de Petrusse, dat door het midden van het land liep. Aan de andere kant van de rivier lagen glooiende heuvels met lange beklimmingen, hoogvlakten en afdalingen naar kreken en beekjes, voordat de weg weer verder klom.

Er was een groot verschil tussen de vijftig miljoen euro die Dexter volgens de FBI zou hebben gestolen en de ruim vijfentwintig miljoen die op zijn rekeningen stond. Dat was maar de helft. Maar het verschil was gradueel, niet absoluut. Het bleef een ongelooflijke hoeveelheid geld, die hij nooit op een normale manier kon hebben verdiend.

Kate racete door de bossen. De bomen stonden dicht langs de weg; slanke, witte stammen die zich uitstrekten naar de hemel, naar het licht. Opeens leken de bomen nog veel witter en feller, een van die ijzige vorstgebieden die je op dit soort dagen regelmatig tegenkwam, als de temperatuur net onder het vriespunt zakte, waardoor de ochtendnevel, die overal aan kleefde, bevroor en alle oppervlakken – bomen, struiken, takken, naalden, straatnaambordjes en lantaarnpalen – een stralend, verblindend wit ijslaagje kregen. Bijna bovennatuurlijk.

Er moest een redelijke verklaring zijn. Dexter deugde. Als hij iets verkeerds had gedaan, moest hij daar een goede reden voor hebben gehad.

Per slot van rekening had Kate zelf ook het ergste gedaan wat je je kon voorstellen. En zij deugde ook. Ja, toch?

De helft van vijftig miljoen...

De auto zoefde door de leegte van het winterse platteland, kaal en vlak, zodat zelfs de laagste gebouwen al torenhoog leken: stallen, graanschuren en stenen huizen van één verdieping, dicht tegen de weg, die ooit een middeleeuws voetpad was geweest, in de renaissance een wat breder paardenpad, en in de twintigste eeuw ten slotte geplaveid voor het autoverkeer, dat nog maar heel kort bestond, hooguit vijf procent van de levensduur van deze routes, een splinter van de Europese geschiedenis, weggemoffeld als een smalle B-weg.

Waar was de andere helft...? Waarschijnlijk op de andere rekening, waarvan Dexter het nummer had genoteerd zonder verdere gegevens, geen gebruikersnaam of wachtwoord. Waarom zou hij alleen de informatie van die ene rekening hebben opgeschreven? Van slechts de helft van het geld?

De banden zoemden over het verweerde asfalt, van het ene bos naar het andere, een overvloed aan altijdgroene planten en bomen in deze hooglanden.

Omdat hij een partner had. Marlena? Niko? Allebei?

Kate had Sebastians gps uitgeschakeld. Het doel van deze auto was juist dat ze niet te traceren zou zijn. Dus gebruikte ze een kaart, die ze regelmatig moest raadplegen op deze ongenummerde kronkelwegen, waarvan de namen om de paar kilometer veranderden en die zich nu eens samenvoegden en dan weer doodliepen of in een lus op het vorige punt uitkwamen.

Maar eindelijk kwam ze toch in Bigonville en vond de Rue des Pins, een volstrekt onopvallend weggetje, zonder witte strepen en omzoomd door groene coniferen – zoals de naam al aangaf.

Kate was er nu voor 99, zo niet 100 procent van overtuigd dat Dexter een bedrag van miljoenen euro's achterover had gedrukt. En met dat geld betaalde hij hun huis, hun boodschappen, het speelgoed van de kinderen en de diesel waarmee ze gisteren hun tweedehands Audi had volgetankt, ter waarde van drieënzestig euro.

Een gebruikte auto. Daar botste de ene werkelijkheid met de andere. Welke man kocht nu een tweedehands auto als hij vijfentwintig miljoen euro op de bank had?

Kate had het etentje met die lul van een Brad in Amsterdam lijdzaam doorstaan. Dat was een vent met een paar miljoen extra op de bank. En hij besteedde al zijn tijd en energie aan het uitgeven van dat geld, aan auto's, huizen en vakanties. Net als die rijke bankiers hier in Luxemburg, voor wie geld verdienen een vak was en geld uitgeven een passie.

Haar man behoorde niet tot dat slag.

Het smalle weggetje draaide en kronkelde, klom en daalde, met hier en daar ijs en sneeuw, tussen dichte bossen door en langs een slingerende beek die de weg trouw volgde. Er was nooit geld geweest voor een brug en dat zou er ook nooit komen.

Het sloeg allemaal nergens op.

Eindelijk maakte de weg zich los van de beek en begon aan een steile klim naar de top van de volgende heuvel, waar het bos wegviel, om plaats te maken voor een weids landschap van opeenvolgende heuvelruggen, als plooien in het grijze wit, het vel van een oude sharpei. Een rustiek stenen muurtje liep langs de weg. De grote stenen waren uit het aangrenzende veld gehaald om er een akker van te maken. Het muurtje was maar bijzaak, een manier om van de stenen af te komen. Het reusachtige veld was begroeid met laag gras, dat een vale, groenbruine kleur had.

En daar zag Kate het witgeschilderde boerenhuis met het zwarte leistenen dak, zoals alle daken in dit kleine land, dat nergens aan zee grensde. Aan weerskanten stonden bosjes kale eiken, die in de zomer een schaduwrijk plekje zouden vormen. Het erf rond het huis werd doorsneden door een reeks lage, brokkelige stenen muurtjes, als de fundering van een Romeinse ruïne, de plattegrond van de reusachtige ruimtes, zoals eetzalen, vomitoria en grote ontvangsthallen.

Kate remde af tot een slakkengang en keek nog eens in haar spiegeltje om vast te stellen dat ze niet werd gevolgd. Maar nergens was een auto, een truck of zelfs een trekker te zien. De houten luiken waren gesloten en er was geen teken van leven te bekennen rond dit beschermde huis op zijn afgelegen plek, bewaakt door bladerloze lijfwachten.

Er was geen plek om te stoppen langs de weg, die werd begrensd door diepe afwateringsgreppels. De oprit liep door een smalle opening in de stenen muur en was afgesloten met een ketting en een hangslot. Op een van de stenen pilaren zat een klein, wit geëmailleerd bordje met het nummer 141, in zwart. Geen twijfel mogelijk, dit was de Rue des Pins 141. Bigonville, Luxemburg, het hoofdkwartier van LuxTrade S.A.

Kate bleef midden op de weg staan. Ze kon hier niet rondsluipen of zich verbergen om te wachten op de bewoners of eventuele bezoekers. Toen ze om zich heen keek, naar links en rechts, voor en achter, zag ze geen enkele dekking binnen een halve kilometer afstand, in welke richting ook. Dit huis liet zich niet verrassen.

Het leek een merkwaardig kantoor voor een bedrijf dat vijfentwintig miljoen euro waard was. Het maakte eerder de indruk van een onderduikadres.

Tien of twaalf moeders waren komen opdagen voor een avondje stappen. Ze zaten op barkrukken rond een hoge tafel, en al na een halfuur waren de meesten behoorlijk aangeschoten.

Het uitstapje was bedoeld om Kates gedachten wat af te leiden van haar onmogelijke situatie. Bovendien moest ze de façade van een normaal leven ophouden. Het was ooit een onderdeel geweest van haar training, haar werk, een deel van haarzelf: wat er ook gebeurde, je moest je blijven gedragen alsof er niets aan de hand was. Normale dingen doen, met normale mensen omgaan. Niemand een reden geven om argwaan te krijgen of navraag te doen, zodat er na je verdwijning ook niemand zou zijn die iets nuttigs over je kon melden. Geen achterdocht wekken dat je misschien iemand anders zou zijn dan wie je beweerde.

Er werd druk geroddeld aan de tafel; voornamelijk ongefundeerde, boosaardige geruchten. De echtgenoot van de een hield het met zijn secretaresse, de oppas van de ander was de slet van de school. Die Tsjechische familie die zo rijk leek? Platzak. Die luidruchtige, vulgaire Texaanse met haar drie kinderen? Kreeg een eierstokbehandeling voor nog een vierde baby.

En die-en-die was een schandalige zus-en-zo...

Kate bleef maar bezig met de legpuzzel van wat haar eigen man in zijn schild voerde – waar hij in vredesnaam die miljoenen euro's vandaan kon hebben, behalve op de manier waar de FBI hem van verdacht: ordinaire diefstal.

Onopvallend schoof ze een briefje van tien euro over de tafel toen niemand keek en stond op alsof ze naar de wc ging. In plaats daarvan liep ze naar de buitendeur, pakte haar paraplu uit de standaard en stapte naar buiten. Nevel maakte het licht van de straatlantaarns diffuus, en op de achtergrond klonk het statische geruis van de rivier, gezwollen door smeltsneeuw.

Er lag een handvol cafés rond de brug hier in Grund, elk met zijn eigen discrete microsfeer van rook en lawaai. Vanuit de ene kroeg klonk het geluid van rugby op tv, uit de andere een jukebox met Europop, uit een derde het gelal van dronken pubers, hoewel een bordje verklaarde dat er geen jongeren van onder de zestien werden toegelaten. De beste manier om vooral jongeren van zestien aan te lokken.

Kate stak de brug over en liep de lange, goed verlichte tunnel in, diep uitgehakt in de rots waarop de *haute ville* was gebouwd. De ruwe muren waren versierd met een soort kunst, en er hing een vage stank van urine, zoals in alle tunnels in iedere stad, hoe goed onderhouden ook. Het was een klim van dertig meter naar haar eigen buurt, boven op deze rotsformatie. Normaal vond ze het een prettige oefening om de heuvel van de Rue Large op te lopen, maar vanavond niet. Ze wilde antwoorden, geen conditietraining; ze wilde thuis zijn, alleen met haar gedachten. Ze moest de oppas betalen en wegsturen, wachtend tot haar man thuiskwam van een partijtje tennis met de FBI-agent die hem in de gaten hield. Wat een ellende.

Een kleine groep rolde uit de lift, een paar tieners, twee bankiers, en een eenzame vrouw, die Kate even aankeek met een soort solidariteit in haar blik.

Kate stapte de lift in en wachtte in haar eentje tot hij zou vertrekken. Op het laatste moment hoorde ze voetstappen in de tunnel, rennende voetstappen. Het klonk als een man, zware stappen, lange passen. Kate drukte nog eens op de knop van de lift, en opnieuw, een irrationale, zinloze maar begrijpelijke reactie.

De deuren gingen dicht op het moment dat de man arriveerde en nog probeerde zijn arm tussen de gespikkelde metalen deuren te steken, een fractie van een seconde te laat.

De lift hees zich kreunend omhoog aan zijn kabels. Even later stapte Kate uit op het plateau van St.-Esprit, het bestuurlijke centrum met de rechtbank, nationale instanties en de plaza te midden van al die glanzende gebouwen. Alles goed verlicht, maar stil en verlaten.

Kate liep haastig over de keitjes. Ze kwam langs een nachtclub met dreunende muziek, maar niemand in de buurt. Ze sloeg een hoek om en beklom een straatje naar een volgend plein, met een bar, een fontein, een duur restaurant en een wachtende taxi met draaiende motor. Een stel van middelbare leeftijd kwam uit het restaurant naar de taxi toe.

Kate keek over haar schouder. Geen mens te zien. Snel stak ze het plein over naar een straat waarvan de stoep was opgebroken. In een paar diepe, modderige greppels stond apparatuur te pruttelen. Kate hoorde voetstappen achter zich.

Ze liep nu zo snel als ze kon, soms in looppas, dan weer joggend. Ze stak een kruispunt over, met een druk Italiaans restaurant aan haar rechterhand en het paleis van de groothertog links van haar. Op dat moment besefte ze dat ze onder de ramen van de Macleans voorbij zou komen.

Haar achtervolger was duidelijk een man. Zijn schoenen klepperden snel over de stoep om haar te kunnen bijhouden. Kate keek over haar schouder en zag een lange, donkere jas en een hoed met een rand. Was hij dezelfde man als in de tunnel? Zijn leeftijd en postuur waren moeilijk te bepalen, verborgen in de nacht. Een vage schim.

Kate overwoog het Italiaanse restaurant binnen te duiken om

asiel te zoeken, maar liep toch door, nog sneller nu. Ze passeerde een Chinees eethuis, een café, en daalde een steile steeg af, de kortste weg naar huis, maar ook de griezeligste. Ten slotte begon ze te rennen, wat niet meeviel op hakken over natte klinkers. Ze stak een hand uit naar een gestucte muur om niet te vallen, schaafde haar vingers aan de ruwe steen en stormde op volle snelheid de hoek om, steunend op haar paraplu. Ze tuurde voor zich uit, in de richting van haar appartement, bijna sprintend nu, wierp een blik naar een donkere doorgang en veranderde van gedachten.

Kate dook het steegje in, dat uitkwam bij de voordeur van net zo'n appartementengebouw als het hare, een middeleeuws huis dat onherkenbaar was gerenoveerd, met gestucte stenen muren, andere balken, nieuw dubbel glas en moderne kappen rond de schoorstenen.

Ze drukte zich plat tegen de muur, bijna onzichtbaar, en wachtte zwijgend af.

De voetstappen werden luider, onderbroken door het geluid van iemand die half uitgleed op de steile helling. De man had haar nu bijna bereikt. Drie seconden nog, of twee...

Kate zette zich af tegen de muur van het smalle straatje en bracht haar rechterarm omhoog. De snelheid waarmee ze zich omdraaide gaf haar arm nog extra kracht. Ze hield haar rechterhand vlak, als een scherp projectiel, waarmee ze de hals van de man raakte, dwars door de weerstand van het vlees en het bot.

De man zakte op zijn knieën, greep naar zijn hals en hapte naar lucht. Kate nam de bovenkant van de paraplu in haar vuisten en zwaaide de handgreep met grote kracht tegen het achterhoofd van haar achtervolger, die voorover viel, met zijn gezicht op de keitjes, en waarschijnlijk zijn neus brak.

Kate boog zich over hem heen, ervan overtuigd dat hij bewusteloos was, maar nog wel in leven. Ze zag dat hij geen hoed droeg. Dit was niet de man die een halve minuut geleden nog achter haar aan gezeten had.

Ze zocht in zijn jaszak en haalde zijn portefeuille tevoorschijn. Een snelle blik leerde haar dat ze zojuist een Zwitserse advocaat in elkaar had geslagen die bij haar in de straat woonde.

VANDAAG, 16:57 UUR

Het is al lang geleden dat Kate voor het laatst een pistool bij zich heeft gehad en haar zenuwen probeerde te bedwingen als ze langs politie- en beveiligingscamera's kwam. Toch is het een vertrouwd gevoel, als de irritatie van een oude wond.

Ze kijkt naar het scherm boven het perron van de metro. De volgende trein naar La Chapelle komt over een minuut, die daarna over vier minuten. Ze besluit te wachten op de tweede, omdat ze moet arriveren met de eerste lijn 12 van vijf uur of later.

Kate laat haar blik over het perron glijden en vraagt zich af door wie ze wordt geschaduwd. Maar dat is een onmogelijke vraag. Ze begrijpt het nut van die voorzorgsmaatregelen wel. Ze willen zeker weten dat zij zelf niet wordt gevolgd, geen gezelschap heeft van kwalijke figuren of wie dan ook. En Kate probeert niemand te ontlopen, dus maakt het niet uit wie haar volgt.

Ze bladert wat in de *Match*, met de foto's van de gebruikelijke beroemdheden. Aanvankelijk dacht ze nog dat de Franse roddelbladen anders, beter, waren dan de Amerikaanse versies. Maar na een jaartje in Frankrijk is ze een illusie armer.

De tweede trein is voller dan de eerste. De forensen stromen toe. Kate heeft niet eens een zitplaats meer. Ze leunt tegen de wand bij een deur en verplaatst nerveus haar gewicht van de ene voet op de andere.

Ze kan er niets aan doen – ze móét weten wie haar schaduwt. Haar ogen glijden over de gezichten van de alledaagse passagiers in de metro om vijf uur 's middags. Niemand kijkt lang terug en niemand ontwijkt bewust haar blik. Het zou iedereen kunnen zijn, of niemand.

De trein stopt bij Solférino, zonder dat er veel verandert. Dan de Assemblée Nationale. Nog altijd niets. Langzaam rijdt de metro het grote, drukke station van Concorde binnen, waar de passagiers al vanaf het volle perron op de trein afstormen als hij nog rijdt. Ze hoort een mannenstem, laag en hees, op het moment dat de deuren opengaan. 'Hier overstappen. Beaubourg, het café bovenin.'

De deur gaat open en Kate stapt uit.

Ze heeft de man die haar de opdracht gaf niet eens gezien. Ze heeft er ook geen poging toe gedaan. Hij draaide zich al om toen zijn laatste woorden nog in de lucht hingen, niet meer dan een fluisterstem in het rumoer van de menigte.

Kate zoekt haar weg door de *correspondance*, de trappen op en af, de ene hoek na de andere, door kortere en langere tunnels die op elkaar aansluiten, totdat ze eindelijk op het perron uitkomt als lijn 1 binnenloopt. De centrale lijn puilt uit. Bij elk station stappen nog meer mensen in, duwend en wringend, op weg naar huis van hun werk. Pas na vijf ongemakkelijke haltes laat Kate zichzelf meesleuren door de menigte, de stroom van mensen die uitstappen bij Hôtel de Ville.

Eindelijk staat ze weer op straat. Ze loopt bij de rivier vandaan, en onverwachts, zonder enige waarschuwing, doemt het reusachtige stuk speelgoed van het Centre Pompidou voor haar op, met zijn primaire kleuren en glinsterend staal tegen de helderblauwe hemel van de late middag.

Kate koopt een kaartje en stapt in de lift, als enige.

Ze kent de weg in dit museum. Het is een van de plaatsen waar ze met Dexter komt om een uurtje naar nieuwe exposities te kijken voordat ze op het dak gaan lunchen, met het beste uitzicht van de hele rechteroever.

Ze stapt het restaurant binnen, knikt naar een dienster en loopt naar een tafeltje in de hoek. Een fles mineraalwater staat al klaar; twee glazen, één klant.

Een vrouw aan een ander tafeltje werpt een blik in haar richting en buigt zich weer over haar koffiekopje. De man naast haar bestudeert zijn nagels. De back-up.

Kates hart bonst in haar keel. Ze is zich vaag bewust van het geladen wapen in de dubbele bodem van haar tas en de andere verborgen wapens in handtassen en schouderholsters hier in dit luxueuze restaurant, onzichtbaar onder sportjasjes die de ijzerwinkel aan het oog onttrekken.

Hayden staat op voor een vluchtige kus. Zijn middagstoppels schrapen langs haar wang, die een beetje droog aanvoelt door al die zomerdagen en haar afkeer van zonnebrandcrème. Zijn adem ruikt naar koffie en pepermunt.

'Weer een museum,' zegt Kate als ze gaat zitten. 'Je houdt wel van kunst, hè?'

'Het is een van de belangrijkste redenen waarom ik in Europa woon.'

'Ja.'

'En jouw reden?'

'Zucht naar avontuur.'

'Ach, natuurlijk. We houden allemaal van avontuur.' Hayden schenkt haar een glas water in. De belletjes sissen zacht. Hij kijkt haar aan met een van die bleke, wrange lachjes waarvan hij een onuitputtelijke voorraad lijkt te bezitten.

'Dus...? Je had het over gestolen geld.'

Kate neemt een slok en recht haar rug, vastbesloten om zich niet te laten manipuleren of op een andere manier het onderspit te delven.

'Ja,' zegt ze, terwijl ze haar glas weer neerzet en Hayden aankijkt. 'Maar ik wil er wel iets voor terug.'

Hij knikt.

'Een paar dingen zelfs.'

26

Op de deur hing een bordje met REGISTRE DE COMMERCE ET DES SOCIÉTÉS. Het was een klein, nieuw, laag kantoorgebouw in een straat waar Kate nog nooit eerder was geweest of zelfs maar van had gehoord. Achter een bureau met een computer zat een vrouw die een bril met een hoekig paars montuur droeg.

Kate had nieuwe woorden geleerd en verbuigingen geoefend. Ze had zelfs een zakwoordenboekje bij zich – in haar zak, uiteraard. Ze verwachtte heel wat onbekende termen hier bij de Kamer van Koophandel. Maar na Kates eerste zin in het Frans antwoordde de vrouw onmiddellijk in het Engels. 'Natuurlijk. Wat is de naam van het bedrijf dat u zoekt?'

'LuxTrade.'

Ze typte de naam en drukte met gezag op de entertoets. 'De *président-directeur général*,' zei ze, 'is ene Monsieur Dexter Moore.'

'Kunt u me wat meer vertellen over die firma?'

'Het bedrijf belegt op de financiële markten.'

'En wanneer is het opgericht?'

De vrouw keek op haar scherm 'Vorig jaar oktober.'

'Dank u. Hebt u verder nog informatie?'

'Nee, helemaal niets.'

Kate wilde vertrekken, draaide zich toen om en vroeg: 'Met "vorig jaar oktober" bedoelt u drie maanden geleden?'

'Nee, *madame*. LuxTrade is vijftien maanden geleden hier in Luxemburg geregistreerd.'

Vijftien maanden geleden? Dat was een jaar voordat ze naar Luxemburg waren verhuisd, omstreeks de tijd dat Dexter bij de bank was vertrokken om als freelancer te beginnen. Blijkbaar was dat het moment waarop hij het plan had opgevat om een gigantisch bedrag in euro's te stelen en hier in Luxemburg te verbergen. Vijftien maanden.

In een waas liep ze terug naar de garage van het winkelcentrum, over de brede, drukke Avenue JFK, tussen kantoorgebouwen van glas en staal en omringd door auto's van glas en staal, al die blikken dozen waarin mensen zaten opgeborgen, zijzelf een eenzame voetganger in een straat die niet voor voetgangers was bedoeld. Ze boog haar hoofd tegen de kille, harde wind, die pijn deed aan haar gezicht.

De boulevard vormde een aaneenschakeling van bankkantoren, de S.A.'s en Sàrls, al die afkortingen waarmee grote bedrijven hun winsten konden beschermen tegen belastingen en processen. Overal stonden kranen en bulldozers, bezig met de bouw van hoge kantoren rondom het nieuwe museum, het nieuwe operagebouw, het nieuwe sportcentrum, al die nieuwe openbare voorzieningen, gefinancierd door de geringe belastingen die werden geheven op het nieuwe geld dat zijn weg hierheen wel wist te vinden, elke dag opnieuw. Op zoek naar een schuilplaats. Zoals die vijfentwintig miljoen euro van LuxTrade S.A.

Kate beklom de trappen en liep het winkelcentrum van glas en staal binnen, om even tussen levende, ademende mensen te zijn voordat ze in de lift van glas en staal stapte, op weg naar beneden, moederziel alleen.

Dexter had LuxTrade, een beleggingsmaatschappij – was het dat wel? – dus al vijftien maanden geleden hier in Luxemburg geregistreerd. Hoe was dat mogelijk?

Kate hoorde het piepen van banden, het zoemen van een motor, het dichtslaan van een portier.

Ze bleef keurig tussen de witte lijnen die het voetpad markeerden, keek goed om zich heen en spitste haar oren.

Een rinkelende klap, ergens ver weg, van een winkelwagentje dat tegen een rij andere aan werd geschoven.

Toen ze naar haar auto liep, hoorde ze voetstappen, niet ver weg, maar ze kon niemand ontdekken. Ze verjoeg de angst die haar overviel, bedacht zich toen en besloot dat ze best bang mocht zijn.

Weer keek ze om zich heen, nog scherper nu, en luisterde of ze iets hoorde – normale, alledaagse geluiden of signalen die ze niet vertrouwde.

Een parkeergarage in Luxemburg, midden op de dag, veel veiliger dan bijna heel Washington, op welke tijd van de dag dan ook. Om nog maar te zwijgen over al die écht gevaarlijke plaatsen waar ze het grootste deel van haar werkende leven had doorgebracht.

Ze had haar sleuteltjes in haar hand. Nog steeds keek ze om zich heen. Ze hoorde voetstappen, een achterklep die werd dichtgeslagen, een auto die snelheid maakte op een helling, het gerammel van een winkelwagentje met een scheef wiel, totdat ze... goddank... haar eigen auto weer zag staan. Ze ontgrendelde de portieren met een paar droge klikken, maar voelde nog steeds haar hart tekeergaan toen ze achter het stuur schoof, de motor startte, de versnelling inschakelde, de handrem losmaakte en gas gaf, om zo snel mogelijk hier vandaan te zijn. Toch schaamde ze zich dood. Hoe kon ze nou zo bang zijn voor een parkeergarage in Auch? Ze liet het raampje zakken om het ticket in de automaat te steken. De slagboom ging omhoog en ze reed de helling op naar de uitgang, naar het licht...

Op dat moment hoorde ze een geritsel op de achterbank en een hese, dwingende stem.

'Neem de volgende afslag rechts,' zei hij.

Kate overwoog haar kansen. Ze kon krachtig remmen, haar portier opengooien, midden op straat uit de auto springen en de politie aanhouden.

Of ze kon weigeren ergens naartoe te rijden totdat ze een uitleg had gekregen.

Of ze kon haar tasje van de stoel naast haar pakken, de Beretta eruit halen en zich bliksemsnel omdraaien om een paar kogels in deze FBI-agent te pompen.

Of ze kon horen wat hij te zeggen had.

'Waar gaan we heen?'

Bill gaf geen antwoord. Hij zat midden op de achterbank en keek haar in het spiegeltje strak aan.

Kate sloeg af, zoals hij haar had bevolen, en toen nog eens, via de grote rotonde met de stalen sculptuur in het midden. Iemand beweerde dat het een werk van Richard Serra was, maar dat zei haar niet veel. Ze hield halt op zijn bevel, een paar honderd meter voorbij het verkeersplein, naast een groenstrook, een soort parkje met een lange, glooiende heuvel, bankjes, lantaarns en een oude man die een klein hondje uitliet.

'Stap maar uit.' Bill nam haar mee naar een van de bankjes. Het was een openbare plek, waar iedereen hen kon zien. Veilig genoeg, zou je denken. Dat was ook de bedoeling, veronderstelde Kate.

Bill ging zitten. Kate overwoog naar een ander bankje te lopen, dat willekeurig was gekozen, niet vooraf bepaald. Maar de hele onderneming leek nogal willekeurig. Ze had steeds meer moeite haar eigen beslissingen los te zien van wat anderen besloten – voor haar of voor zichzelf.

Twee auto's reden voorbij, dicht achter elkaar. Eentje leek op de auto van Amber. Kate was al eens eerder in deze straat geweest, langs dit park gekomen. Iedereen kwam hier.

'De mensen zullen nog denken dat we een affaire hebben,' zei Kate. Ze ging naast Bill op de koude, gebeitste latten van het bankje zitten.

'Altijd nog beter dan de waarheid.'

Een bekende auto naderde. Kate verstijfde en dacht aan het pistool in haar tas. Julia stapte uit, kwam naar het bankje en ging aan de andere kant van Bill zitten. 'Hallo, Kate.' Het strakke lachje van mensen die elkaar begroeten op een begrafenis.

Kate zei niets.

'Dacht je dat zo'n flikker als Kyle Finley de gezamenlijke bestanden van de FBI en Interpol kan uitlezen zonder dat iemand dat merkt?' vroeg Bill. 'Zonder dat iemand dat doorgeeft aan de agenten in het veld?'

Kate keek van Bill naar Julia, en terug. Ze besefte dat ze haar confronteerden, en dat gaf haar de kans om informatie van hen los te krijgen. Zolang ze zelf maar niets prijsgaf. 'Wat bedoel je daarmee?'

'Hoor eens,' zei Bill, 'er is geen subtiele manier om je dit te zeggen.'

Kate moest onwillekeurig lachen.

'Nou, je weet het dus al. Kate, je echtgenoot is een dief.'

Het verwonderde Kate toch hoe verbaasd ze was om die beschuldiging zo rechtstreeks te horen uit de mond van de agenten zelf. Het was een zeldzaam moment van helderheid en zekerheid. In elk geval was Kate ervan overtuigd dat deze man geloofde wat hij zei.

'Vertel me wat jullie weten, of dénken te weten.'

'Voor zover wij kunnen nagaan, heeft hij het eerste bedrag vorig jaar zomer verduisterd, toen jullie nog in Washington woonden. Hij heeft een miljoen dollar achterovergedrukt bij een elektronische transactie.'

Kate reageerde niet.

'Uit het elektronische spoor viel af te leiden dat het gestolen geld naar Andorra was verdwenen,' vervolgde Bill, 'maar dat de feitelijke diefstal vanaf een computer in de Verenigde Staten was gepleegd. Dus analyseerden we de profielen van Amerikanen die op het vliegveld van Barcelona aankwamen. Dat is de dichtstbijzijnde luchthaven bij Andorra, dat er zelf geen heeft.'

'Geen wat?' vroeg Kate, om tijd te winnen, terwijl ze terugdacht aan Dexters trip naar Barcelona, vorige zomer, op stel en sprong...

'Een luchthaven,' zei Bill. 'Andorra heeft geen vliegveld. Vier dagen na de diefstal arriveerde er een Amerikaan in Barcelona die toevallig gespecialiseerd was in het beveiligen van elektronische transacties – een van de beste specialisten ter wéreld.'

Kate sloeg haar armen over elkaar.

'De man huurde een auto in Barcelona, een dure auto, voor een ritje van drie uur. De volgende dag kwam hij weer terug. En weet je waar hij naartoe reed?'

Kate wierp een blik naar Julia, die haar scherp in het oog hield.

'Hij reed met zijn huurauto voor één dag naar Andorra, en weer terug naar de luchthaven, waar hij op het vliegtuig naar huis stapte. Vervolgens kocht die man vliegtuigtickets naar Frankfurt, vier stuks, voor twee volwassenen en twee kinderen. Hij zette zijn huis te huur, hij verkocht zijn auto en liet zijn rijbewijs overschrijven. En zijn vrouw? Die nam ontslag.'

Kate keek Bill recht aan en zag dat hij wist wie ze was en wat ze deed. Of hád gedaan. Weer wierp ze een blik naar Julia. Ze wisten het allebei.

'Hoe klinkt dat jou in de oren?' vroeg Bill.

Kate sloeg haar ogen neer en volgde drie auto's aan de voet van de heuvel. Het verkeer op de toch al drukke weg nam nog toe.

'Dat klinkt als een crimineel op de vlucht,' beantwoordde Bill zijn eigen vraag. 'We hadden al een team dat de diefstal van die miljoen dollar onderzocht, maar vervolgens hebben we contact gelegd met Interpol om er een gezamenlijke operatie van te maken, zodat we de verdachte naar Europa konden volgen, met volledige toestemming en alle mogelijkheden. We...'

'Waarom?'

'Waarom wat?'

'Waarom wilden jullie hem volgen? Hij had... hoeveel, zei je?... een miljoen dollar gestolen. Dat gebeurt zo vaak. Waarom zou je iemand daarvoor helemaal naar het buitenland volgen?'

'Omdat we er niet achter kwamen hoe hij het had gedaan.'

Kate begreep het niet. Er ontging haar iets. Ze schudde haar hoofd.

Julia nam het over. 'Omdat we er niet achter konden komen hóé hij het had gedaan, wisten we ook niet hoe we moesten voorkomen dat hij het opnieuw zou doen – dat hij elk willekeurig bedrag zou kunnen stelen, als iemand geld overmaakte, waar ook ter wereld.'

Aha. Dat was inderdaad een reden om een kleine clandestiene operatie op touw te zetten.

'En dat gebeurde ook.' Julia boog zich naar voren. 'In november. Op Thanksgiving, om precies te zijn. Herinner je jullie Thanksgiving nog, Kate?'

Kate staarde haar woedend aan, deze vrouw die haar gezin kapot had gemaakt.

'Je was kwaad, neem ik aan, omdat je man op zákenreis moest...' Ze schetste aanhalingstekens in de lucht. 'Beweerde hij dat hij in zijn eentje ging?'

Kate gaf geen krimp. Ze wreef haar handen warm. Het leek met de seconde kouder te worden.

'Nou...' Julia haalde haar schouders op, zocht in haar tas en pakte een grote bruine envelop. Ze haalde er iets uit, papieren waarschijnlijk.

'Hij was in Zürich,' zei Julia, en ze stak Kate het stapeltje toe. 'Met een andere vrouw.'

Kate pakte de foto's aan, kleine kiekjes, met aantekeningen in pen: data, plaatsen en namen. Dexter met schimmige mannen in een café in Sarajevo, Dexter in banken in Andorra en Zürich. Dexter in een nachtclub in Londen met een oogverblindende vrouw. Kate draaide die foto om en zag de datum en de naam: Marlena.

'Wat is dit?' vroeg ze, terwijl ze moeite deed zich te beheersen en hier niet volledig en misschien wel definitief in te storten. Ze had niet verwacht dat die Marlena eruit zou zien als een supermodel. 'Wat bewijst dat?'

'Elk van die foto's bewijst iets anders. Allemaal samen vertellen ze de waarheid.'

Kate kon haar ogen niet losmaken van een foto uit Zürich, gemaakt in juni. Dexter leunde over de toonbank van een juwelier, naast die knappe vrouw, en glimlachte tegen haar. Marlena. En daarna volgden nog een paar kiekjes uit Zürich met Marlena en Dexter, in een lobby en de lift van een hotel. Terwijl ze zaten te eten, te ontbijten zelfs! Een foto uit een restaurant in Londen, op de treden van een wit bakstenen huis aan een pleintje.

Kate schudde haar hoofd. 'Met Photoshop is alles mogelijk.' Ze had niet gedacht dat ze zo jaloers zou zijn, zo angstig. 'Met een fatsoenlijke printer kun je een heel verhaal vervalsen.'

Kates telefoon ging. Het was Claire. Kate drukte het gesprek weg.

'Je mag die foto's houden,' zei Julia, zonder in te gaan op Kates onnozele commentaar. 'Controleer ze maar met je agenda, je mails, je telefoonnota's, wat dan ook. Dan zul je ontdekken dat Dexter altijd is geweest waar wij zeggen dat hij was, bezig om bankrekeningen te openen, de ene na de andere, nummerrekeningen in heel Europa. Of hij had een afspraak met die vrouw.'

'Jullie kunnen dit zelf hebben georganiseerd, achteraf,' zei Kate. Ze vocht tegen de overtuiging dat Dexter een dubbelleven leidde als crimineel, met een andere vrouw die in Zürich of Londen woonde. Toch leek het een bijna onontkoombare conclusie. Bijna.

'En in Zürich,' vervolgde Julia, 'heeft hij opnieuw toegeslagen. Maar deze keer heeft hij vijfentwintig miljoen euro gestolen.'

Bill kromp even ineen, fronste zijn voorhoofd en kneep zijn ogen tot spleetjes.

'Hoeveel?' vroeg Kate. Ze wist dat ze verbaasd moest reageren; ze deed haar best.

'Vijfentwintig miljoen,' herhaalde Julia.

Bills mond viel half open en zijn ogen gingen snel opzij. Toen klapte hij zijn kaken weer op elkaar en keek naar Kate.

'Dat is heel veel geld,' zei Kate. Hoewel niet zo veel als Kyle haar had verteld. 'En van wie heeft hij dat gestolen?'

'Van een Servische wapenhandelaar.'

Kate keek naar de foto die ze nog steeds in haar hand hield. De spectaculaire Marlena. Plus vijfentwintig miljoen euro. Lastig om mee te concurreren.

Kate verdreef die gedachte weer. 'Wie zíjn jullie eigenlijk?' vroeg ze.

'Je weet wie we zijn.'

'De FBI? Via Interpol?'

Julia knikte.

'Jullie zijn een taskforce die cybercrime bestrijdt, en jullie hebben mijn man naar Luxemburg gevolgd met de verdenking dat hij afgelopen november vijfentwintig miljoen euro heeft gestolen, plus nog eens een miljoen, vorig jaar zomer.'

'Zo is het.'

'En jullie willen hem in zijn kraag grijpen omdat jullie niet weten hoe je hem anders zou kunnen tegenhouden.'

'Klopt.'

'Waarom vertellen jullie me dit allemaal?'

Geen van beiden gaf antwoord. Ze wachtten tot Kate haar eigen conclusies zou trekken. Kate keek van de een naar de ander en wist dat ze gelijk had. Ze begreep wat het stel van haar wilde.

Kates telefoon ging opnieuw. Weer Claire. Misschien was het belangrijk. Wat was er tegenwoordig níét belangrijk? Ze nam op. 'Hallo.'

'Kate? Alles goed?'

'Eh...' Wat een vraag. 'Nou...'

'Jouw jongens zijn de laatsten. De rest is al weg.'

Shit! Kate keek op haar horloge. Het was al een kwartier na sluitingstijd. 'Het spijt me verschrikkelijk,' verontschuldigde ze zich bij de verkeerde. Ze stond op. Eindelijk drong de betekenis van al dat verkeer in deze straat tot haar door. Het waren moeders die van het winkelcentrum naar de school reden om hun kinderen op te halen. 'Goed dat je belt, Claire. Ik ben er over vijf minuten.'

Ze stak haar telefoon in haar zak. 'Ik moet mijn kinderen ophalen.'

Julia knikte, alsof ze haar toestemming gaf. Dat irriteerde Kate mateloos. Ze draaide zich om en liep naar haar auto, op weg naar de school, terwijl ze bliksemsnel nadacht. En ergens in die draaikolk van gedachten vormde zich een nieuw plan.

27

Kate werd wakker om twee uur 's nachts. Ze probeerde nog een paar minuten weer in slaap te komen, maar gaf de moed toen op. Eigenlijk wilde ze dat ook niet. In ochtendjas en op pantoffels sloop ze de trap af. Het was koud in het appartement en de echo's van al die geheimen maakten het een vreemde omgeving, niet langer haar thuis. Ze staarde uit het raam naar de donkere diepte van de kloof, de straatlantaarns en zo nu en dan een auto die te snel over de bochtige, bevroren heuvelwegen reed.

Ze zette de computer aan en opende weer een paar bestanden, dezelfde als vorige week. Opnieuw doorzocht ze hun bankrekeningen. De afgelopen week had ze niets kunnen ontdekken en ze wist dat ze vannacht ook geen succes zou hebben. Maar dit is wat een achterdochtige echtgenote deed als haar onbetrouwbare man lag te slapen. Dit moest ze nu eenmaal doen. En anderen moesten zíén dat ze dit deed.

Om vier uur in de nacht sloot ze de computer af. Met een dikke viltstift en grote, goed leesbare letters schreef ze een kort briefje, dat ze mee naar boven nam. Ze keek even bij de jongens, zoals ze altijd deed als ze 's nachts langs hun kamer kwam. Ze bleef even staan kijken hoe ze sliepen, genietend van hun onschuld.

Terug in hun slaapkamer deed Kate het zwakke leeslampje aan. Ze boog zich over het bed en keek naar haar man, die zwaar ademde, met zijn mond half open, diep in slaap.

Ze stootte hem aan.

Dexter schrok wakker, knipperde verbaasd met zijn ogen en keek naar het velletje papier dat zijn vrouw voor zijn gezicht hield.

STIL! GEEN WOORD. KOM MEE NAAR BENEDEN. TREK EEN JAS AAN. NAAR HET BALKON.

Tien uur later beklom Kate de trappen naar de betegelde ingang en stak drie vingers op naar de gerant. '*Trois, s'il vous plaît.*'

'*Je vous en prie,*' zei hij, terwijl hij zijn arm uitstak en haar door de schemerige bar naar de helder verlichte achterkamer bracht.

Dit was de plek waar Kate en Dexter hadden gegeten op de avond dat ze het huurcontract van het appartement hadden ondertekend – een etentje om het te vieren, terwijl de kinderen sliepen, onder het wakend oog van de oppas van het hotel.

Was dat echt nog geen halfjaar geleden? Het was een warme dag geweest en het terras besloeg twee kanten van de klinkerstraat, een kleine plaza onder een schaduwrijke boom aan de rand van een rots, met een indrukwekkend uitzicht. Kate en Dexter hadden aan een tafeltje met een wit kleed gezeten, in de avondgloed, tussen groepjes zakelijk geklede jonge mensen, met glazen en sigaretten in hun hand.

Na het eten had Dexter haar hand gepakt en haar handpalm gekieteld. Ze had zich tegen hem aan gevlijd, zich koesterend in de warmte van haar huwelijk en de belofte van seks, spoedig.

Toen was het zomer geweest in Noord-Europa. Geen van beiden hadden ze zich kunnen voorstellen hoe het hier hartje winter was.

Kate schoof nu op de bank bij het raam. Ze ging een beetje schuin zitten, half naar het raam toe – buiten begon het al te sneeuwen – en half naar de stemmige eetzaal zelf, met zijn sombere behang, lampenkapjes en donkere, zware meubels, schuin verlicht door het zilveren daglicht, waaruit alle zon geweken was. Ze zette haar tas naast zich, zwaar door het gewicht van de Beretta.

De dienster gaf haar de menukaart met het gebruikelijke Luxemburgse: '*Wann ech gelift.*'

Bijna alle tafeltjes werden bezet door mannen, in twee- of viertallen, met jasjes en stropdassen. Aan de overkant van de zaal zat een vrouw alleen. Ze gooide haar haar in haar nek en keek om zich heen om zo veel mogelijk aandacht te trekken, bedacht op elke blik die in haar richting werd geworpen – een manoeuvre die paste bij een onaantrekkelijke, ongetrouwde jonge vrouw.

Iedereen hield zich aan zijn rol.

Julia en Bill verschenen grimmig in de deuropening.

Ook Kate moest proberen in haar rol te blijven.

'Hallo,' zei Julia, terwijl ze haar jas over een lege stoel gooide. 'Je wilde ons spreken?'

Het klonk als de inleiding tot een lastige zakelijke bespreking, het luchten van een lang gekoesterde grief.

De dienster bleef in de buurt. Ze bestelden drankjes. Toen de dienster buiten gehoorsafstand was, zei Kate op effen toon: 'Jullie vergissen je.'

Julia knikte, alsof ze dat een geweldig idee vond, een voorstel voor een picknick aan het meer op een mooie lentedag. 'Het probleem is, Kate...' – met een neerbuigend lachje – 'dat we nergens een contract van Dexter kunnen vinden met welke bank dan ook.'

Kate verbaasde zich over de onnozelheid van dat administratieve detail. Ze herinnerde zich nog het betreffende contract, weggestopt in die onschuldig ogende map over de herfinanciering van hun hypotheek. Maar toen gingen haar gedachten terug naar de man op de ambassade, die beweerde dat de Amerikaanse instanties een kopie van Dexters werkvergunning hadden moeten krijgen, afkomstig van zijn opdrachtgever. Nee, dit was geen administratief detail; het was een onderdeel van hun bewijsvoering.

'Dexters werk is vertrouwelijk,' antwoordde Kate, net zo onnozel.

'En we hebben ook geen papieren gevonden,' vervolgde Julia als een voortdenderende goederentrein, 'over de manier waarop hij zijn geld verdient. Natuurlijk hebben we jullie bankrekening gevolgd, jullie normále rekening, op jullie beider naam, met de creditcards, de bankpasjes en de afschriften naar jullie thuisadres. Er komt regelmatig geld binnen en jullie geven normale bedragen uit. Maar het is volstrekt onduidelijk wáár dat geld vandaan komt.'

Julia zweeg en keek Kate even aan om dat te laten bezinken, voordat ze verderging. 'De overboekingen komen van een nummerrekening,' zei ze. 'Naamloos. Anoniem.'

'Dat is toch de bedoeling hier, in Luxemburg? Het bankgeheim?'

'Heb je ooit een van zijn collega's ontmoet?' vroeg Julia, die nog steeds niet reageerde op Kates helft van de conversatie. 'Heb je ooit zijn contract gezien?'

Dat was de eerste beschuldiging die Kate kon weerleggen. Ze had wel degelijk zijn contract gezien, dat beknopte, onopvallende document dat hij in die misleidende map had gestopt. Maar ze zei niets.

'Of een loonstrookje? Krijgt hij ooit post van zijn opdrachtgever? Heeft hij papieren ingevuld? Verzekeringsformulieren?'

Kate staarde naar het gebutste oude tafelblad. Natuurlijk zou het contract vals kunnen zijn. Dat wás het ook.

'Een visitekaartje? Een creditcard van het bedrijf? Een sleutelkaart van het kantoor?'

De dienster kwam met hun bestellingen en zette ze met een luide klap op de kale tafel: twee cola light en een bier.

'Heb je ooit iets gezien, wát dan ook, dat zou kunnen bewijzen, of zelfs maar suggereren, dat je man echt voor een of ander bedrijf werkzaam is?'

Julia pakte haar frisdrank en nam een slok. Eindelijk stopte ze met haar aanval.

'Dat is een heel bouwwerk van indirect bewijs,' zei Kate.

'Indirect bewijs is misschien niet voldoende voor een veroordeling, maar bijna altijd genoeg om de waarheid boven tafel te krijgen, niet?'

'Indirect bewijs als onderbouwing voor wilde gissingen.'

'Onontkoombare conclusies, bedoel je.' Julia keek Kate strak aan en probeerde haar eigen overtuiging op haar over te brengen.

Kate wendde haar hoofd af en staarde uit het raam naar de dwarrelende sneeuw. 'Wat wil je eigenlijk?' vroeg ze. 'Van mij?'

Na een lange stilte antwoordde Julia precies wat Kate had verwacht: 'We willen jouw hulp.'

'Dexter.'

Hij keek op van zijn vork met amuse, iets onduidelijks met een onduidelijke saus. Dit zou het beste restaurant van het land moeten zijn. De chef had de belangrijkste prijs ter wereld gewonnen. Maar dat was al een hele tijd geleden.

'Ik weet het,' zei Kate. Ze tintelde over haar hele lichaam, trillend van spanning. Dit zou een moeilijk gesprek worden, waar veel van afhing.

'Wat weet je?' Dexter nam nog een hap van het ondefinieerbare eten.

'Ik weet dat je geen beveiligingsexpert bent.'

Dexter staarde haar aan en kauwde langzaam op zijn UFO. 'Ik begrijp niet wat je bedoelt.'

'Ik weet van je geheime bankrekening.'

Hij hield even op met kauwen, maar ging toen weer door, half peinzend.

Kate zweeg. Hij was nu aan zet. Zij kon beter wachten. Dexter slikte, pakte zijn servet van zijn schoot en veegde zijn mondhoeken af.

'Wat... denk je precies te weten?' vroeg hij.

'Probeer het maar niet te ontkennen.' Het klonk wat vijandiger dan ze bedoelde.

'Wie heeft je dit verteld? En wat?'

Er was genoeg ruimte tussen de tafeltjes. Ze hadden voldoende privacy, hier in deze formeel geklede menigte, tussen de stropdassen en de donkere pakken, de parelkettinkjes en de gestikte handtassen.

'Niemand hoefde me iets te vertellen,' antwoordde ze. 'Ik heb die rekening met de vijfentwintig miljoen euro gevonden, Dexter.'

'Niet waar,' zei hij langzaam en rustig, terwijl hij zich schrap zette. 'Want zo'n rekening bestaat niet. Ik heb geen rekening met vijfentwintig miljoen euro.'

Kate staarde hem aan, terwijl hij tegen haar loog, maar hij keek strak terug. 'Met wie heb je gesproken, Kat?'

Ze mompelde iets.

'Wie?'

'Bill en Julia, zeg ik. Ze zijn van de FBI, uitgeleend aan Interpol.'

Dexter leek na te denken.

'Ze zijn hierheen gekomen, naar Luxemburg, om jacht op jou te maken, Dexter. Dit is een grote operatie, een zwaar misdrijf, en jij bent hun verdachte.'

Een paar obers arriveerden met witte borden onder zilveren dekschalen. Ze zetten de borden neer en tilden synchroon de dekschalen op. Een van de obers gaf een toelichting bij het gerecht, in een soort Engels – of misschien Swahili, wat Kate betrof. Ze luisterde niet eens.

'Heb jij dat geld gestolen, Dexter?'

Hij staarde haar aan.

'Dex?'

Hij wierp een blik op zijn bord en pakte zijn vork. 'Als we dit op hebben,' zei hij, 'gaan we even naar het toilet.'

Dexter deed de deur op slot. 'Laat eerst zien of je geen zendertje draagt.'

Kate keek hem aan, zonder iets te zeggen of te doen.

'Laat zien!'

'Vergeet het maar.'

'Het moet.'

Het verbaasde haar dat ze zich bijna aangerand voelde. Maar natuurlijk vroeg hij dit van haar. Hij had geen keus.

Kate trok haar blouse uit. Het was lang geleden dat ze voor het laatst intiem was gefouilleerd. En nu overkwam het haar twee keer binnen een week. Ze ritste haar rok los en stapte eruit. Dexter onderzocht de voering en de rits. Hij zou een zendertje nog niet herkennen als het hem in zijn neus prikte.

Dexter gaf haar kleren terug.

Tegenwoordig konden zendertjes overal verborgen zijn en alle vormen en afmetingen hebben. Zoals het exemplaar dat Kate nu droeg bijvoorbeeld: een klein schijfje, bevestigd tegen de onderkant van haar horloge – het cadeautje dat ze een paar weken geleden van Dexter had gekregen, op kerstochtend in de Alpen, keurig verpakt in stemmig ruitjesdoek, met een oubollige zijden strik van de juwelier in de Rue de la Boucherie. Het Zwitserse horloge dat naar een importeur in Nederland was getransporteerd, door de boutique in Luxemburg per bestelbus was opgehaald, door Dexter in het vliegtuig mee terug was genomen naar Zwitserland en ten slotte door Kate was uitgepakt in Frankrijk, vijftig kilometer van de plek waar het was gemaakt. Ten slotte was het weer in Luxemburg terechtgekomen, waar het op het herentoilet van een brasserie in het centrum van een zendertje was voorzien door een FBI-agent. Om ten slotte over het hoofd te worden gezien door een Amerikaanse semi-crimineel, hier op dit toilet met het zilveren behang.

Kate kleedde zich weer aan.

Dexter opende haar handtas en doorzocht de inhoud: lippenstift en poederdoos, telefoon, pennen, sleutels, een pakje kauwgom en wat al niet. Het kon allemaal als zender of ontvanger worden gebruikt. Zo'n vluchtig onderzoek kon onmogelijk bepalen of die tas onschuldig was.

Ze had de Beretta thuisgelaten.

'Ik leg je tas in de auto,' zei Dexter. 'Ga maar terug naar het tafeltje.'

Ze strompelde het toilet uit, de gang weer in, steun zoekend bij de muur voordat ze nog een stap kon doen over het dikke tapijt.

Dit was veel moeilijker dan ze had gedacht. Ze had zulke situaties wel vaker meegemaakt, maar nooit met haar eigen man. Om allerlei redenen had ze gedacht dat het nu gemakkelijker zou gaan.

Kate probeerde rustig te blijven. Ze nam een slok wijn, toen een slok water. Ze veegde haar mond af met haar servet, speelde wat met haar vork en masseerde de brug van haar neus.

Dexter stapte weer de eetzaal binnen. 'Sorry,' zei hij. 'Ik had dit liever niet gedaan.'

De obers zetten reusachtige witte schalen op het witte tafelkleed. De soep. Een paar eetlepels vocht met wat stukjes kreeft, zo te zien.

'Maar je begrijpt dat ik geen keus had?'

Kate staarde in haar soep.

'Om te beginnen,' zei Dexter, 'weet ik helemaal niets over vijfentwintig miljoen euro.' Zoals ze de vorige avond hadden afgesproken op hun koude balkon, toen ze deze dialoog repeteerden, moesten er drie grote leugens in het gesprek zitten. Dit was de eerste. 'En ik heb feitelijk helemaal geen geld gestolen, van wie dan ook.' Dat was de tweede. 'Aan de andere kant moet ik toegeven dat ik mijn geld niet helemaal legaal heb verdiend.'

'Dus je bent geen beveiligingsconsulent?'

'Nee, niet meer. Ik ben daghandelaar in effecten. Dat doe ik al een paar jaar, als hobby. Anderhalf jaar geleden maakte ik opeens een paar klappers. Ik had genoeg van mijn werk, dus... Het spijt me, Kate, maar ik heb ontslag genomen.'

Een hulpkelner kwam de borden afruimen, streek het linnen glad en verdween.

'Wat is er dan niet legaal aan je werk?'

'Ik hack bedrijfscomputers om vertrouwelijke informatie te pakken te krijgen. Die gebruik ik om winst te maken op mijn deals.' Dat was de derde leugen, heel rustig en kalm gebracht. Goed geacteerd.

Een ober kwam vragen of alles naar wens was. Belachelijke vraag.

'Hoeveel geld heb je verdiend?'

'Met deze eh... strategie heb ik zo'n zeshonderdduizend euro binnengehaald.'

Kate lachte bleek tegen Dexter en knikte bemoedigend. De afgelopen twee minuten waren het moeilijkste deel van de conversatie geweest, de grootste aanslag op hun acteertalent. Dexter had zich er goed doorheen geworsteld. De rest was veel eenvoudiger – veel dichter bij de waarheid.

De obers tilden plechtig nog meer dekschalen op, boven de kleine borst van een of andere vogel met een geglaceerde huid, een taaie bruine saus in een glinsterende brij en wat minigroente, meer geschikt voor een kleuterschool.

'Wie is die Marlena? Ze hebben me foto's laten zien van jou met een beangstigend mooie vrouw.'

'Ze is prostituee. Ze helpt me, door mannen te verleiden, zodat ze toegang krijgt tot hun computers. Zo hack ik hun systemen.'

'Dat is schandalig!'

Hij verdedigde zich niet.

'Dus je hebt geen officiële baan. Maar ik heb wel een contract gevonden, ergens verborgen in een map. Is dat nep?'

Hij knikte.

'Maar je hebt wel een werkvergunning? We wonen hier legaal?'

'Ja. Ik heb een bedrijf hier.'

'Maar er was toch een probleem? Toen we hier pas aankwamen, op de Amerikaanse ambassade?'

'Het probleem was dat ik veel eerder een werkvergunning had aangevraagd dan wij hier arriveerden. En in de tussentijd...'

'Een tussentijd van ongeveer een jaar?'

'Ja. In dat jaar was de Luxemburgse regering begonnen automatisch kopieën van werkvergunningen aan buitenlandse ambassades te sturen. Ik wist niets van die nieuwe regeling. Normaal gesproken had de Amerikaanse ambassade in september een kopie van mijn werkvergunning moeten ontvangen, als ik die had gekregen op het moment dat zij... en jij ook... dachten dat ik het had gekregen. Zoals ik dat zelf ook beweerde. Maar dat was niet het feitelijke moment.'

'Wat doen we met ze?' vroeg Kate.

'Met wie? De Macleans?'

'Ja.'

'Ze kunnen die vijfentwintig miljoen euro niet vinden, omdat ik geen vijfentwintig miljoen euro gestolen heb. Dus maak je geen zorgen.'

'Maar hoe komen we van ze af?' vroeg Kate. 'Hoe raken we ze kwijt?'

Ze staarde naar de tweede vleesschotel, twee kleine lamskoteletten, volmaakt roze, met de schoongemaakte botten gearrangeerd als gekruiste zwaarden. Nieuwe wijn, glazen zo groot als kinderhoofdjes, met een donkere, dieprode drank, als een kolk van bloed in een verlaten groeve uit een horrorfilm.

'Ik denk dat ze binnenkort wel zullen verdwijnen.' Dexter klonk wat vrolijker. 'Daarom hebben ze jou eindelijk geconfronteerd na... hoelang zijn ze hier al?... vier maanden?'

'Waar wachtten ze dan op, denk je?'

'Concrete bewijzen. Dat we grote bedragen zouden uitgeven aan auto's, boten, dure huizen aan de Rivièra – luxe hotels, eersteklastickets, helikoptervluchten naar de Mont Blanc. Nou ja, alle dingen die we zouden doen als we vijfentwintig miljoen dollar hadden.'

'Hoe gaat dit dan aflopen? Weet jij dat?'

'Ik geloof niet dat we iets bijzonders hoeven te doen,' zei Dexter, 'behalve dat we alle contact met Bill en Julia moeten vermijden.'

'Met wat voor reden?'

'We hoeven ze geen reden te geven. Ze weten zelf wel waarom.'

'Nee, geen reden voor hen, maar voor onze andere vrienden.'

Dexter haalde zijn schouders op. Het kon hem niet schelen. Hij had eigenlijk geen vrienden. 'Bill heeft zich aan jou opgedrongen?' opperde hij. 'Of Julia aan mij? Wat heb je liever?'

Kates gedachten gingen terug naar het kerstfeestje op de ambassade, toen ze Dexter en Julia uit de keuken had zien komen. 'Julia heeft geprobeerd jou te versieren,' zei ze. 'Het is belangrijker dat er kwaad bloed is tussen haar en mij dan tussen jou en hem.'

'Klinkt logisch.'

Kate keek eens naar het ingewikkelde chocoladedessert dat voor haar neus was verschenen. 'Oké, dus we praten niet meer met hen. Wat verder nog?'

'Vroeg of laat – waarschijnlijk vroeg – zullen ze het wel opgeven. Ze hebben geen bewijs. Ze zullen niets vinden, omdat er niets te vinden *is*.'

Kate ramde haar vork in de met chocola overgoten *torte* en legde hele lagen van structuur en kleur bloot, allemaal verborgen binnen die harde schaal, die er toch zo eenvoudig uitzag.

'Ze verdwijnen gewoon in het niets,' zei Dexter, terwijl hij de korst van chocolade brak en de zoetigheid over zijn bord uitspreidde. 'En we zien ze nooit meer terug.'

VANDAAG, 19:03 UUR

De man is de eerste die Kate opvalt als hij oversteekt vanaf de andere kant van het kruispunt, vanuit een groter, drukker en minder exclusief café, waar veel toeristen komen. Zijn zonnebril is naar zijn voorhoofd geschoven en hij heeft nu een ruige baard, in de stijl die populair is in New York en Los Angeles; Kate heeft er foto's van gezien in tijdschriften. Een acteur op een kiek van een paparazzo, op zondagochtend op Beverly Drive, met een macchiato in een bekertje met deksel, om mee te nemen.

Kate beseft dat ze het tweetal in het andere café heeft gezien, verscholen achter hun zonnebrillen, terwijl ze Dexter en haar in de gaten hielden. Kate is onder de indruk en zelfs een beetje geïntimideerd door zo veel grondigheid. Na al die tijd hebben ze nog steeds de energie.

Gelukkig was Kate voorzichtig met de suikerpot toen ze ging zitten. Behoedzaamheid loont altijd.

'*Bonsoir*,' zegt de man. De vrouw deelt luchtzoenen uit.

De ober duikt onmiddellijk op, met aandacht voor Monsieur Moore en zijn gasten, zoals altijd. Want Monsieur Moore geeft dikke fooien hier. Overal, trouwens.

'Hoe gaat het met jullie?' vraagt Dexter.

'Niet slecht,' zegt Bill. 'Helemaal niet slecht.'

De ober komt met de fles en laat hem aan Dexter zien ter inspectie. Dexter knikt. De ober pakt zijn kurkentrekker en verwijdert het folie om de flessenhals.

'Wonen jullie hier nu?' vraagt Bill.

Dexter knikt.

De kurk schiet met een plop uit de fles en de ober schenkt een bodempje voor Dexter in om te keuren. Dexter drinkt beleefd en knikt. De ober schenkt vier glazen halfvol aan het stille tafeltje.

De vier Amerikanen nemen elkaar op, om beurten, niet in staat een normaal gesprek te beginnen. Kate vraagt zich nog steeds af wat de bedoeling is van deze ontmoeting, en hoe ze er haar voordeel mee kan doen. Ze heeft haar eigen agenda. Julia en Dexter waarschijnlijk ook, mogelijk met Bill erbij betrokken. Of misschien volgt Bill een heel eigen route. Of niet.

'Dus,' zegt Dexter, en hij kijkt van Julia naar Bill. 'Jullie hadden een boodschap. Over de kolonel.'

Julia legt haar handen op het tafeltje, met haar vingers gekruist. De diamant van haar verlovingsring vangt glinsterend het licht. Met wie gaat Julia trouwen? Of is die ring gewoon een rekwisiet, onderdeel van een nieuwe dekmantel?

'Ja,' zegt Bill. Hij slaat zijn benen over elkaar en zakt wat onderuit om zijn verhaal te vertellen. 'Jullie weten natuurlijk dat iemand een fortuin van hem had gestolen bij een transactie.'

Het valt Kate op dat Bill geen exact bedrag noemt.

'Dat heb ik gehoord, ja,' zegt Dexter.

De twee mannen houden oogcontact, als bij een spelletje poker, waarbij ze allebei bluffen. Of doen alsof.

'Nou, de leverancier van de kolonel bij die transactie, een Russische exgeneraal die Velten heette, was woedend toen er aan het eind van de deal niet het afgesproken bedrag op zijn Zwitserse bankrekening stond.'

'Dat kan ik me voorstellen.'

'Dus bracht de kolonel een onaangenaam avondje in West-Londen door, hoe plezierig het van de buitenkant ook leek, in een driesterrenrestaurant met een spectaculair Russisch hoertje, een zekere Marlena. Toch moet het een angstige ervaring voor hem zijn geweest.'

Bill laat de wijn door zijn glas klotsen, neemt een slok en houdt die even in zijn mond voordat hij slikt.

'Dus...' Hij tuit zijn lippen. 'De volgende morgen werd de kolonel wakker. Hij had geen andere keus dan zijn hele rijkdom – auto's, juwelen, een jacht, al zijn have en goed – aan de generaal over te dragen. Binnen een paar weken had hij zijn Londense flat verkocht en ook dat geld aan de generaal overgemaakt. Toen...'

'Waar was dat?'

De twee mannen kijken allebei naar Kate, verbaasd door haar interruptie. 'Waar was wat?'

'Dat appartement in Londen.'

'In Belgravia,' antwoordt Bill, en hij wendt zich weer naar Dexter.

'Waar precies?'

'Wilton Crescent.'

Kate werpt een blik naar haar man, die even zijn schouders ophaalt en schuld bekent. Hij is bereid de straf te aanvaarden voor het bezit van zo veel geld. Nu begrijpt Kate waarom ze in de lange bocht van die straat bij Belgrave Square hebben gestaan, met al die witte huizen, fantaserend waar ze ooit zouden gaan wonen als ze rijk waren. Op dat moment had Kate niets achter het adres gezocht. Een van Dexters stille leugens.

'En de kolonel verkocht zijn appartement in New York. Maar de markt was ongunstig, vooral voor dit soort pied-à-terres in het duurdere segment. En de tijd drong. Dus moest hij een schijntje accepteren.' Bill kijkt naar Kate. 'Het adres was ergens in East Sixty-Eighth Street, geloof ik, in de buurt van Fifth.'

'Dank je voor dat detail.'

'Graag gedaan.'

'Dus hij had geen bezittingen meer,' zegt Dexter, om het verhaal weer op de rails te krijgen, 'maar hij was nog steeds erg veel geld schuldig.'

'Ja. De kolonel had geprobeerd een andere deal te regelen, een partij luchtdoelraketten, maar het nieuws over zijn debâcle in de Congo deed inmiddels de ronde. Dus kreeg hij problemen. De generaal toonde ondertussen meer geduld dan iemand van hem mocht verwachten. De schuld stond al een jaar open.'

'Waarom was hij zo geduldig?' vraagt Dexter.

'Omdat het Velten eigenlijk niets had gekost. Hij had die Mig's nooit betaald, maar gewoon gestolen. Al met al had hij aardig verdiend aan de verkoop. Toch wilde hij ook de rest van het bedrag. Hij moest immers aan zijn reputatie denken. Ten slotte wist de kolonel een andere deal te regelen, maar die liep op het laatste moment verkeerd.'

'Hoe?'

'Ik geloof dat iemand binnen de Amerikaanse inlichtingendiensten de leverancier liet weten dat de kolonel scherp in de gaten werd gehouden.'

'Interessant,' zegt Dexter. 'En wat een pech!'

'Ja, verschrikkelijk.'

'De kolonel had dus geen geld meer,' concludeert Dexter, 'en ook geen mogelijkheden.'

'Klopt,' beaamt Bill. 'En wat denk je dat hij deed?'

'Ik neem aan dat hij onderdook.'

'*Absolument.* Hij verstopte zich ergens op Bali, of in Buenos Aires, maakt niet uit. Wie weet waar een illegale wapenhandelaar zich verbergt voor zijn boze, bloeddorstige leverancier? Maar na een paar maanden dook hij dom genoeg weer op in Brighton Beach. Weet je waar dat is?'

'Ergens in New York. De Russische wijk.'

'*Exactement.* Hij kwam op bezoek in Brighton Beach, of hij logeerde daar, of hij woonde er zelfs, die details weet ik allemaal niet. Wat ik wel weet, is dat hij afgelopen vrijdagavond, om een uur of elf, uit een restaurant kwam met twee andere mannen van middelbare leeftijd, net als hijzelf. Een goedkope tent waar alleen buurtbewoners kwamen.'

Bill neemt nog een slok wijn. Kate ziet dat Julia haar glas niet heeft aangeraakt.

'De kolonel was geen knappe vent, maar een groot deel van zijn leven had hij geld en macht, en daar kwamen vrouwen wel op af. Nou ja, hij kon ze zich veroorloven. Maar die tijd was voorbij. Dus stonden hij en zijn even onaantrekkelijke kameraden daar op Brighton Beach Avenue, voor een restaurant, waar ze twee jonge meiden probeerden op te pikken die op een taxi wachtten om naar een club in Manhattan te gaan om eerst een fles Cristal van een hedgefondsmanager leeg te drinken en daarna een stel professionele basketballers te naaien. Die meiden waren hot. Ze beweerden dat ze eenentwintig waren, dus konden ze niet ouder zijn dan zeventien of achttien.'

'En de kolonel en zijn vrienden maakten geen kans.'

'Nee, een heel andere categorie. Maar ze wisten niet van opgeven. De hostess keek van binnenuit toe en vroeg zich af of ze een paar obers en hulpkelners moest sturen om tussenbeide te komen, of misschien zelfs de politie moest bellen. Maar toen stopte er een witte bestelwagen. De zijdeur schoof open terwijl het busje nog reed. Twee mannen sprongen eruit, en pop-pop, een kogel voor elk van de vrienden van de kolonel, allebei in het midden van hun voorhoofd. Het bloed spatte over de meisjes heen. Ze stonden te gillen als magere speenvarkens. De hostess begon ook te schreeuwen. Totale paniek.'

'En de kolonel?'

'Die werd in zijn gezicht geslagen, van de stoep gesleurd en in het busje getrokken. De deur sloeg dicht en met piepende banden ging de bestelwagen ervandoor.'

'Geen nummerborden zeker?'

'*Rien.*'

'En toen?'

'Toen niets, het hele weekend.'

'Een lang weekend voor de kolonel?' oppert Dexter.

'*Vraiment.*'

'Waarom praat je zo veel Frans, Bill?' valt Kate hem in de rede.

'Mooie taal, toch?'

'Ja, en?' Dexter is ongeduldig.

'Daarom probeer ik wat te oefenen.'

'Ik heb het niet over je Frans, idioot. Hoe liep het af met de kolonel?'

'O, juist. Nou, een grote labrador-retriever, die losliep op het strand van Brighton Beach, dook op maandagmorgen onder het plankier van de steiger en weigerde terug te komen.'

'De kolonel?'

Bill knikt. 'Zijn armen?' vraagt hij retorisch. 'Afgehakt.'

Kates adem stokt van schrik.

'En ook geen benen meer.'

'God.'

'De kolonel was niets anders meer dan een torso en een hoofd. En zijn ogen?'

'Ja?'

'Die stonden wijd open.' Bill neemt een slok van de dure rode wijn. 'Jullie weten wat dat betekent?'

Iedereen weet het, maar niemand zegt iets.

'Dat hij gedwongen was toe te kijken,' zegt Bill. 'De kolonel heeft gezien hoe zijn eigen armen en benen werden afgezaagd.'

28

Dexter keek naar Kates papiertje, toen naar haar gezicht en ten slotte naar de klok. Het was zes minuten over vier in de nacht voordat ze naar het restaurant zouden gaan.

Kate had dit willen vermijden, of misschien had ze er juist naar uitgekeken. Ze had dit moment al zo lang gevreesd en genegeerd, bijna een eeuwigheid. Nu het eindelijk zover was, stond ze verbaasd dat ze het nog steeds probeerde uit te stellen, niet bereid een einde te maken aan het deel van haar leven waarin dit gesprek nog niet had plaatsgevonden. Bang om te ontdekken hoe haar wereld er daarna uit zou zien.

Langzaam liep ze de trap af en beet op haar lip, opeens bijna in tranen. Al die keren dat ze dit gesprek in gedachten had gevoerd waren woede en angst haar belangrijkste emoties geweest. Geen verdriet. Maar toch voelde ze zich juist daardoor overvallen nu het moment was aangebroken.

Zouden ze nog een leven samen hebben, na vannacht? Of was dit het einde? Afgelopen? Moest ze een tas inpakken, de jongens wakker maken, met hen naar de luchthaven rijden en een vliegtuig nemen naar... ja, waarheen? Washington? Wie zou haar daar kunnen redden? Bij wie zou ze kunnen uithuilen?

Dexter was alles wat ze had. Dat was haar hele volwassen leven al zo geweest. Ze herinnerde zich die keer dat ze terugvloog van een missie in Guatemala, in een ijzig koud militair vliegtuig, starend naar de klinknagels van de grijze metalen wand, terwijl ze besefte dat er maar één ding was dat ze wilde, één persoon naar wie ze verlangde in Washington.

Met haar rug naar Dexter toe veegde ze over haar ogen om de tranen terug te dringen. Ze trokken hun jassen en schoenen aan en stapten het koude, winderige balkon op boven het diepe, donkere ravijn. Het licht van binnen was vaag, maar voldoende voor Kate om Dexters gezicht te kunnen lezen. En ze zag dat hij precies wist wat er aan de hand was.

'Dexter,' zei Kate. Ze haalde diep adem en probeerde kalm te blijven, maar zonder veel succes. 'Ik weet van die vijfentwintig... of misschien wel vijftig... miljoen gestolen euro's. Ik weet van die nummerrekeningen, van LuxTrade en van de boerderij. Ik weet, Dexter... ik weet dat je geen beveiligingsconsulent bent voor een of andere bank in dit land. En wat je ook in je schild voert, je bent er al een hele tijd mee bezig.'

De wind sloeg in Dexters gezicht en hij kromp ineen. 'Ik kan het uitleggen.'

'Ik wil je uitleg niet. Ik wil alleen dat je me ervan overtuigt dat ik me vergis, of dat je toegeeft dat ik gelijk heb.'

Kate kende de waarheid al; dat is niet waar ze nu op hoopte. Het eerste wat ze wilde horen was of Dexter het zou ontkennen. Of hij opnieuw zou liegen. Of alle hoop verloren was.

En een fractie van een seconde, vijftien meter boven het met stenen geplaveide pad beneden, vroeg Kate zich – hoe irrationeel ook – af of Dexter zou proberen haar te vermoorden, hier en nu.

Kate had alle mogelijke varianten van dit gesprek al vaak genoeg gerepeteerd. Als Dexter A zei, zou zij B zeggen, waarop hij met C zou antwoorden, enzovoort, enzovoort. Ze had zich de gunstigste en ongunstigste afloop voorgesteld. Ze had de mogelijkheid overwogen dat ze met de kinderen de deur uit zou stappen en Dexter nooit meer terug zou zien. Ze hield er zelfs rekening mee dat ze haar pistool zou moeten gebruiken. De Beretta lag achter de deur, op de radiator, verborgen door een gordijn dat ze bij Belle Etoile had gekocht en opgehangen aan een roe die ze had gemonteerd met de steenboortjes die ze op haar derde bezoek aan de bouwmarkt had gekocht, nog niet zo lang geleden – hoewel het een eeuwigheid geleden leek dat ze nog een gewone expat-huisvrouw was geweest. Voordat haar leven begon in te storten. Of voordat zij dat wist.

Toen Dexter zijn mond opende, leken al die scenario's Kate gelijktijdig te bestormen, zodat ze moeite had hem te verstaan: 'Je hebt gelijk.'

Ze gaf geen antwoord, en hij liet het daarbij. Zwijgend stonden ze in de kou, zonder elkaar aan te kijken.

'Wat doen we hier?' vroeg Dexter eindelijk, starend in het niets.

'Bill en Julia zijn FBI-agenten, uitgeleend aan Interpol. Ze stellen een onderzoek naar jou in. Ik weet zeker dat onze computer is gehackt. Onze auto heeft een zendertje en onze telefoons worden afgeluisterd, net als het appartement, daar ben ik vrijwel van overtuigd.'

Dat moest hij even verwerken. 'Maar hier zijn we veilig?'

Kate haalde haar schouders op. Ten slotte draaide ze zich naar haar man toe. Zijn gezicht stond zorgelijk en afgetobd. Goed, dacht ze. Als hij kalm was gebleven, ongeïnteresseerd, zou dat veel erger zijn geweest.

'Mag ik het nu uitleggen?' vroeg hij. 'Alsjeblieft?'

Ze knikte.

'Het is maar een kort verhaal.' Dexter wees naar de tafel en de stoelen en wachtte tot zij ging zitten, voordat hij haar voorbeeld volgde.

'Je weet nog dat mijn broer bij de mariniers zat?'

Waar sloeg dat nou op? 'Natuurlijk,' snauwde ze, bozer dan haar bedoeling was. 'Ja,' zei ze wat milder.

'En je weet ook dat hij is gedood in de oorlog in Bosnië. Maar ik heb je nooit verteld hóé.'

'Je zei alleen dat hij niet meer bij de mariniers zat, maar militair adviseur was geworden.' Kate wist van alles over die lui. 'Hij was gevangengenomen en gedood.'

'Precies. Gevangengenomen door een Servische kolonel, een zekere Petrovic. Ooit van gehoord?'

Kate schudde haar hoofd.

'Buiten Europa was Petrovic niet zo bekend, maar op de Balkan was hij een beroemdheid. Omdat hij zo sadistisch was. Iemand die mensen martelde voor zijn plezier. Begrijp je wat ik bedoel?'

'Ik vermoed van wel.'

'Hij genoot ervan. Hij kreeg een kick door iemand zijn nagels uit te trekken met een tang. Oren af te snijden met een slagersmes. Hij hakte mensen de armen af met een machete, Kate. Hij verminkte zijn slachtoffers, hij doodde hen langzaam en pijnlijk, met zo veel mogelijk bloedvergieten. Niet omdat hij informatie wilde, maar voor zijn eigen lol. En omdat het zijn reputatie vestigde als barbaar.

Toen ze mijn broer vonden, Kate, miste hij al zijn vingers. Zijn tenen. Zijn geslachtsdelen. En zijn lippen. Zijn líppen, Kate. Petrovic had Daniels lippen afgesneden!'

Een huivering gleed over haar rug.

'Petrovic heeft mijn broer doodgemarteld, als ontspanning, en zijn verminkte lichaam laten wegrotten in een steegje, als prooi voor zwerfkatten, ratten en roedels wilde honden.'

Het was veel erger dan Kate zich had kunnen voorstellen. Toch zag ze geen verband tussen dit verhaal en die miljoenen gestolen euro's. En ze begreep ook niet waarom ze dit alles niet had ontdekt toen ze een onderzoek naar Dexters achtergrond had ingesteld.

'Dat is afschuwelijk. Ik wil niet vreselijk ongeduldig of ongevoelig lijken, Dexter, maar wat heeft dat alles te maken met jouw diefstal van vijftig miljoen euro?'

'Vijfentwintig.'

'Maakt niet uit, Dexter! Jezus!'

'Wat het ermee te maken heeft?' Hij haalde diep en moeizaam adem. 'Petrovic is de man van wie ik dat geld gestolen heb.'

'Oké,' zei Kate, en ze greep de randen van haar stoel vast om rustig te worden. 'Leg dat maar uit. Hoe wist je dat?'

'Hoe wist ik wát?' Dexters stem trilde, en Kate zag dat hij tegen zijn tranen vocht.

'Dit hele verhaal? Over je broer? Over Petrovic?'

Dexter zuchtte nog eens diep. 'Om te beginnen waren er foto's van Daniels lichaam, in het oorspronkelijke rapport van Buitenlandse Zaken over zijn dood.'

'Wanneer heb je dat rapport gezien?'

'Eind jaren negentig. Iemand van Buitenlandse Zaken nam contact op met mijn ouders en zei dat bepaalde documenten uit de oorlog niet langer geheim waren, waaronder het rapport over Daniels dood.'

'En dat heb jij gelezen?'

Hij knikte, nadrukkelijk en agressief. 'Een fotokopie. Het eindigde ermee dat Petrovic nog leefde en kapitalen verdiende als wapenhandelaar voor het ergste tuig op aarde: Mexicaanse drugsbaronnen, bloeddorstige Soedanese krijgsheren, de taliban.'

'Stond dat allemaal in het rapport over Daniels dood?'

'Nee, dat kwam van dezelfde man die contact met ons had opgenomen. Ik ontmoette hem een paar jaar later. Hij wist niet veel meer dan wat er in het rapport stond, maar hij gaf me de naam van een Kroatische emigrant, een zekere Smolec, die veel militairen kende. En Smolec wist alles over de kolonel. Ze hadden samen carrière gemaakt in het leger en Smolec wist wat de kolonel uitspookte.'

Kate had nog nooit zo'n achterlijk verhaal gehoord.

'Ik heb Smolec wat geld gegeven,' vervolgde Dexter, 'om de kolonel in de gaten te houden. Wat hij deed, welke huizen hij kocht, wat voor wapens hij leverde, en aan wie.'

'Van wie kwam het idee dat Smolec de kolonel moest volgen? Van hem of van jou?'

Kate zag de suggestie van een glimlach op Dexters gezicht, een spoor van opluchting. Ze wist wat hij dacht. Als ze hem dat soort vragen stelde, probeerde ze het te begrijpen – en hem te vergeven. Daar had hij gelijk in.

'Dat weet ik niet meer,' zei hij. 'Misschien opperde hij hoe eenvoudig het zou zijn en vroeg ik hem om het te proberen? Het is al een hele tijd geleden.'

'Waar ontmoette je die Smolec?'

'In een park. Farragut Square.'

Natuurlijk. Dat was de verklaring waarom Kate op die koude dag, de vorige winter, opeens zijn rode pet had ontdekt aan de overkant van I Street.

'Maar waarom deed je dat?'

'Goede vraag. Dat weet ik eigenlijk niet. Ik had geen plan, als je dat soms denkt. Maar de informatie was er, en ik vond dat ik er iets mee moest doen.'

'Oké,' zei Kate, die voorlopig besloot het onwaarschijnlijke scenario te accepteren. 'Smolec volgde dus de kolonel, voor jou. Dat kan ik min of meer begrijpen. Maar het is me wel een raadsel, Dexter, waarom je nooit iets tegen mij hebt gezegd, terwijl ik toch op Buitenlandse Zaken werkte.'

Ondanks de situatie bedacht Kate dat dit weer een kans voor

haar was om schoon schip te maken. Een verduidelijking van dit ene zinnetje kon het steentje zijn dat een lawine op gang bracht. Maar op dit moment was Dexter toch schuldiger dan zij.

'Het was allemaal begonnen voordat ik jou kende,' zei hij. 'En wat ik deed sloeg eigenlijk nergens op. Ik schaamde me een beetje, daarom zei ik niets tegen jou.'

Dat klonk Kate nogal onnozel in de oren, maar wel oprecht. 'Oké. En toen?'

'Een paar jaar geleden ontdekte ik in mijn werk iets heel anders, wat er los van stond. Bij het testen van een beveiligingsprotocol vond ik een achterdeur, een manier waarop iemand tijdens een overboeking via elektronische weg geld zou kunnen stelen.'

'En dat ontdekte je gewoon bij toeval?'

'Nee, het was geen toevalstreffer terwijl ik zomaar op eBay rondkeek. Het was mijn wérk. Ik zocht bewust naar lekken, om ze te dichten.'

'Juist.'

'Maar ik wist ook dat de kolonel zijn zaken elektronisch afhandelde. Hij boekte regelmatig miljoenen euro's over, soms wel tientallen miljoenen, van en naar nummerrekeningen. Geld voor zijn wapendeals, vanaf zijn eigen computer.'

'En dus besloot je hem te beroven?'

'Ja. Maar ik wilde niet zomaar zijn bankrekening leeghalen; dat is gewoon diefstal.' De trilling was verdwenen uit Dexters stem. Hij praatte nu sneller en luider, opgelucht dat hij dit kon uitleggen aan zijn vrouw, zijn beste kameraad. 'Ik wilde een punt vinden waarop hij kwetsbaar was, een moment waarop hij een heleboel geld in handen had dat niet van hem was, ergens midden in een transactie – veel geld, dat hij iemand anders schuldig was.'

'Iemand die niet blij zou zijn als hij dat geld niet kreeg.'

'Precies.'

'Je wilde dus niet alleen financiële wraak?'

'Nee.' Dexter schudde zijn hoofd. 'Ik wilde ervoor zorgen dat hij werd vermoord.'

Kate stond versteld over Dexters onverbloemde wraakzuchtigheid.

'Daar ging het allemaal om, Kate: om gerechtigheid.' Hij dwong zich tot een glimlach, terwijl hij zijn argumenten uiteenzette. 'Ik heb dat geld niet gestolen uit hebzucht, maar om een van de zwaarste criminelen van deze wereld te straffen.'

Kate dacht even na over de manier waarop hij zich rechtvaardigde. 'Zo kun je het ook bekijken.'

'Hoe anders?'

'Dat je een dief bent.'

'Ik heb iemand zijn gerechte straf bezorgd.'

'Je bent een dief en een burgerwacht.'

'Ik heb de wereld veiliger gemaakt.'

'Misschien. Maar niet zoals wij vinden dat het hoort.'

'Welke "wij"?'

'De Amerikanen. Dit is geen Amerikaanse gerechtigheid.'

'Amerikaanse gerechtigheid? Een arrestatie, een aanklacht, een proces, hoger beroep, en dan de gevangenis?'

Kate knikte.

'Hoe wil je dat regelen voor een Servische burger die in Londen woont?' vroeg Dexter.

'Door hem aan te klagen als internationaal oorlogsmisdadiger.'

'Dan wordt hij in Den Haag berecht. Dat is ook niet erg Amerikaans, vind je wel?'

'Ja. Want Amerika respecteert de internationale wetten.'

Dexter snoof.

'Maar natuurlijk,' zei ze, 'had je dan niet vijfentwintig miljoen euro in handen gekregen.'

Een goederentrein denderde over de spoorbrug boven een uitloper van het ravijn, een lange, trage trein met vracht voor het noorden.

'Wat was je eerste stap? En wanneer?' Kate schiep steeds meer afstand tussen haar gevoel van verraad, haar woede en Dexters gedrag. Ze begon zijn kant te kiezen, of in elk geval lukte het haar beter om de dingen vanuit zijn standpunt te zien.

'Ongeveer anderhalf jaar geleden heb ik hier een bedrijf geregistreerd, een investeringsmaatschappij, een *société anonyme*. En daarvoor heb ik een nummerrekening geopend. Tegelijkertijd hield ik alle activiteiten van de kolonel in de gaten, zijn rekeningen en overboekingen, wachtend op mijn kans en de mogelijkheid er iets mee te doen.'

'Hoe?'

'Op een van zijn zakenreizen, naar Milaan, gebruikte hij een open verbinding om een onlinetransactie uit te voeren. Via die verbinding kon ik heimelijk een programma op zijn harde schijf installeren dat opnamen maakte van zijn scherm. Elke nacht om vier uur, Greenwich Mean Time, als zijn computer aanstond, kreeg ik een overzicht van zijn schermactiviteit van de afgelopen vierentwintig uur gemaild. Zo kwam ik niet aan zijn wachtwoorden of iets dergelijks, maar ik kon wel zien wat hij deed. En daar kon ik op inspelen.

Toen, begin augustus, een halfjaar geleden, zat ik klaar. Alles was in gereedheid gebracht, of bijna alles. Eerst moest ik nog de zekerheid hebben dat het me echt zou lukken.'

'Hoe?'

'Met behulp van een test. Ik hackte regelmatig de firewalls van banken. Een daarvan, in Andorra, werd door een advocatenkantoor gebruikt om fondsen te parkeren voordat ze naar de cliënten gingen. Dat kantoor vertegenwoordigde vooral één verzekeringsmaatschappij op medisch gebied. Een paar jaar geleden verdedigde het kantoor die verzekeraar tegen een aanklacht en stelde de aanklager ook verantwoordelijk voor de proceskosten: anderhalf miljoen dollar. Schandalig genoeg wonnen ze dat proces. Het kantoor liet hun commissie, een derde van het bedrag, in Andorra staan. Twee derde maakten ze over naar hun cliënt. Of beter gezegd, dat was de bedoeling.'

'Een miljoen dollar. Heb jij die gestolen?'

'Ja. Heb je enig idee welke verzekeringsmaatschappij dat was?'

Kate dacht snel na. Wat deed het ertoe? Toen pas besefte ze de strekking van zijn vraag. Ze had al lang niet meer aan die maatschappij gedacht; al in geen twintig jaar.

'American Health,' mompelde ze. Ooit had Kate druk gecorrespondeerd met AmHealth. Ze was met hen in discussie gegaan, had hun formulieren ingevuld, gesprekken aangevraagd, gesoebat en gesmeekt. Omdat ze vond dat de verzekeraar, ondanks de kleine lettertjes van de polis, verplicht was de behandeling van haar vader mogelijk te maken. 'Je hebt AmHealth een miljoen dollar lichter gemaakt.'

'Een miljoen besmétte dollars, die rechtmatig iemand anders toekwamen, iemand zoals je vader. Of jijzelf. Want het proces was aangespannen door een dochter, uit naam van haar overleden vader.'

'En dat was je test?'

'Ik vond dat ik het best een smerig proefkonijn kon gebruiken. En het werkte. Dus was ik klaar om de kolonel aan te pakken.'

'Dat was het moment waarop we hierheen verhuisden?'

'Ja.'

'Oké,' zei Kate, en ze boog zich naar voren. De hele zaak kwam haar nu wat zinniger voor. 'Leg maar uit hoe het werkte.'

29

Dexter was niet helemaal de man die Kate had gedacht dat hij was, maar toch bleek hij niet zo anders als ze had gevreesd.

'Om te beginnen,' zei hij, 'had ik een betere toegang nodig tot de computer van de kolonel. Daarom huurde ik iemand in om me te helpen, een jonge vrouw in Londen.'

Een golf van opluchting sloeg door haar heen. 'En hoe heette die?'

'Marlena.'

Dat was een van de twee mensen die Dexter belde met zijn verborgen telefoon. Niko was de ander, vermoedde Kate. 'En wat is Smolecs voornaam?'

Dexter keek verbaasd, maar gaf toch antwoord: 'Niko.'

Het andere contact. Twee uit twee. Dat was dus opgelost.

'En die Marlena,' zei Kate, 'wat deed ze precies?'

'Ze hielp me toegang te krijgen tot zijn computer.'

'Hoe?'

'Door seks met hem te hebben,' zei Dexter.

'Ze is prostituee?'

'Ja.'

'En heb jij haar ook geneukt?'

Hij schoot in de lach.

'Nee! Je hebt geen énkel recht om te lachen, wat ik je ook vraag. Dat recht zul je opnieuw moeten verdienen.'

'Sorry.'

'Nou? Geef antwoord.'

Hij slikte zijn lach weer in. 'Weet je hoe Marlena eruitziet?'

'Ik heb foto's gezien, ja.'

'Ik weet dat ik een ongelooflijk knappe vent ben, Kate. Daar zijn jij en ik het wel over eens. Maar dacht je echt dat een vrouw als Marlena met mij zou slapen?'

'Je betáált haar. Om séks te hebben.'

Dexter keek haar meewarig aan.

'Oké,' gaf Kate toe. 'Ga door.'

'Marlena is tweeëntwintig en Russisch. Dat is de... speciale voorkeur van de kolonel. Ik heb haar in een situatie gebracht, een hotelbar waarvan het bekend was dat je daar meisjes zoals zij kon vinden.'

'Dus hij wist ook dat ze prostituee was?'

'Ja.'

'En ze is gewoon meegegaan naar zijn appartement en heeft zijn computer gehackt?'

'Nee, het was een langetermijnproject. Toen ze hem ontmoette, gaf ze hem het nummer van haar organisatie. Hij belde – ze is een callgirl – en ze ging naar hem toe. Die eerste nacht gaf ze hem de extra speciale behandeling.'

'Wat bedoel je?'

'Het bekende overdreven acteerwerk. Plus een moment van slaapkamerpraat toen ze hem bekende dat ze bijna elke nacht seks had met mannen maar nog nooit in haar leven zo was eh... bevredigd door een klant. Ze had echt een geweldige tijd met hem, zei ze. Fysiek gesproken. En ze zou het heerlijk vinden als de kolonel een vaste klant van haar zou worden.'

'Daar trapte hij in?'

'Wie niet?'

Kate zou nooit begrijpen hoe stom mannen konden zijn.

'Pas bij hun vijfde afspraak liet de kolonel haar lang genoeg alleen voor enige privacy met zijn computer. Ze installeerde een zogeheten sniffer, die gebruikersnamen en wachtwoorden kan opsporen. Voor haar volgende bezoekje – ze kwam nu wekelijks – had ik een softwarepakket samengesteld dat Marlena installeerde, compleet met een *keystroke-logger*, die alle toetsaanslagen vastlegde en die elke minuut aan mij mailde.

Daarna was ik honderd uur bezig om de algoritme van zijn dynamische wachtwoord te kraken, zodat ik zonder zijn medeweten toegang kreeg tot zijn bankrekening. Dat was echt slavenwerk. En dan nog een paar weken om een nepsite voor zijn bank te bouwen.'

'Waarom?'

'Omdat mensen die miljoenen dollars overmaken niet gewoon op "Verzenden" klikken. Ze zitten ook aan de telefoon met iemand van de bank, die de transactie bevestigt. De klant bereidt de gegevens voor, en de bank voert de opdracht uit. Zo kun je fraude voorkomen.'

'Maar hoe kun je dat met een nepsite omzeilen?'

'Toen de kolonel dacht dat hij inlogde bij de site van de bank, benaderde hij in werkelijkheid een stukje software op zijn harde schijf, niet op het web. Wat hij op zijn toetsenbord typte en op zijn scherm zag, had maar een fictieve relatie met de werkelijke activiteit op zijn bankrekening. Die activiteit werd door mij uitgevoerd, op afstand.'

'Dus je bedoelt dat hij dacht dat hij online was en geld overmaakte en via de telefoon die overboeking bevestigd kreeg, terwijl jij in werkelijkheid een andere overboeking deed.'

'Klopt.'

'Briljant.'

Dexter kwam terug naar het balkon met zijn skimuts. Hij gaf Kate de hare, en ze trok hem diep over haar oren, die gloeiden en pijn deden van de kou. Ze trokken een plaid over zich heen.

'De kolonel was altijd wel bezig met een of andere grote wapendeal,' zei Dexter, 'maar de zaak waar ik achteraan zat was nog groter. De kopers waren Afrikanen, een karikaturaal stelletje boeven. Dat was mijn ideale kans, precies de ingewikkelde transactie waarop ik had gehoopt. De kolonel kocht een partij Mig's van een voormalige Sovjetgeneraal en verkocht die vliegtuigen aan een Congolese revolutionaire fractie. Je kent de oorlog in de Congo?'

Bloedbaden in de derde wereld waren ooit Kates werk geweest. Ze was blij ervan verlost te zijn. Maar ze volgde nog alles. Ze zou altijd een politieke junkie blijven. 'Het bloederigste conflict sinds de Tweede Wereldoorlog,' zei ze. 'Meer dan vijf miljoen doden.'

'Precies. Dus de kolonel had het vertrouwen van generaal Ivan Velten nodig. Maar ze deden al twintig jaar zaken met elkaar. En hij moest bijna gelijktijdig een aantal transacties uitvoeren, op dezelfde dag dat de Mig's werden geleverd. Toevallig was dat op Thanksgiving.'

Kate knikte. Nu wist ze waarom Dexter die dag niet thuis was geweest.

'Op de ochtend van de transactie deden de Congolezen een aanbetaling aan de kolonel, die de helft aan Velten overmaakte. De helft van de jets werd 's nachts naar een vliegveld bij de Angolese grens gevlogen vanuit Zambia, waar de generaal de toestellen had gestald nadat hij ze van een luchtmachtbasis in Kazachstan had gestolen. Op dat moment was de kolonel verplicht de generaal de volgende termijn te betalen. Hij gaf opdracht tot de overboeking, en het geld vertrok van zijn rekening. Maar het is nooit bij de generaal aangekomen.'

'Omdat jij het naar je eigen rekening had gesluisd.'

'Ja. De kolonel was de generaal nu vijfentwintig miljoen schuldig, die hij niet bezat. Hij probeerde te bedenken wat er was gebeurd en belde zijn bankier, maar zij had hun gesprek opgenomen, waaronder zijn goedkeuring en toestemming voor de overboeking van het bedrag, binnen dezelfde bank. De kolonel en generaal Velten hadden allebei een rekening bij SwissGeneral. Zulke overboekingen worden onmiddellijk uitgevoerd, omdat de bank de fondsen kan verifiëren. Ik bankierde zelf ook bij SwissGeneral.'

'Maar kon de bank het geld dan niet volgen en jouw rekening opsporen, binnen hun eigen systeem?'

'O, jawel. En dat hebben ze ook gedaan, neem ik aan. Maar wat ze vonden was een lege rekening van iemand die ik een jaar geleden had betaald om een rekening voor mij te openen, iemand die niet wist hoe ik heette en mij nog nooit had gezien. Natuurlijk had ik het geld onmiddellijk van SwissGeneral naar een andere rekening overgemaakt.'

'En konden ze die transactie dan niet volgen?'

'Normaal zouden ze dat wel kunnen. Maar die dag was er net een beveiligingsprobleem op hun hoofdkantoor in Zürich. Maanden eerder had ik een kluisje genomen bij die bank. De dag van de transactie met de kolonel ging ik naar de bank om mijn kluisje op te vragen. Ik werd naar een spreekkamer gebracht om het te openen. Uit dat kluisje haalde ik een klein draadloos *access-point*, dat eruitzag als de stroomkabel van een computer. Ik sloot het aan op de router onder de tafel in de spreekkamer en vertrok. De router benaderde de centrale computer van de bank en produceerde een draadloos signaal waarmee ik van buiten het gebouw toegang kreeg tot het systeem.'

'Dat had je toch ook vanuit die spreekkamer kunnen doen?'

'Nee. Als ik die vaste verbinding had gebruikt, had de systeembeheerder met behulp van een *trap-and-trace* precies kunnen nagaan waar ik zat. En ik wilde het ook niet vanuit het gebouw zelf doen omdat ik veronderstelde dat ze alle deuren zouden afsluiten zodra ze het probleem ontdekten.'

'Deden ze dat?'

'Ja, maar ik was al terug naar mijn hotel, ernaast. Mijn kamer keek uit op straat. Daar stelde ik een richtantenne op om het WAP-signaal op te pikken.'

'Hoe wist je dat dat zou werken, technisch gesproken?'

'Ik had het al eens geprobeerd, bij een vorig bezoek. Toen kon ik de techniek testen en had ik ook de wachtwoorden van de firewall van de bank te pakken gekregen. Zo kon ik de architectuur en de werking van het systeem uittesten, met de protocollen en veiligheidsprocedures van de beheerders. Op dat moment kon ik daar niets mee doen, maar ik was voorbereid op de juiste kans.'

'En wat deed je?'

'Toen ik de overboeking van de kolonel had omgeleid en het geld van SwissGeneral naar een rekening in Andorra had overgebracht, had ik nog een paar minuten nodig om door te dringen tot dat deel van de computer dat de routing en de rekeningnummers van de transacties van die dag vastlegde.'

'Die gegevens heb je gewist?'

'Precies. Op dat moment kreeg de systeembeheerder mijn overval in de gaten. Hij schakelde het systeem uit en liet alle deuren van het gebouw vergrendelen. Maar ik had het geld al verspreid over tientallen rekeningen, overal ter wereld, met steeds andere bedragen. En uiteindelijk verdween het van al die rekeningen weer naar één andere bank. In Luxemburg.'

'Wat deed je allemaal op kantoor? Als je 's avonds laat zat te werken, of in het weekend? Waar had je het zo druk mee?'

'Ik moest een heleboel systemen analyseren: de computer van de kolonel, en van SwissGeneral. Zo'n hack is heel tijdrovend. Niet alleen de theorie, die erg ingewikkeld is, maar ook het doodgewone, saaie routinewerk.'

'Maar waarom moest dat 's avonds laat?'

'Bijna iedere avond was het weer wat anders. Ik volgde de contacten van de kolonel, zijn e-mails en telefoontjes, om zijn deals te kunnen bijhouden. Vaak moest ik dan wachten op een antwoord van iemand waar hij om had gevraagd, en dat hij over een paar uur zou krijgen. Eindeloos wachten dus.'

'Alleen maar wachten?'

'Ja. Maar die tijd gebruikte ik voor andere dingen. Eigenlijk een soort hobby: onderzoek naar heel ingewikkelde financiële producten.'

'Waarom?'

'Nou, als die producten opzettelijk zo ingewikkeld werden gemaakt dat een leek er niets van begreep, dan moesten de banken dat doen om een heel lucratief handeltje verborgen te houden. Dat was mijn theorie. De misleidende logica van die producten, die volgens mij waren bedoeld om iedereen zand in de ogen te strooien, sprak de technicus in mij aan. Het bleek gewoon weer een vorm van gokken op de aandelenmarkt. En met zulke beleggingen hebben wij de afgelopen twee maanden een kwart miljoen euro verdiend. Daar leven we nu van.'

'Ik dacht dat je je brood verdiende als dief.'

'Nee,' zei hij, 'dat doe ik voor mijn plezier.'

Kate zette de twee bekers neer. De damp van de koffie vormde dikke witte slierten in de ijzige lucht van de late nacht, vlak voor de ochtendschemer. Ze ging weer zitten en sloeg de grijze, geribbelde plaid over zich heen.

'Hoe kunnen ze je betrappen?'

Kate probeerde nog steeds alle technische details van Dexters diefstal te verwerken, los van filosofische beschouwingen over moreel besef, eerlijkheid, huwelijk en criminaliteit. Het ging nu even om de praktische kanten. Voorlopig.

'Dat zal ze niet lukken.'

'Nee? Niet mogelijk?'

'Nee.'

Kate verwonderde zich over dat absurde zelfvertrouwen van haar man, en was een beetje onder de indruk. Waar kwam dat vandaan? 'Stel dat de FBI het geld vindt?'

'Maakt niet uit. Ze kunnen onmogelijk alle transacties volgen, alle rekeningen via handelsbanken en private banks, in landen met een open bankenstelsel en belastingparadijzen – de geheimhouding van Andorra, Zwitserland, het eiland Man, de Kaaimaneilanden en natuurlijk ook Luxemburg. Bovendien bestaan die rekeningen niet meer, Kate. Daardoor zijn ook de sporen van de transacties uitgewist. Ze kunnen niet meer naar mij worden getraceerd.'

'Echt niet?'

'Uitgesloten.'

'Maar als ze gewoon het geld zouden ontdekken? Net als ik? Hoe wil je dan verklaren dat je zo'n kapitaal bezit?'

'Dat hoef ik niet. Daarom staat het geld hier in Luxemburg, met zijn bankgeheim.'

'Is dat de reden waarom we hier wonen?'

'Daar komt het wel op neer.'

'Nu we het er toch over hebben: kunnen we ooit nog naar huis? Naar Amerika?'

'Ja, hoor.'

'Maar...?'

'Maar we moeten geen grote bedragen bij Amerikaanse banken parkeren en nooit meer dan tienduizend dollar van de ene rekening naar de andere overboeken. We moeten geen grote huizen kopen in Amerika en geen enorme bedragen uitgeven. Het is ook beter als we daar niets verdienen, dus eigenlijk zouden we ons huis in Washington niet moeten verkopen. We blijven het gewoon verhuren. Dan klopt de belastingdienst niet bij ons aan.'

Kate begreep het. Als ze zich voor de belastingdienst konden verschuilen, trokken ze ook niet de aandacht van de FBI. 'Die man van wie je het geld gestolen hebt,' zei ze. 'De kolonel. Kan hij je niet vinden?'

'Hij is helemaal niet naar mij op zoek. Ik heb iemand erin geluisd, zodat het lijkt of hij dat geld van de kolonel achterover heeft gedrukt. Ook zo'n crimineel die in het Servische leger heeft gediend.'

'En wat is er met hem gebeurd, met die andere man?'

'Hij heeft zijn trekken thuis gekregen, de klootzak.'

Wat moest ze verder nog weten? 'Die rekening met vijfentwintig miljoen euro... dat is zo'n rond getal. Krijg je er geen rente op?'

'Nee.'

'Je wilt het niet opgeven voor je inkomstenbelasting? Zelfs niet hier?'

'Nee. Want we moeten ons inkomen wel opgeven in Amerika.'

'Voor altijd?'

'Voor altijd. Zolang wij nog Amerikaanse burgers zijn, moeten we in Amerika belasting betalen.'

'Wat kunnen we daaraan doen?'

'We beperken ons inkomen tot wat ik verdien met legitieme beleggingen. Maar dat betekent niet dat we onze uitgaven hoeven te beperken.'

'Ben je van plan dat gestolen geld uit te geven? Of heb je het alleen verduisterd om wraak te nemen op iemand die je haat?'

'Nee, ik wil het heus wel gebruiken.'

Kate proefde dat antwoord op haar tong en liet het door haar mond spoelen, als rode wijn. 'Wanneer dan?'

'Als het veilig is. Zodra de FBI ons met rust laat, neem ik aan.'

Zijn antwoord leek logisch op dat moment, tussen die vloedgolf van andere informatie. Pas veel later zou Kate de vreemde kronkel beseffen in zijn redenering. Als Dexter al van plan was geweest om te wachten tot de FBI hen met rust liet, moest hij hebben geweten dat ze hem in de gaten hielden. Nog voordat Kate het hem had verteld.

'Hoe zit het met die boerderij?'

'Dat is een postadres, voor de bank en andere zaken. Het ligt zo afgelegen dat niemand het in de gaten kan houden.'

Het zou een geschikt onderduikadres zijn als de nood aan de man kwam. Maar Dexter dacht in termen van belastingadressen, geen schuiladressen. Dat was Kates afdeling.

'Je had een auto gehuurd om erheen te rijden. Toen je zogenaamd naar Brussel ging. Waarom?'

'De deal was bijna rond. Daarom had ik een hele serie nieuwe rekeningen geopend, voor een week, om het geld rond te sluizen. De papierwinkel voor die rekeningen was naar de boerderij gestuurd. Die moest ik ophalen om alles te versnipperen.'

'Juist. Dat was omstreeks de tijd dat je de gegevens in het bureau van de jongens verstopte. Niet?'

Hij keek een beetje beschaamd bij die onthulling. 'Dat was pas na de eh... transactie. Toen het nog belangrijker werd om de rekening geheim te houden.'

Die avond stond Kate nog duidelijk voor de geest. 'Toen Julia's zogenaamde vader op bezoek kwam en we met ze uit eten gingen?'

'Is dat zo? Dat weet ik niet meer.'

Dat leek onwaarschijnlijk. Onmogelijk zelfs. Opeens werd Kate weer bevangen door grote achterdocht en twijfel. 'Echt niet?'

Hij haalde zijn schouders op.

'Wie denk je dat hij was?' vroeg ze. 'Hij heette Lester.'

'Hun baas, neem ik aan. Of een collega.'

Ze zwegen een tijdje, allebei verdiept in hun eigen, parallelle vermoedens.

'Waarom bewaar je de gegevens van de rekening niet op je kantoor? Of in de boerderij?'

'Als we er ooit snel vandoor moeten,' zei hij, 'wil ik niet ergens anders heen om ze op te halen.'

'Waarom zouden we er snel vandoor moeten?'

'Als ze me op de hielen zitten.'

'Dat kan niet, zei je zelf.'

'Toch neem ik liever maatregelen om op alles voorbereid te zijn.'

Onwillekeurig dacht Kate dat hij vooral maatregelen had genomen tegen háár. En dat bracht haar weer bij de beveiligingscamera. Ze wist niet hoe ver ze durfde gaan. Wilde ze echt wel weten of Dexter die beelden uit zijn kantoor had gezien? En of hij haar bedrog dus doorzag, in alle opzichten? Ze wilde haar eigen geheimen nog altijd niet prijsgeven.

'Is je kantoor dan niet veilig?' waagde ze.

'Ja, heel veilig.'

'Heb je beveiliging daar?' Ze kon nu niet meer stoppen.

Nog altijd keek hij onbewogen. 'Ik heb een videocamera gekocht.'

Haar hart bleef stilstaan.

'Maar ik ben er nooit toe gekomen die op de computer aan te sluiten.'

Dexter wist het niet.

Hoeveel wist Dexter niet?

Dexter wist niet dat Kate zijn sleutels had gestolen. Hij wist niet dat Kate in zijn kantoor had ingebroken en zijn spullen had doorzocht. Hij wist niet dat Kate hem al had verdacht lang voordat Bill en Julia haar hadden gewaarschuwd. Hij wist niet dat Kate ook Bill en Julia had verdacht. Hij wist niet dat Kate in Bills zogenaamde kantoor had ingebroken en contact had opgenomen met een oude vriend uit de CIA in München en informanten in Berlijn en Genève. Hij wist niet dat Kate een paar weken geleden nog had gedacht dat de FBI-agenten misschien wel huurmoordenaars waren.

Dexter wist niet dat hij met zijn gezin heel Europa door was gereisd, achter zijn eigen staart aan.

En hij wist niet dat zijn vrouw voor de CIA had gewerkt.

Het was nog altijd donker, maar er reden steeds meer auto's, trucks en bussen door de straat. De dag begon al voordat het licht was.

'Je laatste reis naar Londen, vlak voor Kerstmis? Was dat om Marlena te betalen?'

'Ja.'

'Hoeveel?'

'Twintigduizend pond.'

'Dat lijkt me niet veel.'

'Dat is het ook niet. Met opzet. Ik heb haar genoeg betaald voor haar werk, maar niet zo veel dat ze kon denken dat het om reusachtige bedragen ging. Meer geld zou mijn positie niet veiliger hebben gemaakt, maar juist onveiliger.'

Kate stond versteld van Dexters inzicht. 'En hoe is het met Marlena gegaan na jullie eh... hoe moet ik het noemen?'

'Transactie?'

'Goed, transactie. Hoe is het verder met haar gegaan?'

'Ze heeft de kolonel nog één avond gezien, maar de afspraak van de volgende week afgezegd. Toen is ze ondergedoken, maar wel in Londen – voor het geval er iets mis zou gaan en ze het contact met hem moest herstellen. Ze had een verhaaltje klaar dat ze door een cliënt was aangevallen en bang was geworden. Ik heb zelfs iemand gevonden die we konden beschuldigen.'

'Je hebt overal aan gedacht, hè?'

'Ja.'

'Maar nu ben je klaar met haar.'

'Ja.'

'En ze leeft nog.'

'Ik weet wat je denkt.'

'En?'

'Om te beginnen weet ze niet waar het om ging; ze kent maar een heel klein stukje van de puzzel.'

'Maar toch.'

'Ik heb een hele stapel bewijzen tegen haar. Ze heeft aardig wat misdrijven gepleegd.'

'Ze zou immuniteit kunnen vragen om tegen jou te getuigen.'

'Het is een behoorlijk lange lijst, en er zitten ernstige vergrijpen bij.'

'Maar toch.'

'Ja,' zei Dexter, een beetje vermoeid. 'Je hebt gelijk. Er is een heel kleine mogelijkheid dat haar verklaring ooit tegen mij gebruikt zou kunnen worden.' Hij keek zijn vrouw recht aan, zonder zijn ogen neer te slaan. 'Maar wat kan ik eraan doen?'

Kate keek terug. Het leek alsof hij haar uitdaagde, alsof hij haar tartte te zeggen wat ze gezegd zou hebben als ze nog degene zou zijn die ze was geweest.

Diegene zou hebben gezegd: ruim haar uit de weg. Maar de nieuwe Kate zei dat niet.

Het onderwerp bleef onbesproken in de lucht hangen en gaf Kate opnieuw een kans om iets te onthullen over haar eigen dubieuze verleden. Maar zoals zo vaak, liet ze de gelegenheid weer voorbijgaan. In plaats daarvan beraamde ze een nieuw offensief om de bordjes te verhangen, zoals ze altijd deed als ze in de verdediging werd gedrongen. Waarom had Dexter deze hele zaak voor haar geheimgehouden?

Aan de andere kant, wie was Kate om iemands motieven voor geheimhouding in twijfel te trekken? Ze kon heel wat redenen, goede redenen, bedenken waarom Dexter niets tegen haar had gezegd. Ze had het recht niet hem iets te vragen.

Maar draaide het huwelijk daar niet om: elkaar dingen vragen waar je het recht niet toe had? 'Waarom heb je het me niet verteld, Dexter?'

'Wanneer dan?' vroeg hij. 'Wanneer had ik het je moeten vertellen?'

Kate had diezelfde discussie al zo vaak gevoerd, in haar eigen hoofd.

'Toen ik dat belachelijke plan voor het eerst bedacht?' vroeg hij. 'Toen ik een Londens hoertje inhuurde om een oude crimineel te verleiden, zodat ze bij zijn laptop kon komen? Toen we naar Luxemburg verhuisden, zodat ik het geld voor een Afrikaanse wapenleverantie kon wegsluizen? Je zou bij me weg zijn gegaan.'

Kate schudde haar hoofd. Nee, dat was niet zo. Of wel? Kate had nooit verondersteld dat Dexter alles over haar wist. Maar vannacht, voor het eerst, kreeg ze toch twijfels. Omdat Dexter veel slimmer, sluwer en achterbakser was dan ze voor mogelijk had gehouden. Al die jaren had ze zich in hem vergist. Maar hoe ernstig?

'Hoe moeten we de FBI aanpakken, vind je?' vroeg hij. Op dat moment besefte Kate niet wat een verraderlijke vraag dat was.

Ze staarde in het niets en probeerde een oplossing te bedenken voor dat probleem. 'Morgenochtend zal ik Julia bellen,' zei ze, met een blik op haar horloge. De kinderen konden ieder moment wakker worden. 'En een gesprek organiseren.'

'Waarom?'

'Omdat ik bijna zeker weet dat ze me om hulp zullen vragen. Waarschijnlijk door me een zendertje te geven dat ik op mijn lichaam moet verbergen. Ik zal zogenaamd woedend reageren, maar ze zullen me onder druk zetten met het dreigement hoe ellendig ons leven zal worden als ik niet meewerk.' Nu Kate het hardop zei, leek het opeens een verstandig plan. 'Dus ga ik uiteindelijk akkoord.'

Dexter trok zijn wenkbrauwen op en boog zich naar voren. 'En dan?'

'Dan gaan jij en ik naar een half openbare gelegenheid, alsof we ervoor willen zorgen dat we niet worden afgeluisterd – een neutrale plek, die niemand verwacht. Een restaurant zou het beste zijn...' Kate zweeg en probeerde zich de meest geschikte omgeving voor te stellen. Alsof ze alle problemen tegelijk oploste.

'Ja? En dan?'

'Dan voeren we een toneelstukje op. Voor hen.'

30

Hun toneelstukje was eindelijk voorbij. De auto stormde door de nacht, de rechte tweebaansweg was donker en verlaten, de banden zoemden over het wegdek. Vanaf het platteland reden ze in de richting van de gloed boven de stad in de verte, boven hun huis en hun kinderen, om het gewone leven weer op te pakken of een nieuw leven te beginnen.

Dexter reed sneller dan anders. Misschien had hij te veel gedronken in het restaurant, onder druk van hun optreden voor het zendertje en de FBI-agenten aan de andere kant. Het microfoontje zond nog altijd uit.

Ze dompelden zich onder in de stilte in de auto, als in een warm bad van zwijgzaamheid en rust. Voor het eerst sinds Kate zich kon herinneren was die stilte tussen hen niet gevuld met allerlei leugens, in vele lagen. Toch was ze zich scherp bewust van die ene onwaarheid die nog boven hen hing.

Ze staarde naar de hypnotiserende gele lijn in het midden van het zwarte asfalt. Opnieuw merkte ze dat ze aarzelde. Maar opeens werd haar eigen frustratie meer dan ze kon verdragen. Het was genoeg.

'Dexter,' zei ze abrupt, voordat ze de tijd zou krijgen zich te bedenken, 'wil je even stoppen op die rustplaats voor ons uit?'

Hij haalde zijn voet van het gaspedaal en keek even opzij naar zijn vrouw.

'Ik moet je iets vertellen.'

De rustplaats lag een paar kilometer ten zuiden van de stad, een groot terrein waar achttienwielers geparkeerd stonden en dronken pubers uit oude Skoda's sprongen om bier, sigaretten en grote zakken chips te kopen. Jonge Nederlanders met piercings waren op de terugweg vanaf de Alpen. Vermoeide Portugese arbeiders aten in krimpfolie verpakte sandwiches op weg naar huis van hun werk – het schoonmaken van kleverige, met ketchup bemorste vloeren in fastfoodrestaurants.

Dexter liet de motor en de stoelverwarming aan, maar doofde de koplampen voordat hij zich naar Kate toe draaide.

Ze dacht aan het zendertje en overwoog Dexter te vragen om uit te stappen, de grimmige parkeerplaats op, waar ze wat privacy zouden hebben. Maar de FBI en Interpol wisten toch al wat ze hem wilde vertellen, dus waar was het voor nodig?

'Dexter,' zei ze, 'ik heb nooit strategische rapporten geschreven.'

De uitdrukking op zijn gezicht was moeilijk te lezen in het vage blauwe schijnsel van het dashboard. Kate onderdrukte de neiging om weg te kijken en haar ogen te verbergen. Ze vocht tegen de ingesleten gewoonte om haar eigen leugens te verpakken nu ze eindelijk had besloten de waarheid te vertellen.

'En ik werkte niet op Buitenlandse Zaken.'

Een truck met oplegger reed voorbij in een lage versnelling, met dreunende motor en veel rammelend metaal. Kate wachtte tot het weer rustig was.

'Mijn werkelijke beroep...'

En opeens bedacht ze zich. Ze wist wat ze zelf wilde zeggen, maar niet hoe Dexter zou reageren.

Kate wierp een blik op het helder verlichte gebouw in het midden van de rustplaats, met een kleine supermarkt en een cafetaria, glimmende vloeren en keurige rijen tafeltjes.

Toen schoof ze haar horloge van haar pols en liet het in het geplooide leren vak van de stoel glijden. 'Kom, laten we een beker koffie halen.'

Dexter gooide een muntje in de automaat, drukte op de knop en wachtte op het gesputter en gesis van de espresso die uit het verkleurde plastic tuitje in het slappe bekertje spoot.

Kate nam een slok van haar cappuccino. Niet eens zo slecht, deze automaatkoffie: heet, sterk en redelijk van smaak. Er was veel goede koffie, overal in Europa.

Ze gingen op lichtmetalen stoelen aan een tafeltje met een generfd glazen blad zitten, tegenover een reusachtig raam met uitzicht op de snelweg. Aan de overkant zat een ander stel, waarvan de vrouw in tranen was om een of andere crisis – een scheiding, een ongewenste zwangerschap, een verhouding. Die mensen hadden hun eigen problemen en zouden niet iemand anders afluisteren.

Een inleiding had geen zin. Kate boog zich over het tafeltje en nam Dexters handen in de hare. 'Ik heb voor de CIA gewerkt,' zei ze. 'Als spion, om het zo maar te noemen.'

Dexter sperde zijn ogen open.

'Ik leidde een netwerk van informanten in Latijns-Amerika. Ik heb een tijdje in El Salvador gezeten, en in Venezuela, Nicaragua, Panama en Guatemala. Maar vooral in Mexico.'

Hij keek alsof hij iets wilde zeggen, maar deed het niet.

'Ik ben meteen na mijn studie bij de dienst gekomen. Ik heb nooit iets anders gedaan. Eigenlijk heb ik dat beroep grotendeels gekozen omdat ik dacht dat ik nooit van iemand zou kunnen houden. Mijn ervaringen met mijn ouders, mijn zus... ik was verdoofd. Ik hield geen rekening meer met de mogelijkheid van echte intimiteit, de kans om ooit een eigen gezin te hebben.'

Kate kneep in Dexters handen, om juist dit te benadrukken, het belangrijkste element uit haar uitvoerige spijtbetuiging.

'Ik dacht dat ik altijd alleen zou blijven, Dexter, dat ik nooit zou hoeven liegen tegen iemand van wie ik hield, omdat ik nooit van iemand zou kunnen houden. Ik was jong en beschadigd, en ik kon me niet voorstellen hoe het zou voelen om ooit niet meer jong en beschadigd te zijn. Weet jij nog hoe het was om jong te zijn?'

Hij knikte, maar zweeg nog steeds.

'Op dat moment begrijp je niet hoe kort die tijd maar is. Het lijkt of je jeugd eeuwig zal duren, maar in werkelijkheid is het niet langer dan een ogenblik.'

Aan het tafeltje aan de andere kant van de cafetaria liet de vrouw een korte, luide snik horen.

'Dus toen we elkaar ontmoetten, vertelde ik je niet de waarheid over mijn werk. Ik ging ervan uit dat ik je na zes maanden zou dumpen. Of dat jij genoeg zou krijgen van mij en mijn gesloten karakter. Ik verwachtte niet dat er een echte klik zou zijn; die had ik nog nooit met iemand gehad.'

Dexter keek haar strak aan.

'Maar ik vergiste me. Ik werd verliefd op je.'

Kates aandacht werd getrokken door een man die de winkel binnenkwam en haar kant op keek. Ze hoopte dat er ooit een dag zou komen waarop ze geen argwaan meer zou koesteren tegenover iedereen die voorbijliep.

'Ik wilde het je wel vertellen, Dexter. Geloof me alsjeblieft. Ik heb er wel duizend keer aan gedacht, bijna elke dag dat we elkaar nu kennen. Maar wanneer moest ik het je zeggen? Wanneer was ik dat punt voorbij?'

Het was dezelfde redenering als de zijne, afgelopen nacht op hun balkon, toen hij haar alles had bekend, voordat ze hun toneelstukje hadden gerepeteerd voor de FBI. Hier, in deze cafetaria langs de snelweg, waren ze weer teruggekeerd tot de privacy van hun huwelijk.

'Daarna trouwden we, terwijl ik het nog steeds niet had verteld. Vreselijk. Ik geef het helemaal toe, het was echt schandalig van me.'

Dexter lachte bleek, een kleine concessie.

'En toen, na Jake...' Kate aarzelde even. Hoeveel details moest ze hem vertellen? Hoe uitvoerig moest haar bekentenis zijn om geloofwaardig over te komen, om aan haar eigen behoefte te voldoen? 'Ik stopte met het veldwerk en werd analist, achter een bureau in Washington. Jij begrijpt niet wat dat betekent, maar... het is net alsof je van topsporter opeens assistent-trainer wordt.'

Dexter was ooit een fanatieke honkbalfan geweest. Hij glimlachte weer gepijnigd, maar scheen niet in staat iets te zeggen.

'Eigenlijk gooide ik mijn carrière weg. Maar ik bleef wel bij de CIA. We hadden het geld en de ziektekostenverzekering nodig, omdat jij daar niet meer voor zorgde.'

Dexter trok een grimas; daar had ze beter niet over kunnen beginnen. De gezondheidszorg in Luxemburg was goddank voor iedereen toegankelijk, en gratis.

'Hoe dan ook,' ging ze verder, 'ik heb het je dus nooit verteld.' Kate wist niet of hij boos of verdrietig was, of verontwaardigd, of half verdoofd. Pas later besefte ze dat hij niet anders dan stoïcijns had kunnen reageren. Hij was nooit getraind in dit soort confrontaties. Zijn achterbakse gedrag was niet aangeboren of aangeleerd, maar het gevolg van omstandigheden.

'Toen we hierheen verhuisden, heb ik natuurlijk ontslag genomen. Maar waarom had ik het je toen nog moeten vertellen? Hoe kon ik? Ik had tien jaar tegen je gelogen, en nu was die leugen eindelijk voorbij. Ik had alle reden om aan te nemen dat het met de dag minder belangrijk zou worden. Waarom zou ik het dan nog toegeven? Wat schoten we daarmee op? Zoals jij zelf ooit zei over de geheimhouding van je zogenaamde... niet bestaande... cliënt: het zou alleen maar nadelen hebben, zonder enig voordeel.'

Dexter staarde met nietsziende ogen door de cafetaria.

'Ik zag het verkeerd, Dexter, dat weet ik nu. Ik had het je toch moeten vertellen, wanneer dan ook. Maar dat heb ik niet gedaan.' Ze probeerde een smekende blik in haar ogen te leggen, smekend om zijn vergiffenis. 'En dat spijt me heel, heel erg.'

Dexter glimlachte ondeugend. Het was een toegeeflijk lachje, onnozel en neerbuigend, een lachje van iemand die zojuist een belangrijke, oprechte spijtbetuiging heeft aangehoord. Een genadig lachje, maar ook superieur. Een lachje dat haar zei: ik ben bereid je excuses te aanvaarden, maar nu ben jij me ook iets schuldig.

Tenminste, zo interpreteerde Kate het, op dat moment.

Het zou pas anderhalf jaar later tot haar doordringen dat Dexters lachje niets anders was dan een geweldige opluchting, de glimlach van iemand die niet meer hoefde voor te wenden dat hij iets niet wist wat hij al heel lang had geweten.

Het begon te regenen, zoals gewoonlijk, eerst nog zacht, zodat het grote raam tegenover de snelweg door een lichte nevel besloeg, maar toen harder, kletterend tegen het glazen atrium boven hun hoofd.

Een auto draaide en scheen met zijn koplampen recht in Dexters ogen. 'Wat deed je precies?' vroeg hij.

'Vooral praten, met allerlei mensen,' zei Kate. 'Om ze in te schakelen bij operaties die wij... de Verenigde Staten, of in elk geval de CIA... belangrijk vonden. Ik haalde ze over.'

'Hoe?'

'Met geld en informatie. Ik hielp ze bij de organisatie. Soms bedreigde ik ze ook, als ze niet wilden meewerken.'

'Op wat voor manier?'

'Meestal door ze dingen te onthouden die ze graag wilden – geld, wapens of de steun van de Amerikaanse regering. Dan zouden hun concurrenten die steun krijgen, of de wapens, of het geld.'

'Maar soms ging dat ook anders?'

'Ja, ik heb ook mensen gedreigd dat ze zouden worden vermoord.'

'Door jou?'

'Dat liet ik meestal in het midden.'

'En wérden ze vermoord?'

'Dat kwam wel eens voor.'

'Door jou?'

'Niet echt.'

'Wat bedoel je met "niet echt"?'

Daar gaf Kate liever geen antwoord op, dus zei ze niets.

Dexter keek weg. Er brandde hem een vraag op de lippen die hij liever niet stelde. 'Hoorde het ook bij je werk om seks te hebben met mensen?'

'Nee.'

'Maar heb je dat wel gedaan?'

'Wat?'

'Met andere mensen geslapen?'

'Nee,' zei ze. 'Jij wel?'

'Nee.'

Kate nam een laatste slok van haar cappuccino, die nu tot kamertemperatuur was afgekoeld, net zo lauw als de omgeving. Dit was een onverwacht uitstapje naar het irrelevante onderwerp van seksuele trouw, het enige bedrog waaraan ze zich geen van beiden hadden schuldig gemaakt.

'Heb je ooit iemand gedood?' vroeg hij toen plompverloren.

Kate had geweten – gevreesd – dat die vraag zou komen, maar ze wist nog altijd niet wat ze moest antwoorden. Of hoe volledig haar antwoord zou moeten zijn. 'Ja.'

'Hoeveel?'

Ze wilde hem geen aantal noemen. Dit was een van de belangrijkste redenen waarom ze Dexter nooit de waarheid had verteld, niet alleen omdat ze de geheimhoudingsplicht van de CIA niet wilde schenden of niet wilde toegeven dat ze al die jaren gelogen had, maar vooral omdat ze bang was dat Dexter haar nooit meer met dezelfde ogen zou zien.

'Een paar.'

Ze zag dat hij meer bijzonderheden wilde, een eerlijker antwoord, maar Kate schudde haar hoofd. Ze weigerde concreet te zijn.

'De laatste tijd nog?' vroeg hij.

'Niet echt.'

'Wat bedoel je daarmee?' Zijn stem klonk ongeduldig. Hij kreeg genoeg van haar uitvluchten.

'De laatste keer was een paar maanden nadat Jake geboren was. Het ging om iemand die ik uit Mexico kende.' Als ze hem dit wilde vertellen, dan ook het hele verhaal – of bijna.

'Hij was een politicus die een presidentsverkiezing had verloren. Hij wilde een nieuwe poging doen, met onze steun. Mijn steun. Maar ik had hem afgeschreven, en op mijn laatste reis naar Mexico had ik al met andere politici gesproken die een kans wilden wagen. Daar kwam hij achter. En toen ik weer in Amerika terug was, dwong hij me tot een ontmoeting.'

'Dwong hij je? Hoe dan?'

'Hij ontvoerde me, min of meer. Op straat. O, niet met geweld, maar het was toch een bedreigende situatie. Tijdens dat gesprek hield hij een lange tirade waarom wij... waarom ik... hem zou moeten steunen. Ten slotte liet hij me een foto zien, genomen door ons raam, van mij en Jake in de huiskamer.'

Dexter hield zijn hoofd schuin, aarzelend of hij dit goed begreep.

'Het was een regelrecht dreigement. Als ik hem niet steunde, zou mijn gezin gevaar lopen. Ik kon niet bepalen hoe reëel die chantage was. Ik zou het misschien niet serieus hebben genomen als ik niet had geweten dat hij totaal irrationeel en onvoorspelbaar was. Hij leed aan waandenkbeelden. En ik had een baby. Mijn eerste kind, ons eerste kind.'

'Dus...'

'Dus kon ik geen manier bedenken om ervoor te zorgen dat hij ons met rust zou laten. Zelfs als ze worden gedeporteerd, gevangengezet of wat dan ook, hebben zulke types nog een lange arm. Als hij ons kwaad wilde doen, zou dat gebeuren.'

'Tenzij je hem vermoordde.'

'Ja.'

'Hoe? Wanneer?'

Kate wilde hem de pornografie van de moord niet uittekenen. Ze had geen zin hem haar hele route door Manhattan te beschrijven, de lengte van het mes, het aantal keren dat ze de trekker had overgehaald, de kleur van het met bloed bespatte behang in de hotelkamer, de man die op de grond zakte, de baby die in de aangrenzende kamer begon te huilen, de vrouw die tevoorschijn kwam en het flesje liet vallen, waardoor de speen eraf vloog en de melk over het kleed droop, terwijl ze smekend haar handen hief en haar hoofd schudde: '*Por favor.*' Met grote, zwarte ogen, diepe putten van angst en schrik, had ze om haar leven gesmeekt, terwijl Kate de Glock nog op haar gericht hield, in een ogenschijnlijk eeuwigdurende discussie. Aan zijn huilen te horen leek de baby even oud als Jake, deze arme vrouw ongeveer van Kates eigen leeftijd, een andere versie van haarzelf, een ongelukkige vrouw die het niet verdiende om te sterven.

'Dexter, ik wil niet in detail treden.'

Ze wilde hem niet vertellen over het bloed dat zich door de vezels van het kleed had verspreid uit het reusachtige gat in Torres' achterhoofd. Die vervloekte vlek.

'Ooit, misschien,' zei Kate. 'Maar nu niet. Oké?'

Dexter knikte.

'Op dat moment,' vervolgde Kate, 'besefte ik dat het te eenvoudig was geworden om mij onder druk te zetten, om mij tot dingen te dwingen waar ik geen zin in had. Ik wist dat ik moest stoppen met het veldwerk, dat ik geen contact meer kon hebben met onze informanten.'

Die jonge vrouw had Kates gezicht gezien. Ze was er getuige van geweest dat Kate Torres en de lijfwacht had gedood. En als getuige van die moord in koelen bloede zou ze Kate naar de gevangenis kunnen sturen, Kate kunnen wegrukken bij haar eigen kind, haar man, haar leven.

'Nadat ik hem had gedood, ben ik naar kantoor teruggegaan en heb ik overplaatsing aangevraagd.'

Kate richtte het pistool op de borst van de vrouw, met haar rechterpols steunend in haar linkerhand. De paniek sloeg toe. Ze vroeg zich af of ze de kracht had om dit te doen – of juist niet te doen.

In de andere kamer begon de baby weer te huilen, nog harder nu.

Het had niet zo lang geduurd om het hele verhaal op te biechten, na zoveel jaren van zoveel leugens. Het verbaasde haar dat ze zich eigenlijk nog hetzelfde voelde nu alles, of bijna alles, was uitgesproken.

Ze hadden allebei het recht om woedend te zijn op de ander. Maar op de een of andere manier viel hun wederzijdse verontwaardiging tegen elkaar weg en waren ze geen van beiden kwaad. Dexters gezicht stond bezorgd, waarschijnlijk om hun toekomst, veronderstelde Kate. Misschien vroeg hij zich af of ze het samen wel zouden redden, leugenaars die ze waren. Hun huwelijk was gebaseerd op zoveel dingen die achteraf niet waar bleken te zijn. Ze hadden al zo lang een schijnbestaan geleid.

Kate wist niet dat Dexter nog niet al zijn leugens had toegegeven. Zoals zij ook nog haar geheimen had.

Hij opende zijn mond, maar aarzelde, alsof hij ergens mee worstelde. 'Het spijt mij ook, Kat. Het spijt me zo vreselijk.'

Toen ze daar in die cafetaria zaten, besefte ze later, had Dexter zich afgevraagd of hij haar de diepste laag van zijn bedrog had moeten bekennen. Maar dat had hij uiteindelijk niet gedaan.

Evenmin als zij.

31

Kate zocht op de tast haar weg door de gang. Haar vingertoppen volgden het structuurbehang, op weg naar het schijnsel uit de deuropening van de jongenskamer. Toen ze voor het eten was vertrokken, een beetje verstrooid, was ze vergeten hun gordijnen dicht te doen. Het licht van de straat stroomde nu hun slaapkamer binnen en legde alles in een zilveren gloed, een bepoederde wereld van kleine kleertjes, speelgoed en onschuldige kinderen, met een glad voorhoofd en onmogelijk tengere schouders.

Ze liep naar hun bedjes toe, met kleine matrassen, nauwelijks groter dan een wieg, maar toch officieel verkocht als grotejongensbedden. Ze kuste hen allebei op het hoofd, met hun frisse, zijden haartjes. Allebei de jongens lagen in een belachelijke houding, met hun armen en benen gespreid, alsof ze van grote hoogte op deze kleine bedden waren neergegooid. Plof.

Kate keek nog even uit het raam voordat ze de gordijnen sloot. De oppas stapte net in de auto, met Dexter achter het stuur. Hij zou haar de brug over brengen naar de Gare, naar haar smalle straatje met de middelmatige Aziatische eethuizen. Luxemburg is een stad waar een goede steak-au-poivre half zo duur is als een waardeloze hap chinees.

Aan het einde van de straat stond een taxi, waarvan de chauffeur sigarettenrook uit zijn half geopende raampje blies. De rook steeg op in krachtige wolken, die stevig bijeen kleefden in de koude avondlucht.

Aan de andere kant kon Kate met moeite het silhouet onderscheiden van een man onder een eik op een open plek met een zwart rooster op de grond. Hij zou er waarschijnlijk blijven tot aan de vroege ochtend – of misschien wisselden ze elkaar af – om ervoor te zorgen dat de Moores er niet vandoor gingen. Hij stond wat ongemakkelijk op de keitjes, leunend tegen een scherpe ijzeren leuning, huiverend van de kou, met pijnlijke voeten, hongerig, doodmoe en verveeld.

Maar dat was nu eenmaal zijn werk. En hoewel Kate het op dat moment niet wist, had hij kortgeleden een ontdekking gedaan die zijn motivatie had versterkt, zodat het nu bijna een obsessie was. Zijn fanatisme zou hem de nacht door helpen.

Kate zat weer op het balkon toen Dexter terugkwam. Hij gooide zijn sleuteltjes in de schaal op het tafeltje in de gang, zoals altijd. Door het schemerlicht liep hij over de glimmende stenen plavuizen, dezelfde plavuizen als van elke andere vloer in Luxemburg. Op het balkon gekomen trok hij de deur achter zich dicht.

De regen en de wolken waren overgewaaid. Het was een heldere avond, met glinsterende sterren.

'Je kunt kiezen,' zei Kate, 'tussen mij en het geld.' Ze had haar besluit genomen, en er viel niet over te onderhandelen. Ze was ervan overtuigd dat ze Dexters fundamentele karakter nu kende. Hij was geen man die zeiljachten en sportauto's wilde, betaald met een fortuin aan bloedgeld. Hij had het alleen maar willen stelen. 'Maar niet allebei.'

Ze keken elkaar aan in de kille duisternis, de tweede avond achtereen. In de tussenliggende uren hadden ze een geweldige afstand afgelegd.

Dexter legde zijn hoofd in zijn nek en tuurde naar de hemel. 'Moet je dat nog vragen?'

'Liever niet. Maar toch vraag ik het.'

Hij begreep het. De grond was verschoven onder hun voeten. Kate kon onmogelijk meer bepalen waar ze stond.

'Jou,' zei hij, en hij keek haar aan. 'Natuurlijk kies ik jou.'

Ze keek terug. Er gebeurde iets tussen hen waarvoor ze geen naam had – erkenning, berusting, dankbaarheid, een mengeling van gevoelens tussen twee mensen die al lang getrouwd waren. Hij stak een hand uit en pakte de hare.

'We laten die vijfentwintig miljoen euro op de rekening staan,' zei ze, 'zonder er nog ooit aan te komen.'

'Waarom zouden we het dan houden? Waarom geven we het niet weg? Om een school te bouwen in Vietnam, een aidskliniek in Afrika. Wat dan ook.'

Het was nog nooit bij Kate opgekomen dat ze zo veel geld zou bezitten om weg te geven. Dat ze een kapitaal aan iemand zou kunnen doneren. Dus dacht ze nog eens na over haar plan, haar mogelijkheden, in dit vreemde nieuwe licht. Ze zwegen een tijdje, verdiept in hun gedachten.

'Ik vind van niet,' zei ze ten slotte. 'We hebben een vangnet nodig, een behoorlijke appel voor de dorst. Genoeg om een heel nieuw leven te kunnen beginnen, van de grond af aan, en van het ene moment op het andere.'

'Waarom?'

'Ik ben er niet van overtuigd dat ze je nooit te pakken kunnen krijgen. Er kunnen bewijzen zijn waar jij niets van weet. Je hebt dat meisje in Londen, en jouw Kroatische bron, wie of waar hij ook is. Zij hebben misschien met andere mensen gesproken, geslapen. Dan heb je die FBI-agenten met hun dossiers, en Interpol.'

Dexter zakte onderuit op zijn stoel. Het was één uur in de nacht.

'We zullen nog jarenlang op onze hoede moeten blijven,' ging Kate verder. 'Misschien wel voorgoed. Dus moeten we klaarstaan om elk moment te kunnen verdwijnen met een koffer vol geld.'

'Oké, maar hoeveel heb je dan nodig? Een miljoen? En de rest?'

'Die laten we staan. Als een soort onderpand.'

'Waarom?'

'Omdat we het ooit misschien moeten teruggeven.'

Kate schrok wakker, badend in het zweet.

Ze liep de donkere gang door, kuste de jongens op het kruintje van hun volmaakte hoofdjes en luisterde naar hun ademhaling, veilig en gezond.

Toen keek ze uit het raam. Bill stond er nog steeds, om ervoor te zorgen dat ze niet vluchtte.

Dexter was diep in slaap, verlost van de zorgen van de wereld.

Maar Kate was klaarwakker, achtervolgd door dezelfde spookbeelden die haar regelmatig lastigvielen, vooral als ze probeerde ze te vergeten.

De smalle straat daalde steil omlaag, met een scherpe haakse bocht in het midden en nog een lastige hoek aan de andere kant van de garagedeur door de smalle, met stenen muren omzoomde steeg. Nog meer afdalingen en scherpe bochten. Kate loodste de auto behoedzaam door de smalle straatjes, over glibberige, natgeregende keitjes, manoeuvrerend door krappe bochten. De radio stond op France Culture, met het ochtendnieuws, een politiek schandaal. Een kwart van de woorden ontging haar nog steeds, maar ze was wel half tevreden dat ze de strekking kon volgen. Op de achterbank discussieerden de jongens over wat ze het liefst in partjes sneden. Jake had een voorkeur voor appels, Ben vreemd genoeg voor kiwi's.

Kate had een toestand van vermoeidheid bereikt die bijna hallucinerend werkte, een gevoel dat ze zich nog herinnerde uit de vroegste jeugd van haar kinderen, als ze om vier uur uit bed moest om hen te voeden. En van de missies tijdens haar werk, als ze wakker moest blijven voor de inbraken om drie uur 's nachts of de geïmproviseerde vluchten vanaf primitieve vliegveldjes ergens in de jungle.

Kate bracht de kinderen door de ochtendnevel naar het schoolplein en wisselde groeten en knikjes uit met een tiental kennissen. Ze praatte even met Claire en werd door Amber voorgesteld aan een pas gearriveerde Amerikaanse, een sproetige jonge vrouw uit Seattle met een echtgenoot bij Amazon, in de omgebouwde oude brouwerij in Grund. Kate sprak af om koffie te gaan drinken voordat ze de kinderen weer ophaalde, zesenhalf uur vanaf nu, haar dagelijkse kans om boodschappen te doen, schoon te maken, films te zien en affaires te hebben met tennisleraren – wat voor geheim leven ze ook zou willen. Of gewoon op de koffie te gaan bij andere expat-vrouwen, niets geheimzinnigs aan.

De heuvel weer af, extra voorzichtig langs een traject met werkzaamheden, over de spoorwegkruising en over de rivier de Alzette, in Clausen. Daar klom ze naar de Haute Ville, langs de afslag naar het paleis van de groothertog en de dikke, arrogante wachtpost met de getinte bril, terug naar haar eigen plek in de parkeergarage. De portieren sloten zich met een zachte klik.

Het was weer gaan regenen. Kate liep naar het Centre, door straten die ze nu kon dromen; alle bochten en kuilen, alle etalages en winkeliers.

Een oude non stond voor de St.-Michel. '*Bonjour*,' zei ze tegen Kate.

'*Bonjour*.' Kate nam de non onderzoekend op: een bril zonder montuur en een strak habijt onder een donkere viltjas. Ze was helemaal niet oud, zag Kate nu pas; dat leek ze maar, van een afstand. Waarschijnlijk was ze van Kates leeftijd.

Ze liep verder naar de Montée de Clausen, met een spectaculair uitzicht aan weerskanten van het smalle, glooiende plateau, natte vergezichten van bruin, grijs en bruingeel. Het begon nog harder te regenen, een kille stortbui. Kate trok haar jas strak om zich heen.

Een trein stak het ravijn over via de hoge, aquaductachtige brug. Op de half bevroren rivier beneden zat een eend onophoudelijk te kwaken, als een mopperige oude man die met een caissière discussieerde. Een drietal Japanse toeristen in plastic poncho's stak haastig de straat over.

Kate liep naar het uitkijkplatform op de vestingwerken, die werden doorsneden door een labyrint van tunnels. Er lagen honderden kilometers tunnel onder de stad, sommige groot genoeg voor paarden, meubels, hele regimenten. In een oorlog kon de bevolking van de stad beschutting zoeken tegen het bloedbad boven en gewoon verder leven.

Met een laatste stap bereikte Kate het platform. Er stond hier nog een vrouw, met haar gezicht naar het noordoosten, in de richting van de glanzende EU-torens in Kirchberg. Ze stond als het ware op het oude Europa, turend naar het nieuwe.

'Je vergist je,' zei Kate.

De vrouw – Julia – draaide zich naar haar om.

'En jullie moeten ons met rust laten.'

Julia schudde haar hoofd. 'Je hebt zeker het geld gevonden?'

'Verdomme, Julia!' Kate had moeite zich te beheersen. Misschien ging dat niet lukken. 'Het is gewoon niet waar.'

Julia kneep haar ogen half dicht tegen de regen die van opzij in haar gezicht waaide. 'Je liegt.'

In haar hele werkende leven had Kate nog nooit haar zelfbeheersing verloren tijdens een missie of een confrontatie. Maar toen de kinderen baby's waren, hadden ze haar weerstand uitgehold, waardoor haar geduld regelmatig opraakte en ze uitviel. Het was een vertrouwd signaal geworden, dat strakke gevoel in haar borst dat aan zo'n driftbui voorafging.

'En ik zal het je bewijzen,' zei Julia, terwijl ze nog een stap naar Kate toe deed met een irritant, zelfvoldaan lachje om haar belachelijk gestifte lippen.

Kates arm schoot uit en ze sloeg Julia recht in haar gezicht. Haar pols knakte toen ze contact maakte met de natte huid. Het was een harde, gemene klap met haar vlakke hand, die een grote rode striem naliet.

Julia drukte haar eigen hand tegen de pijnlijke plek en keek Kate aan met iets van voldoening in haar blik. Ze glimlachte.

Toen zette ze zich af met haar benen en deed een uitval naar Kates schouders en hals. Kate wankelde achteruit naar de treden. Als ze zich niet herstelde, zou ze de trap af tuimelen. Op het laatste moment draaide ze om haar as en kwam tot stilstand tegen het lage stenen muurtje boven de afgrond van ruim twintig meter.

Kate keek om zich heen naar de gevaarlijke rotspartij die haar aan drie kanten omringde. Aan de vierde zijde stond Julia, boven aan de trap, om haar de weg te versperren. De Japanse getuigen waren verdwenen. Er waren geen andere toeristen, geen dagjesmensen op een doordeweekse dag in deze kleine Noord-Europese stad, hartje winter, in de stromende regen.

Ze waren helemaal alleen.

Julia deed weer een stap naar Kate toe, met haar hoofd gebogen, haar kaken op elkaar geklemd en een woedende grimas op haar gezicht. Nog een stap. Kate stond met haar rug tegen de muur.

Julia was geen meter meer bij haar vandaan. Opeens boog Kate haar arm en sloeg toe. Julia dook, draaide weg en haalde haar hand uit haar zak. Kate zag een glinsterende zilveren flits.

Kates rechtervoet vloog omhoog in een goed gerichte trap. Ze raakte Julia's hand, maar Julia liet het wapen niet vallen, en Kate verloor haar evenwicht op de glibberige natte stenen. Ze viel eerst op haar kont, en toen achterover, waardoor haar achterhoofd in onzachte aanraking kwam met de harde, dichte, grillige zandsteen.

Alles werd zwart.

Heel even maar. Toen kwam haar zicht weer terug, in stipjes, sterren en draaikolken van veelkleurig licht. Ze tastte in haar zak en zag vaag hoe Julia haar evenwicht hervond en zich naar Kate toe draaide, die zelf bliksemsnel haar arm omhoog bracht met een schuivend geluid van kleding over kleding.

Julia boog zich over Kate heen en richtte haar wapen op Kates hoofd. Kates matzwarte Beretta was recht op Julia's borst gericht.

Een bus denderde voorbij door de straat beneden, uit het zicht, en schakelde voor de laatste klim naar de steile heuveltop van Clausen.

De vrouwen staarden elkaar aan over het vizier van hun handwapens. Ze waren allebei doorweekt; water sijpelde uit hun haren, over hun gezicht, in hun ogen. Kate knipperde de regen weg. Julia veegde haar voorhoofd af met haar vrije linkerhand.

Ze bleven elkaar aanstaren.

Toen, abrupt, liet Julia haar wapen zakken. Ze keek Kate nog even aan en knikte toen, nauwelijks waarneembaar, meer een buiging van haar nek, waarbij de hoek van haar gezicht bijna niet veranderde. Of misschien bewogen haar hoofd en haar nek niet eens en knipperde ze alleen maar met haar ogen. Haar wangen verstrakten in een glimlach of grimas.

In de anderhalf jaar die volgden zou Kate die blik nog heel vaak voor zich zien. Julia had haar iets duidelijk willen maken, daar in die stromende regen op het uitkijkplatform. Maar Kate had geen idee wat.

Ten slotte draaide Julia zich om, stak het platform over en daalde de trap af, uit het zicht. Verdwenen. Voorgoed, dacht Kate.

'Heb je het gehoord van de Macleans?'

Kate stond bij de school te wachten, een paar minuten voor drie. Het was koud, maar met een heldere, wolkeloze hemel, zo'n dag die 's winters heel gewoon was in het noordwesten van Amerika, maar hier een zeldzaam genoegen leek, even een afwisseling van al die grauwe dagen, *la grisaille*.

De vraag klonk drie meter achter haar. Kate wilde zich niet naar het gesprek omdraaien, maar luisterde wel mee.

'Wat dan?'

'Ze gaan vertrekken. Misschien zijn ze al weg.'

'Terug naar Amerika?' De stem van deze vrouw klonk bekend. 'Waarom?'

De grote deur ging open en kinderen kwamen naar buiten, verblind door de felle zon.

'Dat weet ik niet. Ik heb alleen gehoord dat ze gingen vertrekken. Van Samantha. Die werkt bij huisvesting, dat weet je toch? Ze had net de oplevering van het appartement van de Macleans ontvangen. Toen ze de makelaar belde, hoorde ze dat de huur was opgezegd omdat ze naar Amerika teruggingen. Vanwege hun werk. Per direct.'

Jake stapte de zon in en zocht zijn moeder. Zijn gezicht klaarde op toen hij haar zag, zoals altijd, iedere dag. 'Hoi, mama!'

Kate draaide zich om en wierp een blik naar de roddelende vrouwen. Een van hen kwam haar vaag bekend voor. Kate voelde de ogen van de vrouw op zich gericht. Ze wisten natuurlijk dat ze een vriendin van Julia Maclean was geweest, en mogelijk iets te maken had met de reden waarom Julia op stel en sprong uit Luxemburg was vertrokken.

De andere vrouw, met de bekende stem, was Jane, de vriendin van Bill. Ze keek Kate aan, maar sloeg toen haar ogen neer, duidelijk beschaamd. Waarschijnlijk dacht ze dat zijzelf de oorzaak was – dat door haar affaire met Bill zijn huwelijk op de klippen was gelopen. Wij zien onszelf nu eenmaal als het middelpunt van alles.

De winter vergleed. Ze gingen een week naar Barcelona, waar het warmer was dan in het noorden van het continent. Een dun jasje was voldoende. Ze reden naar Hamburg voor een weekend, en vlogen naar Wenen. Onbekende steden, vreemde talen.

Kate bracht in haar eentje een weekend door in het winterse Parijs. Op vrijdagochtend stapte ze in de TGV voor een comfortabel ritje van twee uur. Daarna een frisse, stevige wandeling van het Gare de l'Est om te lunchen in een overdekte markt, met oliedoek op de tafeltjes, stoom vanuit een Vietnamese kraam, boter sissend in grote pannen, borden met gestoofde varkenspootjes. Ze maakte een rondje langs de warenhuizen aan de grote boulevards en ging naar het Louvre.

Op zaterdag, tegen het einde van de middag, stond ze op de Pont Neuf, boven de rivier, die glad en zilverachtig glinsterde in het winterlicht. Ze bond haar nieuwe sjaal nog eens om haar nek, strakker en warmer, voordat ze terugkeerde naar de drukte van de linkeroever, waar de rokerige cafés en brasseries al vol zaten voor de avondborrel, terwijl het zonlicht wegsijpelde en plaatsmaakte voor elektra. Wachtend op het voetgangerslicht op een hoek van de Place St.-Michel, waar het wemelde van honderden mensen, zag Kate dat de boomtak die over het kruispunt hing begon uit te botten.

Toen ze voor de zomervakantie uit Luxemburg naar Zuid-Frankrijk vertrokken, dachten ze dat ze over vijf weken terug zouden zijn en de kinderen weer naar dezelfde school zouden sturen, in hogere klassen. Maar in die maand aan de Middellandse Zee zetten ze alles nog eens op een rij. Wilden ze eigenlijk wel in Luxemburg blijven? En was dat nodig?

Dexter had zich daar gevestigd om de ultrabeschermde nummerrekeningen te kunnen openen die noodzakelijk waren voor zijn plan. Hij had een *société anonyme* moeten oprichten die opereerde binnen een branche waaraan geen enkele instantie aandacht zou besteden: een beleggingsfirma in Luxemburg. Ze hadden ergens inkomstenbelasting moeten betalen waar de FBI geen jurisdictie had.

Was Luxemburg de enige mogelijkheid geweest? Nee. Het had ook Zwitserland kunnen zijn, of de Kaaimaneilanden, of Gibraltar, of een willekeurig ander land waar de banken je privacy garandeerden. Dexter was overal geweest, in het jaar voordat ze verhuisden. Uiteindelijk had hij voor Luxemburg gekozen omdat het hem het leukste belastingparadijs leek om te wonen. Het was een echt land, geen afgelegen eilandje in de Ierse Zee, een countryclub in de Cariben of een rotsachtige uitloper van de Pyreneeën. Er waren goede scholen, een florerende expat-gemeenschap, en alle culturele rijkdom van West-Europa lag er binnen handbereik.

En niemand in Amerika wist iets van Luxemburg. Als Amerikanen hoorden dat je naar Zürich of Grand Cayman verhuisde, veronderstelden ze dat je geld te verbergen had, op de vlucht was, of allebei. Niemand had enig idee wat je in Luxemburg ging doen.

Achteraf moest Kate toegeven dat Luxemburg een goede keus was geweest voor het hele gezin. Maar het was ook vertroebeld geraakt door de manier waarop het was begonnen. En door de Macleans.

Nu de Luxemburgse firma was opgericht en Dexter een legitieme – en verbazend goed belegde – boterham verdiende met zijn beleggingen, nu ze verblijfsvergunningen en Europese rijbewijzen hadden, nu ze inkomstenbelasting betaalden in Luxemburg... Was het nu eigenlijk nog nodig om in Luxemburg te blijven?

Nee.

Het waren de kinderen die vriendjes maakten op het strand van St.-Tropez. En de volgende dag stelden de ouders zich voor. Daarna spraken ze af op hetzelfde strand, en later die week zagen ze elkaar bij de lunch, met een gekoelde rosé, vrolijk babbelend als expat-Amerikanen op vakantie. Kate luisterde naar de verhalen over het leven in Parijs, de internationale school van St.-Germain, en de huizenmarkt, die steeds gunstiger werd...

In alle vroegte stapten ze in Marseille op het vliegtuig, de jongens met pasgewassen haartjes en hun shirts keurig in de broek. Een taxi bracht hen vanaf de luchthaven naar de school, waar de leiding een kort gesprek had met de kinderen en wat langer met de ouders praatte. Ten slotte kregen ze een hand en een glimlach van de administrateur, met de verzekering dat er plaats was voor de jongens.

Ze gingen wat eten en drinken bij de Flore, en liepen toen de stad in, op een zwoele doordeweekse zomerdag. Ze kwamen langs een *agence immobilière*, waar glanzende foto's van appartementen in de etalage hingen. Daar stelden ze zich voor en kregen een snelle rondleiding langs het aanbod.

De volgende ochtend tekenden ze het contract voor de school en de huur van het appartement.

Luxemburg leek verlaten, half augustus. In elk geval zag je er geen expats meer. Kates vriendinnen waren allemaal met de familie op vakantie – de Amerikanen naar Amerika, de Europeanen naar huisjes aan zee in Zweden, witgestucte villa's in de bergen van Spanje, of pastelkleurige huizen met een zwembad in Umbrië.

Kate slenterde door de oude stad, langs de vertrouwde gezichten van de winkeliers, de marktlui van de Place Guillaume, de diensters die buiten een sigaretje rookten, de paleiswachten – al die mensen van wie ze de naam niet kende, maar die tot het decor van haar leven behoorden. Ze had het gevoel dat ze van iedereen persoonlijk afscheid zou moeten nemen.

Ze miste haar vriendinnen, hier en nu. Graag zou ze naar een café zijn gegaan met Claire, Cristina en Sophia voor een laatste koffie, een laatste omhelzing. Maar waarschijnlijk was het beter zo. Ze had een hekel aan afscheid nemen.

Kate liep terug naar hun appartement, met een broodje ham in een vetvrij zakje, en ging verder met het opruimen van het speelgoed van de jongens. Ze keek wat er kapot was, wat ze kon weggeven, wat ze wilde houden. Zelf waren ze met Dexter voor het laatst naar de speelplaats met het piratenschip.

De tweede keer zou het makkelijker gaan, wist Kate. Dan waren de zware momenten minder zwaar, het plezier nog intenser. Net als bij je tweede kind. Maar het zou ook minder indruk maken, minder moeilijk en verwarrend zijn, dankzij die eerdere ervaringen.

Ze hadden nog altijd een adres in Luxemburg nodig, waar ze zogenaamd woonden, in verband met de belastingen. De kleine gehuurde boerderij in de Ardennen, voor duizend euro per maand, was daar uitstekend voor geschikt. In de hoek van de huiskamer stond een stapel verhuisdozen met goedkope lampen, afgedankte borden en losse schalen, bestemd voor de boerderij. Plus een kluis, waarin ze een miljoen euro aan contanten zouden verbergen.

De rest van het geld van de kolonel stond nog allemaal op dezelfde nummerrekening, misschien wel voorgoed. Vierentwintig miljoen euro.

Kate keek uit het raam naar het weidse uitzicht, het Europese landschap rond dit tijdelijke verblijf. Tranen sprongen in haar ogen. Een gevoel van wanhoop achtervolgde haar, bij de afsluiting van hun tijd hier. Onverbiddelijk ging haar leven verder, op weg naar het onvermijdelijke eind.

32

VANDAAG, 19:32 UUR

De herinneringen beginnen te vervagen. Ze krijgen een rafelrandje, worden wat waziger naar het midden toe en ondermijnen Kates overtuiging dat het allemaal echt gebeurd is. Het lijkt veel logischer dat ze zich alles heeft ingebeeld, deze hele zaak, zelfs haar eigen leven. Het nu zou gewoon het nu moeten zijn, als vervolg op een ander, veel normaler verleden.

Het is anderhalf jaar geleden sinds Kate en Julia in de ijzige regen op dat winderige platform van de Montée de Clausen stonden, allebei woedend, met een wapen in hun hand, aarzelend of een van beiden de ander zou moeten doden.

Nu, in dit Parijse café, kijken ze elkaar schaapachtig aan, als jonge geliefden na hun eerste ruzie.

Julia's lichaam leunt naar Bill toe, als door een magneet aangetrokken. Hun houding tegenover elkaar is veranderd. Ze lijken veel natuurlijker met elkaar om te gaan dan toen in Luxemburg. Er is iets meer. Of misschien wel minder.

'Nou,' zegt Julia, 'hoe gaat het met jullie?' Ze vraagt het aan Kate, als de mannen klaar zijn met hun verhaal over wapendeals en afgehakte ledematen.

Kate werpt een snelle blik naar Dexter, die haar niet aankijkt en haar geen aanwijzingen wil geven. Hij lijkt volstrekt op zijn gemak, alsof deze ontmoeting geen gevaren inhoudt, niet verkeerd kan gaan, op welke manier dan ook. Wat Kate nog eens sterkt in haar overtuiging dat ze gelijk heeft over de werkelijke verhoudingen tussen deze mensen. Honderd procent gelijk. Nee, meer nog.

Wat ze niet begrijpt is hoe ze nu verder met dit stel moet praten, alsof dit een normale situatie is, een gezellig etentje van vrienden, of misschien een gespannen confrontatie tussen vijanden. Hoeveel eerlijkheid vraagt Julia van haar? Wat voor gesprek verwacht deze vrouw?

'Waarom Parijs?' vraagt Julia. Misschien hoopt ze dat een specifieke vraag meer reactie zal uitlokken.

'Waarom niet?' antwoordt Kate kortaf.

Bill spreidt zijn handen en gebaart naar de omgeving. 'Hierom?' vraagt hij. 'Dit is toch verschrikkelijk?'

Julia krijgt een smekende blik in haar ogen. 'Toe, Kate, ik vraag niet veel. We hoeven geen... vrienden te zijn...'

Kate slaat haar ogen neer.

'Maar ook geen vijanden, Kate. Dat zijn we niet. We zijn hier niet om... dit is geen...' Ze zwijgt en staart in het niets.

Kate neemt Julia scherp op, zoals ze daar zit, met gevouwen handen, haar ellebogen op de tafel, naar voren gebogen, haar wenkbrauwen opgetrokken, haar hoofd een beetje schuin, haar oren gespitst op elk onbelangrijk klein detail van ieder irrelevant verhaal. Wat dan ook. In haar gretige pose meent Kate iets vreemds te herkennen: vriendschap.

'Ik...' Opeens voelt Kate zich onuitsprekelijk verdrietig. 'Wat moet ik je vertellen, Julia?'

'Dat weet ik niet, Kate. Iets. Mis je Luxemburg?'

Kate haalt haar schouders op.

'Ik wel,' geeft Julia toe. 'Ik mis mijn vriendinnen. Ik mis jou, Kate.'

Kate kijkt weg en vecht tegen haar tranen.

'Dames.' Bill heft zijn glas. 'Niet zo sentimenteel, alsjeblieft. Op Luxemburg!'

Kate ziet dat Julia haar glas pakt, wat wijn tegen haar lippen laat spoelen en het glas weer terugzet. 'Op Luxemburg.'

'Ik val met de deur in huis,' zegt Kate, als niemand anders die stap schijnt aan te durven. 'Wat doen jullie hier?'

Julia en Bill wisselen een snelle blik. 'We zijn gekomen,' zegt Julia dan, 'om jullie... Dexter... het nieuws over de kolonel te vertellen.'

'O,' zegt Kate. 'Ik begrijp het.'

Weer een stilte.

'Wat ik niet begrijp,' vervolgt Kate, 'is waarom dat persoonlijk moet. En wat jullie motief is? Per slot van rekening is Dexter iemand naar wie jullie een onderzoek hebben ingesteld omdat hij verdacht werd van een ernstig misdrijf, waaraan jullie hem nog altijd schuldig achten.'

'Maar we waren ook vrienden,' zegt Julia.
Kate buigt zich naar voren. 'O ja?'
Ze staren elkaar aan, de twee vrouwen. 'Dat dacht ik. Dat denk ik nog steeds.'
'Maar...' Kate probeert zo goed mogelijk haar verwarring, haar gevoel van verraad, te acteren.
'Ik deed... wij deden... wat we moesten doen.'
Kate is opgelucht dat Julia niet beweert dat ze gewoon haar werk deed. Daar is ze in elk geval eerlijk in. Want haar werk heeft ze zeker niet gedaan.
'Er is nog iets anders,' zegt Bill, die zich weer in de confrontatie stort. 'Nu de kolonel dood is, zijn we ook gestopt met het onderzoek. Dat wilden we jullie ook vertellen.'
'Helemaal?' vraagt Dexter.
Een ogenblik heerst er stilte in de luidruchtige Parijse schemering. Bill drinkt zijn glas leeg en schenkt zich nog eens bij. 'Helemaal. Definitief.'

Een politieman in een blauw uniform leunt tegen een auto, flirtend met een jonge vrouw op een brommer, die een sigaret rookt. Kates blik wordt getrokken naar het nonchalant bungelende pistool van de agent. Het zou niet moeilijk zijn hem te overvallen en zijn wapen te grijpen terwijl hij zich bezighoudt met andere, Franse prioriteiten.
Kate draait zich om naar haar gezelschap. Zullen deze mensen haar ooit de waarheid vertellen? Zal zij ooit eerlijk zijn tegenover hén?
Het afgelopen jaar is Kate volkomen open geweest tegen Dexter. Bijna. En ze dacht dat hij dat ook was tegenover haar. Maar van die illusie is ze vanmiddag genezen. Ze kan niet geloven dat ze nu pas op het idee kwam om in zijn jaarboek te kijken. Omdat ze het diep vanbinnen altijd heeft ontkend, denkt ze nu.
Het is maar een kleine foto die ze heeft gevonden, slecht afgedrukt in verbleekte kleuren. De derde rij van boven, de tweede foto van rechts, een onopvallend knappe vrouw met een brede lach, bleekroze lipgloss en blond haar dat rond haar gezicht viel.
'En?' vraagt Kate nu aan haar. 'Wat gaan jullie doen met jullie helft?'
Diezelfde onopvallend knappe vrouw zit nu tegenover haar aan tafel, trekt haar wenkbrauwen op, en kijkt zogenaamd verbaasd. Haar glimlach is verdwenen. 'Onze helft van wat?'
'Jullie helft van het geld.'

Julia noch Bill reageert – geen enkele uitdrukking op hun gezicht, geen beweging, geen geluid, helemaal niets. De geoefende beheersing van de beroepsmatige leugenaar. Maar het ligt er te dik bovenop. Ze zijn niet zulke goede acteurs als Kate zou hebben gedacht, zeker niet zo goed als zijzelf. Misschien klopt het wat iedereen in de CIA al een halve eeuw beweert in die nooit eindigende rivaliteit tussen de diensten. De FBI is gewoon niet zo goed als de CIA. Of misschien hebben deze agenten gewoon te weinig oefening meer, net als Kate.

'Welk geld?' vraagt Julia.

Kate glimlacht neerbuigend. 'Nog geen besluit genomen?' Ze kijkt haar drie metgezellen een voor een aan. Allemaal verschuilen ze zich onder een beschermend vernisje, om de verschillende leugens te verbergen die ze elkaar op de mouw hebben gespeld, de leugens die ze nog steeds proberen vol te houden, in de hoop dat ze zo de rest van hun rijke, volle leven zullen doorkomen, ondanks de waarheid die ze voor de belangrijkste mensen in hun bestaan verborgen houden.

Kate houdt haar blik gericht op de hoofdschuldige, Julia. Toen Kate die middag besefte dat Dexter en Julia – die eigenlijk Susan Pognowski heet – elkaar al kenden van de universiteit, was haar eerste gedachte dat ze dit plan samen hadden uitgebroed, in die tijd, of niet veel later. Maar dat scenario paste niet bij het werkelijke beeld van haar Dexter. Zo iemand is hij niet, geen intrigant. Eerder iemand die zelf wordt gemanipuleerd.

Zo moet het dus zijn gegaan. Julia was het meesterbrein achter de hele zaak, degene die iedereen een rad voor ogen heeft gedraaid. Er is nooit iets seksueels geweest tussen haar en Dexter, geen romance. Alleen een bijzondere neiging tot achterbakse intriges en een onvoorstelbaar talent voor planning en organisatie.

Toen ze die jaarboekfoto voor het eerst zag, voelde Kate zich boos en gekwetst, verraden en verward. Maar later, wandelend door de drukke, luidruchtige straten van Parijs, had ze alles geanalyseerd, stap voor stap. En toen de stukjes van de puzzel op hun plaats vielen, verdween Kates woede tegenover Dexter en nam haar verbazing over Julia nog meer toe. Toen ze in de Rue St.-Benoit stond, bij de mooie hoek van Le Petit Zinc, had ze Dexter al vergeven. Nog een straat verder had ze het hele plan voor haar eigen leven al veranderd. En tegen de tijd dat ze hun appartement binnenkwam, een paar minuten later, was ze bereid de noodzakelijke stappen te nemen. Kate begrijpt nu waarom Dexter juist dit geheim voor haar verborgen moest houden. Want als hij dit zou hebben toegegeven, had hij ook iets anders moeten bekennen wat hem dwarszat: dat hij allang wist dat Kate voor de CIA werkte. En hij was niet in staat zijn vrouw op te biechten hoe hij die leugen zoveel jaar in stand had gehouden.

Dexter weet niet dat hij vergeven is. Hij beseft alleen dat zijn ultieme bedrog eindelijk is ontmaskerd. Hij sterft van angst en zenuwen en kan nauwelijks meer op zijn stoel blijven zitten. Onwillekeurig denkt Kate eraan terug hoe ze vroeger de kinderen op hun hoge stoelen vastbond om te voorkomen dat ze onder het eten zouden ontsnappen. Ze stelt zich voor dat ze zich nu naar Dexter zou buigen om hem op zijn rieten caféstoel vast te gespen. Dat surrealistische beeld brengt een glimlach op haar lippen.

Kates lachje geeft Julia de moed om de stilte te verbreken. 'Waar heb je het over, in vredesnaam?'

'Over jullie helft van die vijftig miljoen dollar...' antwoordt Kate. En voor de goede orde voegt ze eraan toe: 'Susan.'

Bill verslikt zich bijna in zijn wijn.

'Val me alsjeblieft in de rede als ik me vergis,' zegt Kate. 'Oké?'

Bill, Julia en Dexter wisselen blikken als een komisch trio. Dan knikken ze alle drie.

'Niemand hier is opgegroeid in Illinois,' zegt Kate. 'Bill, jij hebt niet in Chicago gestudeerd en Julia niet aan de universiteit van Illinois. Jullie kwamen zogenaamd uit Chicago omdat jullie wisten dat ik daar nooit geweest was en er geen vrienden had. Zo kon ik jullie veel moeilijker traceren. Bill, jouw rol doet er eigenlijk niet toe. Jullie twee...' – ze wijst naar Dexter en Julia – 'hebben elkaar ontmoet in een studentenhuis of op college. Ik vermoed in het eerste semester van jullie eerste jaar.'

Een moment zwijgen Dexter en Julia allebei, een soort reflex om te blijven ontkennen, hoewel ze weten dat het spel nu uit is. 'Een studentenhuis,' geeft Julia dan toe. Blijkbaar komt zij als eerste tot de slotsom dat de waarheid, of in elk geval deze waarheid, niet langer te ontwijken valt. 'In ons eerste jaar.'

'Maar jullie werden meer dan vage kennissen. Waarom?'

'Het tweede semester liepen we samen college,' zegt Julia. 'Frans.'

'Dus jullie raakten bevriend in je eerste jaar, als je makkelijk vrienden maakt, net als expats.'

Kate denkt terug aan de dag waarop ze Julia ontmoette. Die avond, toen ze met Dexter in de badkamer haar tanden stond te poetsen, had ze hem verteld dat hun nieuwe bestaan haar aan het studentenleven deed denken.

En dat ze een vrouw uit Chicago had leren kennen. Dexter had haar geplaagd dat ze nooit vriendinnen kon worden met iemand uit Chicago, omdat ze zogenaamd zo'n hekel had aan die stad. Zonder een spier te vertrekken. Kate had nooit gedacht dat haar man zo goed kon veinzen. Onwillekeurig is ze toch onder de indruk van hem.

'Maar jullie kwamen allebei bij een andere kliek terecht,' gaat Kate verder. 'En toen jullie afstudeerden, gingen jullie niet meer met elkaar om. Niemand uit jullie studententijd zou zich jullie als vrienden herinneren. Als jullie studiegenoten werden ondervraagd, zou niemand beweren dat jullie ooit contact hadden gehad. Eigenlijk waren jullie de enigen die dat wisten, niet? Voor het oog van de wereld hadden jullie geen verleden samen. Dat was altijd privé gebleven.'

Nog altijd geen reactie. Geen protesten.

'Vijftien jaren verstreken. Jij...' – ze knikt naar Julia – 'werkte bij de FBI. Het online bankieren had een grote vlucht genomen, van niets tot miljarden dollars binnen een paar jaar, en na nog eens vijf jaar werd bijna al het geld in de wereld via het web overgemaakt. Jij was een belangrijk rechercheur geworden, een expert op dat terrein, hoog in de pikorde van de FBI. Ja?'

'Ja.'

Kate kijkt Dexter aan. 'Jij werkte bij een bank en had je ook ontwikkeld tot een deskundige, op hetzelfde terrein. En toen, op een dag, liep je toevallig je oude vriendin, of ex-vriendin, tegen het lijf. Waar was dat?'

'In een boekwinkel,' antwoordt Dexter zacht.

'Stel je voor. Dus jullie zagen elkaar in een boekwinkel, en die oude vriendin nodigde je uit voor een borrel, nietwaar? Natuurlijk zei je ja. Leuk om bij te kletsen. Jullie troffen elkaar in een bar in M Street, praatten over van alles, en opeens, zomaar... kwam Julia met dat plan van haar. Ze had een manier bedacht om jullie talenten te combineren en een geweldige slag te slaan. Ooit. Nietwaar?'

'Zo ongeveer.'

'Als jij een systeem kon bedenken om banktransacties te hacken, zei ze, en een groot bedrag te stelen, kon zij garanderen dat je niet werd gepakt. Omdat zij als rechercheur op die zaak zou worden gezet. En jullie konden de buit samen delen.

Jullie moeten een hele tijd om elkaar heen hebben gedanst. Julia, jij volgde hem – óns. En je ontdekte dat mijn carrière op dood spoor was geraakt. Dat we geen geld meer hadden. Dat Dexter, in tegenstelling tot andere computernerds van zijn generatie, nooit het grote geld had gepakt. Daar was hij wel een beetje verbitterd over, dus had hij een financieel motief.'

Kate staart naar de demonische vrouw aan de andere kant van het tafeltje, met haar betrekkelijk onnozele partners links en rechts van haar. 'En natuurlijk wist je dat hij al heel lang een diepe wraakfantasie koesterde tegen de man die zijn broer had vermoord.' Ze aarzelt nog altijd of ze deze laatste bom wel moet laten barsten. Wel of niet, niet of wel...

Kate opent haar mond voor de laatste onthulling, die beschuldiging van maar één woord lang – het woord dat Dexters wereld opnieuw op zijn kop zal zetten: 'Zogenaamd.'

33

VANDAAG, 20:08 UUR

Dexter is zichtbaar van zijn stuk gebracht. Bill ook. Beide mannen fronsen.

'Zogenaamd? Hoe bedoel je?' vraagt Dexter.

Julia steekt haar kin vooruit en knijpt haar ogen tot spleetjes. Ze weet dat Kate de waarheid kent en op het punt staat die te onthullen.

'Toen jij nog over haar voorstel nadacht, Dex...' – Kate richt zich weer tot haar man – 'en ijverig alles tegen elkaar afwoog, kreeg je toen nieuws over de kolonel? Een extra bewijs van zijn smerige praktijken?'

Dexter knikt niet ja, schudt niet nee, knippert niet met zijn ogen en opent niet zijn mond. Hij staart zijn vrouw alleen maar aan, terwijl hij haar probeert bij te houden, zelf de conclusie te trekken voordat zij het hardop hoeft te zeggen, zodat de vernedering niet nog groter wordt.

Kate grijnst even tegen hem, een kleine triomf. Niet erg sportief, weet ze. Maar hoewel ze hem heeft vergeven, geniet ze van de verrassing en gêne op zijn gezicht.

'Natuurlijk, schat.' Ze heeft toch recht op enige wraak, en dit is haar moment: de onthulling dat hij is belazerd door degene die hij vertrouwde. Het zal pijnlijk zijn, maar niet lang duren – in tegenstelling tot het bedrog zelf, dat tien jaar is doorgegaan.

Kate kan Dexters hersens bijna horen kraken, de rook opsnuiven, als hij beseft dat zijn anonieme Kroatische bron een bedrieger was, weer zo'n betaalde acteur in dit gecompliceerde stuk. En Dexter draait zich om naar de scenarioschrijver: Julia.

Dit is zijn aha-moment. Zijn mond valt daadwerkelijk open.

'Dus *jíj* was mijn bron?'

Julia kijkt hem aan zonder een spoor van verontschuldiging. 'Ja.'

Zijn ogen puilen uit als hij probeert dit enorme verraad te verwerken, terwijl hij in zijn geheugen graaft naar het nieuwe begin van dit verhaal. 'Ik had je verteld over Daniels dood,' zegt hij, 'toen we nog studeerden?'

'Ja.'

'En toen jij bij de FBI kwam, heb je de zaak onderzocht? Zo kwam je erachter dat Daniel was vermoord door de kolonel?'

Kate ziet de bijna kinderlijke uitdrukking op Dexters gezicht: een volwassen man die wanhopig probeert de werkelijkheid naar zijn eigen beeld te vormen, in de hoop dat de wereld het met hem eens zal zijn als hij zijn geloof maar hardop en vol vertrouwen uitspreekt.

Dat is precies hoe de jongens praten en kijken als ze theorieën over piraten, dinosaurussen of ruimtereizen uitproberen. 'Als we ons haar lang laten groeien, zoals vogels,' legde Ben haar die ochtend nog uit, 'moeten we toch kunnen vliegen? Ja toch, mama?'

Julia zegt niets. Ze wil niet degene zijn die dit laatste restje van Dexters onschuld vertrapt.

Hij staart in zijn wijnglas, en Kate ziet hoe hij de lagen afpelt. Als er nooit een geheime Kroatische bron is geweest, was er dus ook geen functionaris bij Buitenlandse Zaken die hem met die bron in contact had gebracht. Er bestond geen rapport over de manier waarop Daniel was doodgemarteld. En dat betekende...

'Kolonel Petrovic had niets te maken met Daniels dood, toch?' Kate buigt zich over het tafeltje en geeft haar man een kneepje in zijn hand.

'Wauw,' zegt Dexter, en hij trekt zijn wenkbrauwen op, zo hoog als hij kan. Hij maakt zijn hand los uit Kates greep, leunt naar achteren en trekt zich terug in zichzelf, zoekend naar privacy in zijn vernedering. 'Wauw.'

'Het spijt me,' zegt Julia. 'Maar Petrovic was wel degelijk een monster. Hij...'

Dexter heft een hand op. 'Laat ik het samenvatten.' Hij kijkt Julia woedend aan. 'Jij hebt dat neptelefoontje van Buitenlandse Zaken geregeld om mij wijs te maken dat de kolonel mijn broer had vermoord. Je hebt het rapport over zijn dood vervalst en iemand ingehuurd als "functionaris" om mij dat rapport te geven en me in contact te brengen met een zogenaamde Kroatische expat, die mij – hoelang, tien jaar? – valse informatie over de kolonel heeft toegespeeld?'

'Daar komt het op neer,' geeft Julia toe.

Niemand zegt iets.

'Het Kroatische woord *niko*,' voegt Julia eraan toe, 'betekent "niemand".'

Dexter lacht luid en onaangenaam.

'Maar ik moet erbij zeggen,' vervolgt Julia, 'dat de meeste informatie over de kolonel wel klopte.'

'Behalve alles wat iets te maken had met Daniel, en dus met mij.'

Kate werpt een blik naar Bill, die er zwijgend bij zit. Ze vermoedt dat hij ook niets wist over deze aspecten van het achtergrondverhaal. Maar het interesseert hem niet erg; deze voorstelling is voor hem niet meer dan amusement. Hij moet zijn eigen fundamentele bedrog verborgen zien te houden.

'Je stuurde me nieuwe berichten toe via die zogenaamde Niko,' gaat Dexter verder, 'waardoor je me steeds verder verstrikte en meesleurde in dat verhaal over die illegale wapenhandelaar die mijn broer zou hebben afgeslacht. Om mij te motiveren... te dwingen... jou te helpen bij het stelen van miljoenen. Zit het zo?'

'Ja.'

'En dat plan had je al tien jaar of nog langer geleden uitgebroed?'

'Ja.'

'Ik begrijp het niet,' zegt Dexter. De verbijstering is van zijn gezicht af te lezen. 'Wat zou je hebben gedaan als de kolonel in de tussentijd was vermoord? Of failliet was gegaan? Of als ik niet had meegewerkt? Nadat je zoveel tijd in mij had geïnvesteerd?'

'Waarom denk je,' vraagt Julia, 'dat jij de enige was?'

'*Monsieur*,' roept Julia als de ober voorbijkomt, '*Une carafe d'eau, s'il vous plaît*.'

Het valt Kate op dat ze opeens veel beter Frans spreekt nu ze niet langer toneelspeelt.

'Wat bedoel je?' vraagt Dexter.

'Ik heb dorst,' zegt Julia tegen haar metgezellen, om de tijd op te vullen totdat de ober weer is vertrokken. Hij schenkt twee glazen in, voor de dames. Julia drinkt in één keer haar glas leeg, schenkt zich nog eens in en laat iedereen in spanning wachten. Een vreemde, onbehaaglijke wolk trekt over haar gezicht. 'Jij was niet mijn enige optie,' zegt ze dan.

'Ik begrijp je niet.'

'Jij en de kolonel waren niet de enige tegenspelers die ik heb gemanipuleerd.'

Nu is het Kates beurt om razendsnel na te denken. Maar het lukt haar niet voordat Julia weer verdergaat. 'Dexter, jij bent niet de enige ter wereld die dat geld had kunnen stelen. Het spijt me, maar ik moet je zelfs zeggen dat jij de minste kwalificaties had. Eerlijk gezegd was ik zelf verbaasd dat het jou uiteindelijk lukte.'

'Wat?'

'Ik heb jaren... mijn hele carrière... besteed aan het opsporen van de grootste, meest originele talenten op het terrein van onlinebeveiliging. Vervolgens heb ik met iedereen gepraat en ze gevraagd naar hun diepste, meest duistere geheimen; hun grootste angsten en verlangens; hun sluimerende wraakgevoelens en diepe haat. Om het drukpunt te vinden waarmee ik ze kon manipuleren.'

'Hoe dan?'

'Het is heel makkelijk en volledig legitiem om iedereen alles te vragen als je voor de FBI werkt en met sollicitanten spreekt of een onderzoek leidt.'

Bij elke nieuw feit raakt Kate meer geïmponeerd.

'Ten slotte had ik vijf of zes hackers zoals jij gestrikt.'

'Als ik de minste kwalificaties had, waarom koos je mij dan?'

'Dat heb ik niet gedaan. Ik heb dit idee aan jullie allemaal voorgelegd. Wie het eerst met een goed plan kwam om de buit binnen te halen, had gewonnen.'

'En ik was de eerste?' Dexter probeert zijn trots te verbergen, een paar seconden nadat hij zo dodelijk is beledigd.

'Ja. Maar ondertussen stuitte ik wel op een probleem.' Julia kijkt naar Kate. 'Totdat wij de hele zaak in beweging zetten, wist ik niets over jou, Kate. Natuurlijk had ik Dexters achtergrond onderzocht, maar me niet uitvoerig beziggehouden met de vrouwen en vriendinnen van al mijn kandidaten of met de ex-vriendjes van hun moeders. Pas toen Dexter me zijn plan voorlegde, zijn dubbele hack, heb ik me ook in jou verdiept.'

'En?'

'Ik heb eerlijk overwogen om de hele zaak maar op te geven. Of om Dexter te lozen met een of andere smoes waarom ik hem niet kon gebruiken, en het idee daarna aan iemand anders te geven. Ik moest er ook rekening mee houden dat het een valstrik was, een truc om mij erin te luizen. Maar tot mijn stomme verbazing ontdekte ik dat Dexter niets wist van jouw werk.'

Kate had liever niet dat ze hier in een openbare gelegenheid over begon. Zelf mocht ze haar leugenachtige echtgenoot wel vernederen, maar Julia niet. Dat had ze al genoeg gedaan.

'Dexter was gewoon te braaf,' ging Julia verder. 'Zijn leven was zo brandschoon, zo doorzichtig. Hij was geen spion, geen mol, geen rat. Hij was wie hij is. En hij wist niet dat jij heel iemand anders was dan je beweerde.'

'Wat deed je?'

'Ik heb het hem verteld.'

'Waarom?'

'Ik had geen keus. Dexter was de man met de goede ideeën, de man die het geld kon binnenhalen. Het had me heel wat tijd gekost om zo ver te komen, en ik was er niet van overtuigd dat iemand van de andere kandidaten erin zou slagen. Dus had ik Dexter nodig, en zijn ideeën. Of ik zou hem het hele plan moeten ontfutselen en hem daarna vermoorden.'

Dexter schiet in de lach, maar beseft dat het geen grapje is. Hij fronst.

'Natuurlijk zou het niet verstandig zijn de man van een CIA-analiste te elimineren. Dus moest hij nu nog voorzichtiger zijn dan hij al dacht. Hij mocht geen enkel contact met mij hebben, ooit. Hij moest alle instructies naar de letter opvolgen en beseffen dat deze hele zaak nog ernstiger was dan hij al vermoedde.'

'Hoe wist je dat hij je zou geloven?'

'Hé, ik zit er zelf bij.'

'Waarom geloofde je haar?' vraagt Kate.

'Waarom zou ze daarover liegen?'

'Waarom heb je het mij niet gewoon verteld?'

Het is Julia die antwoord geeft. 'Toe nou,' snuift ze. 'Een CIA-agente vertellen dat we een banktransactie willen hacken om een fortuin te stelen?'

'Zit wat in. En toen?'

'Toen hebben we... heb ik... een hele serie transacties opgezet die alleen naar Dexter te herleiden waren. Hij zou voorlopig de enige zijn die er een cent van zag, degene die zich schuldig maakte aan zware misdrijven en bijbehorende vergrijpen zoals valsheid in geschrifte, inbraak, fraude. En natuurlijk de diefstal van het geld van American Health, ons eerste werkkapitaal, inclusief jullie gezinsbudget. Dat was ook het eerste misdrijf dat ik – heel gemakkelijk, uiteraard – aan het licht bracht en aan mijn superieuren meldde, zodat zij me zouden aanstellen om dit nieuwe probleem, deze niet te stuiten vorm van elektronische diefstal, te onderzoeken. Ik had zelfs een aannemelijke verdachte, die volgens mij op het punt stond het land te ontvluchten. En jawel, ik kreeg gelijk, dus werd de zaak definitief aan mij toegewezen. Blijkbaar had ik er een neus voor.'

'Alles hing er wel van af dat jij de leiding van dat onderzoek kreeg,' zegt Kate. 'Waarom?'

'Omdat Dexter gepakt kan worden.'

'O ja?' zegt Dexter.

'Natuurlijk. Er is een hele stapel bewijzen tegen jou. Het openen en weer opheffen van de rekeningen waarheen en waarvan het geld is overgemaakt, soms compleet met videobeelden van jou zelf, in de bank.'

Dexter kijkt weer verbaasd.

'Er zijn bewijzen van je relatie met de callgirl die je hebt ingehuurd voor prostitutie, diefstal en fraude. Dan is er nog het meisje zelf, uiteraard, dat uitvoerig kan getuigen wat je allemaal hebt uitgespookt.'

Dexter schudt zijn hoofd.

'Overtuigende bewijzen. Van ernstige misdrijven.'

'Ik begrijp het niet,' zegt hij.

Kate wel. 'Dat is haar verzekeringspolis, idioot.' Arme kerel.

'Is dat waar?' Opnieuw is hij verbijsterd door Julia's verraad.

'Ik moest ervoor zorgen dat je je afspraken zou nakomen,' geeft Julia toe. 'Desnoods door je te dwingen. En ondertussen moest ik ook de leiding in handen houden bij de FBI, zodat niemand anders kon ontdekken dat ik zo veel van de zaak wist omdat ik alles zelf in scène had gezet.'

Kate leeft op aan het einde van deze monoloog, omdat het precies de bekentenis is waarop ze zat te wachten. 'En toen stuitte je op mij,' zegt Kate, om Julia nog verder uit te horen, als onderdeel van haar eigen overeenkomst.

'Ja,' zegt Julia. 'De kink in de kabel. Ik moest in elk geval voorkomen dat die CIA-echtgenote haar eigen man zou aangeven. Dat leek me niet waarschijnlijk, want welke vrouw zou haar eigen leven naar de knoppen helpen alleen omdat haar man een dief is? Per slot van rekening stal hij geld van iemand van wie hij dacht dat het de grootste schoft op aarde was, de man die zijn broer had vermoord. Over een rechtvaardige misdaad gesproken. En dat eerste miljoen, van die schandalige, keiharde verzekeringsmaatschappij, stond niet eens ter discussie.

Maar toch wilde ik zekerheid. Dus moest ik de echtgenote op de proef stellen, haar naar me toe lokken, haar duidelijk maken dat haar man schuldig was en door de FBI werd gevolgd. Ik moest ervoor zorgen dat ze zelf de waarheid zou ontdekken en dan afwachten hoe ze daarmee omging.'

'Ik ben gevleid dat je me zo serieus nam.'

'Nou, eerlijk gezegd had ik nog een andere reden om je te confronteren.'

'En die was?'

'Die reden,' vult Bill aan, 'was ik.'

Kate is nog steeds onder de indruk van het ongelooflijke bedrog van deze vrouw, het complexe complot dat ze in elkaar heeft gestoken.

'Dus al die tijd dat jij in Luxemburg zat,' zegt Kate tegen Bill, 'dacht je dat je met een legitiem onderzoek bezig was?'

'Ja.'

'Ha!' Kate kijkt Julia aan. 'Knap werk, Julia. Echt briljant.'

'Dank je.'

'Jullie missie was volledig officieel,' zegt Kate. 'Op gezag van de FBI stelden jullie een onderzoek in naar dat eerste miljoen dat Dexter gestolen had. Julia, jij had de leiding en deze knappe clown was je partner.'

Julia knikt.

'Jullie werden naar Luxemburg "gestuurd"...' – ze schetst aanhalingstekens in de lucht – 'zogenaamd als echtpaar, om mijn arme man in het oog te houden, te zien hoeveel geld hij uitgaf en zijn levensstijl te volgen. Was dit een vent die toevallig een miljoen dollar had gestolen? Of had hij een methode gevonden om eindeloze hoeveelheden geld weg te sluizen, wanneer hij maar wilde?'

Kate schudt haar hoofd. 'Hij woonde in een bescheiden appartement, reserveerde kleine kamers in middenklassehotels, vloog toeristenklasse en ging elke dag naar zijn werk. Zijn vrouw maakte zelf de wc schoon. Hij kocht een gebruikte Audi in Esch-sur-Alzette. Miljonairs komen nooit in Esch, laat staan om een tweedehands stationcar te kopen.'

Ze hebben die Audi nog steeds. Het was er niet van gekomen een nieuwe te kopen. Of misschien hadden ze gewoon besloten, zonder discussie, dat die oude Audi nog goed voldeed. Het was tenslotte maar een auto.

'Nee, stelden jullie vast, deze vent was geen crimineel meesterbrein, en dit gezinnetje was niet rijk. Toch wilden jullie een positief verslag uitbrengen, want vroeg of laat moesten jullie terug naar het J. Edgar Hoover Building met een volledig rapport, dat bepalend was voor de rest van jullie carrière. Dus wat deden jullie?'

De ober komt langs met een nieuwe karaf water en Kate wacht tot hij weer verdwenen is over de Parijse stoep. Het begint te schemeren en de lampen gaan aan. Een vrolijke menigte verdringt zich in het spitsuur op de *carrefour*. Kate voelt zich opeens heel prettig, in deze aangename omgeving met deze intelligente mensen, die ze nu eindelijk volledig begrijpt, en dat complot waarvoor ze met de seconde meer waardering krijgt, alsof ze er zelf geen deel van uitmaakt. Het is allemaal zó briljant.

'Ik moet je feliciteren,' zegt Kate. 'Het is echt geweldig, de manier waarop je de vrouw van de verdachte wilde manipuleren. Eerst bedacht je een doorzichtige dekmantel, waarvan je wist dat die me achterdochtig zou maken:

Chicago. Daarna gaf je me de tijden waarop ik de kans had om in Bills kantoor in te breken. Want jij was het die mij liet suggereren dat ze 's middags maar moesten gaan tennissen, toch?'

Julia pakt haar wijnglas en neemt nog een heel klein slokje, genietend van die ene druppel wijn en van het verhaal waarvan zij en haar slimme intrige het middelpunt vormen.

'In dat kantoor vond ik geen bewijzen die jullie dekmantel konden bevestigen. Terwijl je die gemakkelijk had kunnen klaarleggen. Maar dat had je niet gedaan. In plaats daarvan legde je een wapen neer, en een stel condooms. Zo construeerde je een nepkantoor, van iemand met een nepberoep. Jij kwam uit een nepachtergrond, die ik als zodanig herkende, en jullie hadden een nephuwelijk dat er ook zo uitzag. Kortom, je nodigde me uit in jullie nepwereld. Waarom?'

'Om je op het spoor te brengen.'

'Jawel, maar waaróm?'

'Om jouw ontdekkingen in een bepaalde richting te sturen. Zodat je erachter zou komen wie wij waren en wat wij deden. Zodat je zou ontdekken dat je man schuldig was en een kapitaal had gestolen. Zodat je zou beseffen dat hij zou worden aangehouden en veroordeeld. Ik moest jou onderdeel maken van zijn misdrijf. Zíjn misdrijf. Maar die conclusie moest je wel zelf trekken.'

Kate grijnst om de ironie.

'Nou ja, niet zélf,' geeft Julia toe, 'maar met een beetje hulp.'

Onwillekeurig gaat Kates blik naar de glazen pot met de suikerklontjes, waar ze een uurtje geleden discreet Haydens zendertje heeft verborgen. Zoals afgesproken.

'Wie was Lester eigenlijk?' vraagt Kate. 'Jouw nepvader uit New Mexico?'

'Les is onze chef.'

'Wat deed hij daar?'

'Het was vlak na de diefstal van het grote geld. Lester wilde onze verdachte en zijn vrouw met eigen ogen zien. Waren dit echt de mensen die net vijftig miljoen euro hadden gestolen? Hij ondervroeg jou over de restaurants waar jullie gingen eten in buitenlandse hoofdsteden. Hij wilde weten hoeveel sterren de hotels hadden. En hij concludeerde dat het wel heel onwaarschijnlijk was dat jullie de dieven waren. Toch bleef Dexter de belangrijkste verdachte – de enige verdachte zelfs. Want natuurlijk was hij schuldig. Dus gaf Lester ons nog een maand om het onderzoek af te ronden.'

'Dat was het moment waarop je besloot mij te confronteren.'

'Ja. Ooit had je toch gevoelens gekoesterd voor je land.' Julia glimlacht. 'Bovendien konden we je feiten tonen die leken te bewijzen dat je man een verhouding had met een knappe jonge vrouw in Zwitserse vijfsterrenhotels. Jij had van je leven nog nooit in een vijfsterrenhotel geslapen. Die hebben ze niet in Nicaragua, toch?'

'Nee, zeker niet.'

'Dus confronteerden we jou met de bewijzen, om te zien wat je zou doen, en de zaak tot een eind te brengen.'

Kate herinnert zich die dag, begin januari, toen ze met hun drieën op dat koude parkbankje zaten en Julia hardop het verkeerde bedrag had uitgesproken: vijfentwintig miljoen. De uitdrukking op Bills gezicht toen hij probeerde te bedenken waar dat verschil vandaan kwam... Hij wist immers dat het gestolen bedrag twee keer zo hoog moest zijn.

Bill kijkt Kate nu aan met diezelfde brutale blik die ze zich herinnert van de nachtclub in Parijs en de Grand Rue in Luxemburg. Een blik waarmee hij lijkt te zeggen: je weet wie ik ben. En uitdagend erachteraan: wat denk je daaraan te doen?

Kate had Bill onderschat. Hij had de waarheid al ontdekt lang voordat Julia hem die had verteld.

Opnieuw beseft Kate dat een groot stuk van de puzzel haar totaal was ontgaan. En dit ene stukje? Dat Bill zelf een bedrieger is? Met Julia als slachtoffer?

34

VANDAAG, 17:50 UUR

'Je belazert me.' Er speelde een klein lachje om Haydens lippen.

'Nee,' zei Kate, 'geen sprake van.'

Het was bijna zes uur. Mensen kwamen de Georges binnen, om wat te drinken na hun werk, of toeristen met een vroege reservering voor het eten. Een van Haydens collega's had de gerant een briefje van twintig toegestopt om wat privacy te krijgen. Maar dat zou niet lang duren.

'Wat wil je dan dóén?' vroeg Hayden.

'Ik spreek vloeiend Spaans, en tegenwoordig ook redelijk Frans. Ik weet wel wat van Europa. Ik voel me thuis op een ambassade, een consulaat of het kantoor van een NGO. En ik weet nog altijd hoe je dingen voor elkaar moet krijgen.'

'Maar je ként verder niemand. Je hebt geen contacten.'

Dat was precies de reden waarom Julia had beweerd dat ze geen interieurontwerper kon zijn in Luxemburg. Een excuus voor de korte termijn. Een te makkelijke rationalisatie. 'Ik weet ook wel dat ik onderaan zou moeten beginnen. En daar waarschijnlijk zou moeten blijven, of daar ergens in de buurt. Voorgoed.'

Hayden leunde bij het tafeltje vandaan. 'Waarom zou je dat willen?'

Het had Kate zo lang gekost om toe te geven dat ze dit werk en haar carrière niet langer wilde, dat ze liever huisvrouw en moeder wilde zijn. Maar de afgelopen twee jaar had ze beseft dat ze zich vergist had. Dat dit toch niet was wat ze wilde.

'Mijn kinderen zitten op school, en mijn dagen zijn... leeg. Tenzij ik een manier vind om ze te vullen. Maar dan heb ik wel een reden nodig, een betere reden dan verveling alleen.'

Ze wist dat ze haar oude baan niet terug zou krijgen. Waarschijnlijk zou ze nooit meer een wapen dragen, nooit meer die kick voelen van dodelijk gevaar dat bij haar volgende clandestiene ontmoeting loerde. Het zou maar een bleke schim zijn van haar oude leven, haar oude carrière, de adrenaline van vroeger. Maar het was beter dan niets.

Aan de andere kant zou ze in een beschaafdere omgeving kunnen werken. Bovendien had ze nu geld genoeg en woonde ze in Parijs. Haar kinderen hadden haar wat minder nodig, droegen geen luiers meer, en ze had een betere relatie met haar man. Eigenlijk had ze al heel veel. Maar ze wilde nog iets meer.

'Wat ik niet wil,' ging ze verder, 'is me zorgen maken dat mijn kinderen zullen worden ontvoerd door een Latijns-Amerikaanse psychopaat. Ik ben al heel tevreden met eén rustige kantoorbaan.'

Hayden schrok. 'Dus dát was het?'

'Sorry?'

'Heeft Torres je gezin bedreigd?'

Kate gaf geen antwoord. Ze was niet van plan te bekennen dat ze met voorbedachten rade en in koelen bloede een buitenlander op Amerikaans grondgebied had vermoord. 'Ik ben bereid tot compromissen,' zei ze, zonder nog iets te zeggen over dat incident, zich ervan bewust dat ook Hayden liever geen slapende honden wakker maakte. 'En ik ben hier gekomen om iets te regelen.'

'Oké. Wat heb je te bieden?'

'Degene die die vijftig miljoen euro heeft gestolen.'

'Interessant.'

'In ruil daarvoor krijg ik mijn baan terug.'

Hij knikte. 'Met alle plezier.'

'Goed,' zei ze.

Hij boog zich over de tafel en stak haar zijn hand toe.

'Maar...' zei ze, 'er is wel een complicatie.'

Zijn glimlach verdween en hij liet zijn hand zakken. 'En dat is...?'

'Ik wil immuniteit. Voor mij en voor mijn man.'

'Immuniteit? Omdat je met Torres hebt afgerekend? Toe nou! Niemand heeft ooit serieus overwogen een onderzoek in te stellen naar die...'

'Daar gaat het niet om.'

'Nog een andere moord?'

'Ik weet niet wat je bedoelt met "nog een andere",' zei ze, nog steeds niet bereid om schuld te bekennen in dat oude drama. 'Maar nee, geen moord. Witteboordencriminaliteit, of zoiets.'

Hij trok zijn wenkbrauwen op.

'Dus we zijn akkoord?'

Hayden zweeg een paar seconden, staarde Kate aan en wachtte of ze nog iets zou zeggen. Ten slotte legde hij zich neer bij haar stilzwijgen.

'Het spijt me, Kate,' zei hij. 'Nee.'

Kate moest over een uur aan de andere kant van de rivier zijn voor haar afspraak met Julia, Bill en Dexter. En ze wilde er eerder zijn dan de anderen. Eerder dan haar man.

Ze tuurde over de stad, de straten die vanaf het museum liepen, het grillige landschap van de daken. Ten slotte accepteerde ze dat ze Hayden de waarheid zou moeten vertellen, of een groter deel ervan.

Kate vraagt zich af of Hayden zelf in het bestelbusje om de hoek zit, luisterend naar dit gesprek. Of misschien staat hij aan de overkant te kijken. Toen ze tweeënhalf uur geleden afscheid van hem nam, was hij erg onduidelijk over zijn eigen rol, de rest van de avond. Hayden bezat het talent om erg vaag te doen.

'Jouw strategie,' zegt Kate, als ze haar aandacht weer op Julia richt, 'was mij te confronteren, maar daar schoot je niets mee op. Erger nog, wij verbraken alle contact met jullie, waardoor je geen toegang meer had tot je verdachte. Je onderzoek raakte in een bijna permanente impasse. *Game over.* En opeens leek de hele stad je met de nek aan te kijken.'

'Ja, dat wilde ik je nog vragen,' zegt Julia. 'Wat heb je eigenlijk rondverteld? En aan wie?'

'Ik heb Amber Mandelbaum, die Joodse supermoeder en roddeltante uit het zuiden, verteld dat Julia – mijn beste vriendin, nota bene! – haar tong in de keel van mijn echtgenoot had gewrongen. Het kreng. Natuurlijk konden we geen vriendinnen meer zijn.'

'Uiteraard.'

'Dus zijn jullie vertrokken,' vervolgt Kate. 'Je had al niet veel vriendinnen. Daarvoor waren jullie ook niet naar Luxemburg gekomen, om een echt leven op te bouwen. En waarschijnlijk was het een opluchting voor jou, Bill, om bij je minnares vandaan te zijn. Jane leek me nogal uitdagend en veeleisend.'

Julia zet haar stekels op.

'Maar eigenlijk was ze geen minnares, omdat je natuurlijk niet was getrouwd.'

Bill zegt nog altijd niets.

'Hoe dan ook, jullie kwamen met lege handen in Washington terug. Berouwvol en beschaamd, want Dexter Moore bleek toch niet de dief te zijn. Zaak gesloten. Je was weer terug in de klauwen van de FBI, de oude sleur. Maar nu je zo veel tijd in zo'n kostbaar en spectaculair mislukt onderzoek had gestoken, leek je ster bijna gedoofd. Nietwaar, Julia?'

Julia geeft geen antwoord.

'Het wekte dus geen verwondering dat je ontslag nam, vooral niet toen bekend werd dat jullie, terwijl je je als echtpaar voordeed, een écht paar waren geworden.'

Bill schuift wat heen en weer. Dexter kijkt weer stomverbaasd; zijn mond valt open. Julia knikt tegen hem, als bevestiging. Dexter schudt verbijsterd zijn hoofd.

'Dat gebeurt nogal eens, nietwaar?' gaat Kate verder. 'Nou ja, mij is het nog nooit overkomen, maar ik heb het vaak genoeg gezien bij andere agenten.'

Kate zwijgt. Ze weet niet hoe ver ze moet gaan, of dat nog enig nut zal hebben. Ze weet dat het een van de gevaarlijkste, meest dodelijke fouten is om te laten zien hoe slim je bent. Dat kan je een kogel bezorgen.

Maar ze kan er niets aan doen. 'Nou, Julia? Wanneer heb je Bill op de hoogte gebracht?'

'Doet dat ertoe?'

'Voor mij wel.'

'Ik heb het hem verteld nadat ik ontslag had genomen,' zegt Julia. 'Nadat wíj ontslag hadden genomen.'

Onwillekeurig gaan Kates gedachten terug, tot lang voordat ze naar Frankrijk verhuisden, nu anderhalf jaar geleden. Ze denkt aan die eervorige winter, de avond in het restaurant, toen Dexter en zij hun toneelstukje opvoerden voor het microfoontje van de FBI, en de nacht ervoor, toen Dexter eindelijk zijn verhaal – of het grootste deel ervan – aan Kate had opgebiecht.

'Hoelang zijn jullie al een stel?'

'Een paar maanden.'

Kate kijkt naar Bill, die niets zegt en iemand anders zijn kant van het verhaal laat vertellen – of beter gezegd zijn helft.

'Waarom heb je het hem verteld?'

'Ik hou van hem,' zegt Julia. 'We gaan samen verder.' Ze houdt haar ringvinger omhoog. 'We zijn verloofd.'

'Wat leuk,' zegt Kate met een zuur lachje. 'Gefeliciteerd. Maar wanneer sloeg de vonk eigenlijk over?'

'Wat kan jou dat schelen?' vraagt Bill. Opeens is hij op zijn hoede. Zijn rustige façade vertoont de eerste scheuren. Waarschijnlijk vermoedt hij waar Kate naartoe wil met haar vragen, en waarom.

'Ik ben gewoon nieuwsgierig. Ik wil het verhaal goed op een rijtje hebben.'

Bill staart haar aan met een harde blik in zijn ogen. Zijn kaakspieren staan gespannen. Kate ziet dat hij weet dat zij het weet.

'Tegen het eind,' antwoordt Julia. 'Vlak voordat we uit Luxemburg vertrokken.'

Kate denkt aan dat bankje in Kirchberg, waar ze door Bill en Julia werd geconfronteerd in de kou.

'Dus met Kerstmis, in de Alpen, was er nog niets tussen jullie?'

Julia giechelt.

'Op oudejaarsavond zijn jullie niet dronken met elkaar naar bed gegaan?'

Kate heeft niet gezien dat Bills rechterhand onder de tafel verdween, maar toch is dat zo.

'Nee.'

Kates herinnering stopt met piepende remmen bij het moment waarop Julia het over 'vijfentwintig miljoen euro' had en Bill verbaasd zijn mond opende om iets te zeggen, maar zich toen bedacht en Julia liet praten, haar rustig haar gang liet gaan. Maar ondertussen belde hij wel met het bureau in Washington voor de bevestiging dat er inderdaad vijftig miljoen euro van de kolonel was gestolen, dubbel zoveel als Julia tegenover Kate beweerde – een bizar verschil, te concreet om een vergissing te zijn. Dus raakte Bill ervan overtuigd dat er een logische verklaring moest bestaan. Hij ging alle mogelijkheden na, en kwam uiteindelijk tot de enige juiste conclusie. Misschien had hij het overzicht en bekeek hij het allemaal van boven, op zijn gemak, dat enorme kapitaal. En hij besloot zijn sterke punten – zijn uiterlijk, zijn charme, zijn talent om een groot geheim te bewaren, voor altijd – te gebruiken tegenover haar zwakheden: haar onzekerheid en eenzaamheid, haar wanhopige verlangen naar een gezin, in de kille zekerheid dat ze nooit een man zou vinden.

'Misschien,' oppert Kate, 'was het in Amsterdam?' Ze laat haar handen in haar schoot zakken, met haar handpalmen op haar dijen, buigt zich naar voren en verandert van houding. Dan leunt ze naar achteren, in weer een andere positie, tilt haar linkerhand van haar dijbeen op en legt die weer op tafel. Het is allemaal niets anders dan een schijnbeweging om te verhullen dat ze haar rechterhand onder de tafel houdt en in haar handtas steekt.

Ook Bill verandert van houding, minder drastisch dan Kate, maar met hetzelfde doel en hetzelfde resultaat, zoals ze weet.

Julia draait zich naar haar nieuwe liefde toe – hoewel, nieuw? Hun relatie dateert al van januari, anderhalf jaar geleden. Dat is een hele tijd om samen te zijn met iemand van wie je niet houdt. Of misschien is Bill toch van Julia gaan houden. Misschien is dat ongemerkt zo gegaan.

'Nou,' zegt Kate, 'Amsterdam was wel romantisch, dat moet ik zeggen. Met al die drugs en prostituees.' Maar ze weet dat het pas na Amsterdam is gebeurd. Pas na het bankje.

Kate graaft haar rechterhand langzaam en geruisloos langs haar poederdoos, haar zonnebril, de kauwgom, het opschrijfboekje, de pennen, de sleuteltjes en wat losse papiertjes, helemaal naar de bodem, waar de zwaarste dingen liggen. Een van die dingen verborgen onder een stevig klepje, dat Kate nu openmaakt.

Ze staren elkaar aan, Kate en Bill, zonder met hun ogen te knipperen. Ze worden omringd door duizenden mensen, hier aan de Carrefour de l'Odeon, op een schemerige avond, begin september. Alles is perfect: het weer, het licht, de wijn en het café. Een sprookje. Europa zoals iedereen het zich voorstelt.

Kate sluit haar vingers om de kolf van haar Beretta.

Bill heeft zijn rechterhand nog onder het tafeltje.

Kate draait zich om naar Julia, een ongelukkige, eenzame vrouw – totdat deze man op haar pad kwam. En nu zitten ze hier, ogenschijnlijk zo gelukkig. Julia's gezicht straalt, ze heeft een roze blos op haar wangen.

Maar hun relatie, hun geluk, is gebouwd op een ernstige vorm van bedrog, een onzuiver motief. De vrouw maakte één klein foutje door het verkeerde bedrag te noemen. En de man beraamde een hele intrige, een heel complot – de verleiding, de affaire, de relatie, het huwelijksaanzoek, de belofte van een heel leven. En dat alles op basis van haar vergissing, die hem was opgevallen. Zo had hij misbruik gemaakt van haar leugen.

Maar maakt dat hun relatie minder echt? Is het daarom uitgesloten dat ze echt van elkaar houden?

Ze draait zich naar Bill toe en ziet zijn harde blik, zijn vastberadenheid. Wat zal hij doen om zijn geheim te beschermen?

Kate en Bill richten hun handwapens op elkaar onder het marmeren tafelblad. Is hij bereid haar nu te doden? Zal hij zijn pistool afvuren, zal hij haar hier, midden in Parijs, een kogel door haar buik durven te jagen? Zal hij de rest van zijn leven op de vlucht moeten blijven? Zal hij liever zijn leven – het nieuwe leven dat hij voor zichzelf heeft opgebouwd – opofferen dan Kate de kans geven om Julia de waarheid te vertellen over hem?

Die waarheid is dat hij ontdekte wat zijn partner en hun verdachte samen in hun schild voerden. Maar in plaats van Julia te confronteren, maakte hij handig gebruik van het complot, door voor te wenden dat hij nergens van wist, door zogenaamd verliefd op haar te worden en door stomverbaasd te reageren toen Julia hem eindelijk de waarheid vertelde.

Kates blik glijdt weer naar Julia, die merkwaardige vrouw, zo briljant in veel opzichten, maar niet in staat – of bereid – om te zien wat zich recht onder haar neus afspeelt.

Maar wie weet? Misschien heeft Julia dat wel degelijk in de gaten, en wist ze het al van tevoren. Misschien was het helemaal geen vergissing van haar om dat bedrag van vijfentwintig miljoen euro te noemen. Misschien was het een opzettelijke verspreking geweest om Bill zover te krijgen dat hij haar zou verleiden en ten huwelijk vragen. Misschien heeft ze dat ook allemaal in scène gezet, net als de rest van dit subtiele, jarenlang uitgewerkte complot.

En misschien had Doxtor dat jaarboek niet per ongeluk in de huiskamer laten liggen.

Kates ogen beginnen te dwalen, net als haar gedachten, heen en weer tussen de samenzweerders en de dingen op het tafelblad, totdat haar blik blijft rusten op Julia's wijnglas. Er is nauwelijks uit gedronken. Ze zitten al anderhalf uur aan dit tafeltje, en inmiddels is er een tweede fles wijn opengegaan, maar Julia heeft niet meer dan een klein slokje genomen. De vrouw die rustig een hele fles achterover kon slaan bij de lunch, drinkt nu alleen maar water.

Julia is vijf kilo aangekomen, misschien wel tien. En haar gezicht lijkt te gloeien.

'O mijn god!' roept Kate opeens. 'Je bent zwanger!'

Julia bloost. Twee jaar geleden beweerde ze nog dat ze geen kinderen kon krijgen. Maar ook dat hoorde bij haar dekmantel.

Zwanger. Dat verandert alles.

Kate en Hayden zaten onder de stralende hemel, waar kleine witte wolkjes opzettelijk leken gerangschikt om de monotonie van het blauw te doorbreken. Ze worden van onderen verlicht door de gouden stralen van de lage zon. Een schilderachtig tafereel, het licht van Vermeer.

Kate had de Noord-Europese schilderkunst nooit echt gewaardeerd totdat ze zelf in Europa kwam te wonen. Toen pas besefte ze dat de luchten van de schilders geen fantasie waren, geen artistieke vertekening van de werkelijkheid, maar een nauwgezette weergave van een uniek hemellandschap. Zo zag de lucht er nooit uit in Bridgeport C.T. of Washington D.C. of Mexico City D.F. of al die plaatsen waar ze was geweest en weleens naar boven had gekeken.

'Je moet me wel vertellen,' zei Hayden, 'waar die immuniteit voor nodig is.'

Het was nog altijd een patstelling tussen hen. Kate wist dat ze blufte, en hij niet. Ze zou toch moeten toegeven. Omdat ze eindelijk had bedacht wat ze wilde, wat ze nodig had, en Hayden de man was die het haar kon geven. Terwijl hij helemaal niets nodig had van haar.

Bovendien had ze haast en wilde ze dit nu afronden, om terug te gaan naar de linkeroever. 'Voor zijn rol in de diefstal,' zei ze. 'Van die vijftig miljoen.'

Hayden pakte zijn glas, nam een grote slok water, zette het glas weer neer en keek Kate aan.

'Je moet het zo zien,' ging ze verder, 'dat dit precies zo'n operatie was die de CIA ook had kunnen uitvoeren. De kolonel was een schandvlek voor deze wereld, niet alleen een schoft, maar ook een ontwrichtende factor, een onverantwoordelijke maniak die wapens leverde die uiteindelijk in handen konden komen – of al wáren gekomen – van figuren die Amerikanen schade wilden toebrengen, misschien wel in Amerika zelf.'

Haydens gezicht stond ondoorgrondelijk.

'Dus hebben wij... niet ik, begrijp me goed... Nou ja, de kolonel is geëlimineerd. En zijn geld is niet terechtgekomen bij andere duistere types zoals hij. Bovendien is er nog een bonus die jou wel zal aanspreken.'

'O?'

'De dader... dat wil zeggen, de andere dader... is een FBI-agent. Stel je voor.'

Hij lachte, diep vanuit zijn keel, en snoof toen, wat niets voor hem was. Blijkbaar vond hij het erg grappig. 'En het geld?'

'Dat geven we terug,' zei Kate. 'Nou ja, niet terug. We geven het aan... ik weet het niet... aan jou? En het bedrag is niet meer helemaal compleet, moet ik zeggen...'

Hayden keek opzij, naar zijn collega's aan de andere kant, zijn ondergeschikten, in de hoek van het restaurant. Toen draaide hij zich weer om naar Kate.

'Nou?' zei ze. 'Zijn we akkoord?'

'Gefeliciteerd,' zegt Kate. 'Wanneer ben je uitgerekend?'

'Ik ben... het is nog niet eens vier maanden.'

'Dat is geweldig,' zegt Kate. Ze kijkt Bill aan. 'Gefeliciteerd.'

Zijn hand ligt nog onder het tafeltje, klaar om zijn subtiele, charmante verpakking van Julia's dikke stapel leugens te beschermen. Voor hem staat er heel veel op het spel: niet alleen die vijfentwintig miljoen euro, maar ook een vrouw en een kind. Een heel leven.

Kate houdt erover op. Ze zal niets zeggen over zijn bedrog. Nooit.

Ze laat de Beretta weer in de dubbele bodem van haar tas glijden. Dan tilt ze haar arm op, buigt zich over de tafel en pakt Julia's hand. De diamant van de verlovingsring voelt scherp tegen de harde huid van haar handpalm, met het eelt van haar tennislessen. Ze liefkoost Julia even met haar duim.

Bill knikt naar Kate en knippert nadrukkelijk met zijn ogen als teken van dankbaarheid. Ook hij gaat verzitten, brengt zijn arm omhoog en klemt zijn lege rechterhand om zijn wijnglas.

Kate wil niet dat deze vrouw in de gevangenis zal moeten bevallen. Ze wil niet verantwoordelijk zijn voor alle ellende van zo'n afschuwelijke situatie.

Ze draagt al de verantwoordelijkheid voor net zoiets verschrikkelijks.

Nee. Wat zij heeft gedaan was nog veel erger.

Een taxi toeterde op Park Avenue; de remmen van een zware truck piepten luid. Het ochtendlicht viel door de vitrage achter de dikke fluwelen gordijnen; stofjes dansten in de bundels. Er stond een wagentje van roomservice met wat onaangeroerde toast, half opgegeten eieren, plakjes ham, een schaaltje gebakken aardappels. Op een nachtkastje zag Kate een zilveren koffiepot met een porseleinen kopje; de geur vulde de kamer, de pot glansde in het zonlicht.

Torres' bloed droop in stille plassen vanuit zijn hoofd en borst en doordrenkte het kleed.

De baby huilde weer.

In een fractie van een seconde ging er een geweldige hoeveelheid informatie door Kates hoofd. Ze wist dat Torres' vrouw een paar jaar geleden was overleden aan complicaties na een routineoperatie. Maar dat was toen.

Kate wist helemaal niets over een nieuwe vrouw of een baby. Ze had wel wat onderzoek gedaan: welk hotel, welke kamer, hoeveel lijfwachten, waar ze stonden en wanneer. En ze had haar missie voorbereid: hoe ze onopgemerkt van Washington naar New York kon komen, van de stations naar haar bestemming, waar ze zich van het wapen kon ontdoen en hoe ze het hotel moest verlaten.

Maar ze was lui, slordig en ongeduldig geweest. Ze had haar werk niet goed gedaan, zich niet voldoende georiënteerd. Daarom wist ze nu te weinig.

En dus stond ze tegenover een verrassing: deze jonge vrouw in de deuropening van de slaapkamer in de hotelsuite van het Waldorf-Astoria, die nu over haar schouder in de richting van de huilende baby keek, niet in staat weerstand te bieden aan het instinct om voor haar kind te zorgen, zich er niet van bewust dat ze, door het oogcontact met Kate te verbreken, die menselijke connectie door te snijden, Kate de kans gaf het ergste te doen wat ze ooit had gedaan.

Het was Kates schuld. Zij had deze expeditie niet goed gepland. Daarom zou ze de volgende morgen het kantoor van haar chef binnenstappen om ontslag te nemen.

In de aangrenzende kamer begon de baby weer te huilen. Kate haalde de trekker over.

Kate werpt een blik op het suikerpotje, waarin de microfoon verborgen zit. Nog nauwelijks twee uur geleden zat ze anderhalve kilometer naar het noorden, aan de overkant van de rivier, om haar plan met Hayden te bespreken. En nu is ze al bezig het uit te voeren.

Het is geen onderdeel van hun afspraak om dit stel aan te houden of zelfs maar mee te werken aan hun arrestatie. Ze hoeft er alleen maar voor te zorgen dat ze alles bekennen, en dat is bijna volledig gelukt. Morgen moet ze de vierentwintig miljoen euro overboeken naar een speciaal fonds voor geheime operaties in Europa – waarover zij zelf de leiding zal krijgen.

'Heb jij nog iets van Dexter nodig om toegang te krijgen tot jouw helft van het geld?'

Julia knikt, maar daar neemt Kate geen genoegen mee. 'Wat dan?' vraagt ze.

'Het rekeningnummer. De gebruikersnaam en de wachtwoorden heb ik wel, maar het nummer nog niet.'

Dexter knikt ook. Eindelijk is het zover. Hij steekt zijn hand in zijn jaszak en haalt een papiertje tevoorschijn. Maar Kate grijpt zijn pols.

Hij kijkt haar vragend aan. Iedereen reageert verbaasd, aarzelend wat hier aan de hand is. Zelfs Kate is verwonderd om de kracht van haar eigen gevoel van vergiffenis. Ze kan er niets aan doen. Ze weet dat het door Julia's zwangerschap komt, die een kille misdadigster tot een sympathieke heldin heeft gemaakt. Zomaar. Kate is nu vóór Julia, niet tegen haar. Grotendeels.

Kate houdt Dexters pols in haar greep. Het papiertje zit nog opgevouwen in zijn vuist. Met haar rechterhand stoot ze de suikerpot om, waardoor hij leegstroomt over het tafeltje. Ze neemt het zendertje tussen duim en wijsvinger en houdt het omhoog, zodat iedereen het kan zien. De anderen trekken hun wenkbrauwen op.

Kate laat het zendertje in haar wijnglas vallen. 'Jullie hebben één minuut,' zegt ze. 'Misschien twee.'

Julia's ogen gaan snel heen en weer van het zendertje in Kates glas naar het papiertje met het rekeningnummer in Dexters hand. Kate gooit voorzichtig haar glas om, waardoor de wijn en het sissende apparaatje op het tafelkleed terechtkomen – een reden, een excuus,waarom het ding opeens niet meer werkt.

'Het geld krijgen jullie niet,' zegt Kate. De donkere wijn is al door het kleed gedrongen, met tentakels vanuit de rode plas. Weer datzelfde patroon. 'Maar als jullie snel zijn, kun je je vrijheid houden.'

Julia en Bill staan haastig op, maar niet in paniek, om geen aandacht te trekken.

'Loop door de hotellobby,' vervolgt Kate, 'en dan naar beneden, via de achteruitgang naar de zijstraat.'

Julia gooit haar tas over haar schouder. Ze staart Kate aan, met een mengeling van tegenstrijdige emoties op haar gezicht. Bill grijpt haar elleboog en doet al een eerste stap, weg van het tafeltje, de Moores, het geld.

'Het ga jullie goed,' zegt Kate.

Julia draait zich om naar Kate en Dexter. Ze glimlacht even, met rimpeltjes bij haar ogen, en opent haar mond alsof ze iets wil zeggen. Maar ze zwijgt en loopt door.

Kate kijkt hen na als ze verdwijnen in de dichte menigte. Alle lichten en straatlantaarns branden nu op de Carrefour de l'Odeon. Een kleine rode Fiat toetert tegen een heldergroene Vespa die door het verkeer zigzagt. De politieman let er niet op, omdat hij staat te flirten met het knappe meisje. Sigarettenrook stijgt op boven de tafeltjes met wijnglazen, pullen, karaffen en flessen, borden met ham en foie-gras, mandjes met servetjes en knapperig gesneden stokbrood, vrouwen met sjaaltjes om de hals geknoopt, en mannen in geruite sportjasjes. Mensen lachen, trekken gezichten tegen elkaar, schudden handen, kussen wangen en roepen hallo of tot ziens in die levendige drukke mensenzee van de vroege avond in de Lichtstad, waar twee expats snel maar geruisloos verdwijnen.